389 [L12] 治	390 [L12] 枚	400 [L12] 沿	421 [L13] 妻	422 [L13] 担	451 [L14] 価	459 [L14] 板	475 [L15] 届	478 [L15] 林	489 [L15] 延	9画	7 [L1] 美
10 [L1] 建	23 [L1] 県	29 [L1] 専	39 [L2] 相	51 [L2] 要	53 [L2] 昨	54 [L2] 皆	60 [L2] 面	67 [L2] 単	73 [L3] 発	75 [L3] 首	94 [L3] 型
111 [L4] 負	120 [L4] 係	136 [L4] 迷	151 [L5] 信	153 [L5] 客	160 [L5] 段	166 [L5] 品	180 [L6] 査	183 [L6] 急	184 [L6] 紀	199 [L6] 祝	203 [L6] 怒
249 [L8] 科	254 [L8] 逆	256 [L8] 点	272 [L8] 派	278 [L8] 追	279 [L8] 逃	297 [L9] 洋	303 [L9] 指	313 [L9] 限	326 [L10] 省	328 [L10] 独	343 [L10] 宣
359 [L11] 政	365 [L11] 律	394 [L12] 柔	406 [L12] 級	424 [L13] 姿	428 [L13] 飛	432 [L13] 則	443 [L14] 祖	458 [L14] 看	463 [L14] 退	482 [L15] 栄	10画
1 [L1] 島	6 [L1] 差	9 [L1] 残	13 [L1] 特	25 [L1] 酒	62 [L2] 連	84 [L3] 笑	98 [L3] 格	101 [L3] 将	102 [L3] 案	117 [L4] 能	121 [L4] 速
135 [L4] 席	137 [L4] 般	154 [L5] 流	159 [L5] 値	173 [L5] 座	185 [L6] 倍	188 [L6] 個	204 [L6] 恋	206 [L6] 殺	208 [L6] 真	238 [L7] 降	241 [L7] 挙
261 [L8] 恥	270 [L8] 途	276 [L8] 破	290 [L9] 原	293 [L9] 容	300 [L9] 徒	305 [L9] 庭	334 [L10] 凍	363 [L11] 候	368 [L11] 展	403 [L12] 息	429 [L13] 俳
431 [L13] 浮	433 [L13] 素	438 [L13] 孫	439 [L13] 娘	454 [L14] 除	461 [L14] 党	465 [L14] 討	466 [L14] 剣	473 [L15] 悩	484 [L15] 恐	485 [L15] 従	486 [L15] 恵
492 [L15] 財	11画	20 [L1] 都	91 [L3] 術	97 [L3] 欲	107 [L4] 現	108 [L4] 組	122 [L4] 寄	125 [L4] 健	126 [L4] 康	147 [L5] 敗	152 [L5] 得
157 [L5] 袋	165 [L5] 商	172 [L5] 混	175 [L5] 紹	211 [L6] 許	213 [L7] 済	218 [L7] 深	219 [L7] 閉	228 [L7] 第	230 [L7] 頃	236 [L7] 情	247 [L7] 液
257 [L8] 常	263 [L8] 患	280 [L8] 探	286 [L9] 進	298 [L9] 務	299 [L9] 率	302 [L9] 望	311 [L9] 断	314 [L9] 基	315 [L9] 堂	319 [L10] 訪	324 [L10] 険
331 [L10] 販	337 [L10] 盗	339 [L10] 著	342 [L10] 械	349 [L10] 規	364 [L11] 産	377 [L11] 郵	387 [L12] 側	393 [L12] 乾	412 [L13] 細	418 [L13] 接	426 [L13] 章
427 [L13] 張	446 [L14] 票	447 [L14] 責	455 [L14] 貧	456 [L14] 域	469 [L14] 偏	480 [L15] 捨	12画	5 [L1] 温	18 [L1] 達	19 [L1] 覚	28 [L1] 階
30 [L1] 葉	33 [L1] 絵	35 [L1] 然	47 [L2] 短	48 [L2] 晩	55 [L2] 敬	59 [L2] 落	63 [L2] 絡	71 [L2] 過	72 [L2] 無	77 [L3] 集	99 [L3] 遊

TOBIRA
GATEWAY TO ADVANCED JAPANESE
LEARNING THROUGH CONTENT AND MULTIMEDIA

コンテンツとマルチメディアで学ぶ日本語

上級へのとびら

きたえよう漢字力

POWER UP YOUR KANJI

800 BASIC KANJI AS A GATEWAY TO ADVANCED JAPANESE

上級へつなげる基礎漢字800

[監修] 岡まゆみ Mayumi Oka
[主筆] 石川　智 Satoru Ishikawa　近藤純子 Junko Kondo
[副筆] 筒井通雄 Michio Tsutsui　江森祥子 Shoko Emori　花井善朗 Yoshiro Hanai

Kurosio Publishers

学習者の皆さんへ

『きたえよう漢字力』は漢字の力をつけるためのテキストです。この本では、日本語能力試験出題基準(2009年時点)の2級レベルの漢字を中心に、初級用教科書で習う297字と『上級へのとびら』(2009, くろしお出版)(以下略称『とびら』)で習う新しい漢字503字の800字を勉強することができます。また、漢字を覚えるだけでなく、上級に進むために必要な「漢字の知識」や「漢字の学習方法」を身につけることも目的としています。この本を使って一つ一つの漢字を覚えながら、意味、形、読み方などを覚える時に必要な知識や、効率的な漢字の勉強方法を身につけていきましょう。練習問題によっては、難しいと思うものがあるかもしれません。けれど、その練習問題をすることで、漢字の形や部首など、皆さんが漢字を覚える時にあまり注意してこなかった漢字学習に役立つ点を勉強することができます。ですから、難しいと感じた練習問題は、特に繰り返して勉強するようにしてください。そうすれば、この本を全部終えた時に、漢字を勉強する力が必ず身についているはずです。では、頑張って漢字の勉強を始めましょう。

A Note to Students

Kitaeyoo Kanji-ryoku is a text designed to help you increase your kanji fluency. With it, you can study a total of 800 kanji—the 297 kanji generally introduced in beginning-level textbooks and an additional 503 kanji introduced in *Jōkyū e no Tobira* —focusing on those characters that appear at Level 2 of the Japanese Language Proficiency Test (as of 2009). The aim of this book is not simply to have you memorize each kanji; it is also to help you learn how to study kanji effectively and to provide you with the kanji knowledge required to continue your studies at the advanced level. This text will help you acquire study skills and knowledge as you memorize each individual kanji's meaning, form, and readings. It is possible that you will find certain sections of the practice exercises difficult. However, by working on these exercises, you can gain useful knowledge about kanji forms, radicals, etc., elements that you may not have paid much attention to when you first studied kanji. Make a special effort to study the exercises that you feel are difficult as many times as necessary. If you do so, you'll find that by the time you reach the end of this book, you'll have truly improved your kanji fluency. So, let's begin.

目次 CONTENTS

漢字ミニノート mini note

『きたえよう漢字力』の使い方

STEP 1 復習問題をする

まず復習問題をしてみましょう。この問題は、初級で習う297字の漢字(裏表紙の裏に掲載)を復習する練習です。この問題の中で分からない漢字、忘れている漢字がないかどうか、チェックしてみてください。初級で使った教科書によって学習した漢字が違うので、297字の中に皆さんがまだ勉強していない漢字が入っているかもしれません。分からない漢字や忘れていた漢字があったら、第1課を始める前に覚えておくようにしましょう。「とびらサイト」**http://tobira.9460.jp/tobiralogin** に初級用教科書『げんき』『なかま』『ようこそ』との漢字対照表があるので、参考にしてください。

STEP 2 漢字の基本情報を見る

各課の始めには新しく勉強する漢字の基本情報があります。例文の太字の言葉がその課で覚えなければいけない漢字を使った言葉です。基本情報を使って、漢字の意味や読み方や形はもちろん、部首、書き順なども一緒に覚えましょう。

STEP 3 『とびら』の漢字表で覚える漢字と言葉をチェックする

基本情報を使って新出漢字を覚えたら、各課の練習問題に進みますが、その前に『とびら』の各課にある漢字表、またはこの本の巻末の各課単語リスト(→p.218-230)を見て、練習問題に出てくる漢字と言葉をチェックしましょう。練習問題には基本情報にある新出漢字の言葉だけでなく、既習漢字を使った新しい言葉も出てきます。ですから、各課の練習問題をする前に『とびら』の漢字表を見て、練習問題に出てくる漢字と言葉の意味を確認してください。

STEP 4 練習問題をする

各課の練習問題をしてみましょう。答えは巻末にある解答用紙に書いてください。一つ一つの漢字を覚えることも大切ですが、どんなことに注意して漢字を勉強するかにも、気をつけるようにしましょう。分からない問題があっても、解答を見ないで答えを考えてみてください。解答は、質問に全部答えた後で見るようにしましょう。

STEP 5 答えをチェックし、間違えたところを勉強する

分からなかった問題や間違えた問題があったら、もう一度その漢字や言葉を勉強し直してください。また、同じ問題を繰り返して、確実に漢字と言葉が覚えられるようにしましょう。自分が苦手な問題(例:書き順、部首など)があったら、次の課の漢字を勉強する時には、特にその点にも注意して勉強するようにしましょう。

漢字の力をつけるためには、漢字を繰り返して勉強することが大切です。ですから、覚えた漢字を忘れないように、前の課に戻って何度も練習問題をしたりして、一度覚えた漢字も常に復習するようにしましょう。「とびらサイト」にも漢字学習教材がありますから、この本と一緒に使ってください。

How to Use *Kitaeyoo Kanji-ryoku*

STEP 1 ▶ Work on the review exercises.

Start with the review exercises. These questions are designed to help you review the 297 beginning-level kanji listed on inside back cover. Check to see if there are any kanji from these exercises that you are unfamiliar with or have forgotten. Since the kanji presented at the beginning-level vary from textbook to textbook, there may be some kanji among the 297 that you have never learned before. If you do find any kanji that you don't remember or haven't learned, you should work to memorize these before you proceed to the first chapter. You may find it useful here to refer to the chart on the *Tobira* website **http://tobira.9460.jp/tobiralogin**, which compares the 297 kanji to those introduced in the beginning-level textbooks *Genki*, *Nakama*, and *Yookoso.*

STEP 2 ▶ Study the basic information section.

Some basic information about the new kanji is introduced at the beginning of each chapter. The words bolded in the example sentences are the vocabulary you must memorize for the chapter. Use this basic information section to study the kanji in depth, making sure to learn the radical and stroke order for each kanji along with its meaning, reading, and form.

STEP 3 ▶ From the kanji list in *Tobira*, check the kanji and vocabulary items that must be memorized.

Once you've studied the basic information on the new kanji for the chapter, make sure to look at the kanji list for the chapter in *Tobira* or the vocabulary list for the chapter at the end of this kanji book (→p.218-230) to see which kanji and vocabulary items appear in the practice exercises. In the exercises there are words that use previously-learned kanji as well as words that use the new kanji introduced in the chapter's basic information section. Before you proceed to the practice exercises, make sure you know the meanings of all the kanji and words that appear in the exercises.

STEP 4 ▶ Do the practice exercises.

Next, do the practice exercises. Use the answer sheets at the back of the book. As you memorize each kanji, pay attention to the various aspects of kanji learning (e.g., the commonalities in form, meaning, and pronunciation). If you come across an exercise you don't immediately understand, try to complete it without looking at the answers; you should check these only once you've finished all the exercises.

STEP 5 ▶ Check your answers and study your mistakes.

If there were exercises you don't understand or can't complete correctly, review once again the kanji and the vocabulary items containing the kanji used in the exercises. Then, repeat the exercise until you're certain you've memorized the words and kanji involved. If you find an area where you're particularly weak—say, stroke order or radicals—make sure to focus on that area when you study the kanji for the next chapter.

In order to obtain kanji fluency, it is important to practice kanji repeatedly and to review kanji continuously from prior chapters, redoing the exercises from each previous chapter as often as necessary to ensure that you don't forget any of the kanji you've learned. The Tobira site provides additional kanji study materials.

漢字基本情報の見方 How to Read the Kanji Basic Information

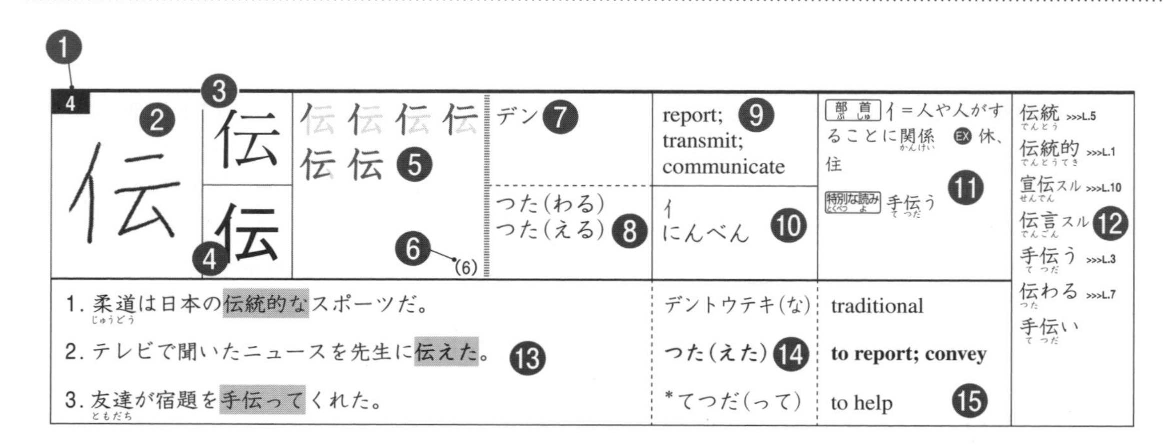

❶ **番号** …… 漢字には第1課から第15課まで通し番号がついています。
Index number All the kanji from Chapters 1 through 15 have index numbers.

❷ **手書き** …… 漢字を手で書いた時のスタイルです。
Handwritten character The kanji as it should be written by hand.

❸ **明朝フォント** **Mincho font**

❹ **ゴシックフォント** **Gothic font**

❺ **書き順** **Stroke order**

❻ **画数** **Number of strokes**

❼ **音読み** …… カタカナで書いてあります。
***On*-reading** Written in *katakana.*

❽ **訓読み** …… ひらがなで書いてあります。Written in *hiragana.*
***Kun*-reading**
(　　　)は送りがなです。The characters in ( ) are *okurigana*.
動詞に自動詞と他動詞がある時は、自動詞、他動詞の順番に読み方が書いてあります。音読み、訓読みの欄には、中級から上級のはじめにかけて必要な読み方だけを掲載しています。
When a kanji is used for both a transitive verb and an intransitive verb, the intransitive verb is given first. The *on-* and *kun*-reading list contains only the readings that are necessary for the intermediate and early advanced levels.

❾ **英語の意味** …… 漢字の基本的な意味です。
English meaning The kanji's basic meaning in English.

❿ **部首** …… 漢字の部首の部分と名前です。辞書によって部首の部分が違うことがあるので、部首が一つではない場合があります。
Radical The kanji's radical and that radical's name. The radicals for some kanji vary from dictionary to dictionary; for these kanji, multiple radicals are given.

⑪ **特記**
Special Notes

…… 漢字を覚える時に役に立つ情報が書いてあります。次のような情報があります。
Other useful information about the kanji, including the following:

部首 ／ 成り立ち ／ 文法 ／ 画数/形 ／ 類義/反対語 ／ 音 ／ 特別な読み ／ メモ

radical, etymology, grammar, number of strokes/form, synonyms/antonyms, pronunciation, special reading, etc.

特記の部分には、文を短くするために次のような記号が使ってあります。
The following symbols are used in the Special Notes for the sake of brevity.

＋：「と」	are
＝：「から」「は」	indicates; is
→：「つまり」「というのは〜という意味を表す」	means ~; that is to say ~

[例1]　島 **1** の特記

山＋鳥(大きい波：wave) ＝ 海の中にある山

山 **と** 鳥(大きい波：wave) **から** 海の中にある山という意味

[例2]　別 **17** の特記

刂 ＝ 刀(sward)のこと　→　切ることに関係

刂 **は** 刀(sward)のこと。**つまり**、切ることに関係

[例3]　相 **37** の特記

木＋目＝目で木を見る　→　向き合う

木**と** 目**は**、目で木を見ること。目で木を見る**というのは**、(木と)向き合う**という意味を表す**

⑫ **単語のリスト**
Vocabulary list

…… よく使われる単語のリストです。漢字の横の数字はその単語が覚える言葉として出てくる『とびら』の課の番号です。
A list of frequently-used words in which the kanji appears. The number next to each word indicates the chapter in *Tobira* where the word is introduced for memorization.

⑬ **例文**
Example sentences

…… 太字はその課で覚える言葉です。
Words in the chapter to be memorized are bolded.

⑭ **例文の言葉の読み方**
Readings for the kanji words in the example sentences

…… 音読みはカタカナ、訓読みはひらがなで書いてあります。*は特別な読み方をする漢字です。(　　)は送りがなや漢字の後に続くひらがなです。
On-readings are given in *katakana* and *kun*-readings in *hiragana*. * indicates a special reading for the kanji. The characters in (　) are either *okurigana* or other *hiragana* that form a word with the preceding kanji.

⑮ **例文の言葉の英語の意味**　**The English meanings of the kanji words in the example sentences**

部首一覧

偏（漢字の左にある部首）

画数	部首	部首の名前	部首が表す基本的な(basic)意味	例
2	亻	にんべん	人	休、代
	冫	にすい	氷(ice)、寒さ	凍、冷
3	彳	ぎょうにんべん	道、行う(to perform)	後、役
	忄	りっしんべん	心	忙、性
	扌	てへん	手	持、授
	氵	さんずい	水	海、活
	犭	けものへん	犬、動物	犯、狂
	阝	こざとへん	丘(hill)、山	院、階
	口	くちへん	口	呼、味
	土	つちへん	土(earth; soil)、土地(land)	地、場
	女	おんなへん	女	姉、妹
4	木	きへん	木	村、植、板
	礻	しめすへん	祭り(festival)、神	社、神
	日	ひへん	時間、明るさ	明、時
	月	にくづき	体	腹、胸
	月	つきへん	月、時間	服、期
5	衤	ころもへん	服	初、補
	石	いしへん	岩石(rock)	石、研、破
	禾	のぎへん	穀物(grain)	私、科
6	糸	いとへん	糸、織物(textile)	紙、続
7	言	ごんべん	言葉	読、話
	足	あしへん	足	足、距
	貝	かいへん	お金、品物(goods)	貯、財
8	食	しょくへん	食べ物	食、飲

（偏(へん)の部首(ぶしゅ)で他(ほか)の場所にも使うもの）

画数(かくすう)	部首(ぶしゅ)	部首(ぶしゅ)の名前	部首(ぶしゅ)が表(あらわ)す基本的(きほんてき)な(basic)意味	例
3	口	くち	口	古、右
	土	つち	土(つち)(earth; soil)、土地(とち)(land)	圧、在
	子	こ	子ども	学、存
	山	やま	山	岩、島
	巾	はば	織物(おりもの)(textile)、布(ぬの)(cloth)	市、常
4	日	ひ	時間、明るさ	早、春、暑
	月	にくづき	体	有、背、育
5	田	た	田畑(たはた)(rice field & farm)	男、界、畑
6	糸	いと	糸(いと)、織物(おりもの)(textile)	糸、素
7	貝	かい	お金、品物(しなもの)(goods)	買、貸

旁(つくり)（漢字の右にある部首(ぶしゅ)）

画数(かくすう)	部首(ぶしゅ)	部首(ぶしゅ)の名前	部首(ぶしゅ)が表(あらわ)す基本的(きほんてき)な(basic)意味	例
2	刂	りっとう	刀(かたな)(sword)	別、列
	力	りきづくり	力(power)	助、動
3	彡	さんづくり	模様(もよう)(pattern)	形、影
	寸	すん	手の動作(どうさ)(action)	対、射
	阝	おおざと	村(むら)、人が住んでいる場所	部、都
4	欠	あくび	口を大きく開けてする動作(どうさ)(action)	次、歌
	斤	おのづくり	刃物(はもの)(cutlery)、切る	新、断
	殳	ほこづくり	打(う)つ(to hit)などの手の動作(どうさ)(action)	殴、段
	攵	ぼくづくり	動作(どうさ)(action)	教、政
8	隹	ふるとり	鳥	雑、難
9	頁	おおがい	頭(あたま)、顔	頭、顔

（旁(つくり)の部首(ぶしゅ)で他(ほか)の場所にも使うもの）

画数(かくすう)	部首(ぶしゅ)	部首(ぶしゅ)の名前	部首(ぶしゅ)が表(あらわ)す基本的(きほんてき)な(basic)意味	例
2	力	ちから	力(power)	加、努
3	寸	すん	手の動作(どうさ)(action)	寺、尊
8	隹	ふるとり	鳥	集、隻

冠(かんむり)　（漢字の上にある部首(ぶしゅ)）

画数(かくすう)	部首(ぶしゅ)	部首の名前(ぶしゅ)	部首が表す基本的な(ぶしゅ あらわ きほんてき)(basic)意味	例
3	宀	うかんむり	家	安、家
	艹	くさかんむり	草(くさ)(grass)	花、英
5	穴	あなかんむり	穴(あな)(hole)	空、窓
6	⺮	たけかんむり	竹	答、笑
8	⻗	あめかんむり	天気	雪、電

脚(あし)　（漢字の下にある部首(ぶしゅ)）

画数(かくすう)	部首(ぶしゅ)	部首の名前(ぶしゅ)	部首が表す基本的な(ぶしゅ あらわ きほんてき)(basic)意味	例
4	灬	れんが	火、熱(ねつ)	熱、無
	心	こころ	心	思、悲
6	衣	ころも	服、布(ぬの)(cloth)	表、製

垂(たれ)　（漢字の上から左にある部首(ぶしゅ)）

画数(かくすう)	部首(ぶしゅ)	部首の名前(ぶしゅ)	部首が表す基本的な(ぶしゅ あらわ きほんてき)(basic)意味	例
2	厂	がんだれ	がけ(cliff)、石(いし)(stone)	反、原
3	广	まだれ	屋根(やね)(roof)、建物(たてもの)(building)	広、店
	尸	しかばね	人の体、屋根(やね)(roof)	届、屋
5	疒	やまいだれ	病気	病、疲

繞(にょう)　（漢字の左から下にある部首(ぶしゅ)）

画数(かくすう)	部首(ぶしゅ)	部首の名前(ぶしゅ)	部首が表す基本的な(ぶしゅ あらわ きほんてき)(basic)意味	例
3	廴	えんにょう	延(の)ばす(to extend)	建、延
	辶	しんにょう	道、進(すす)む(to go forward)	近、連
7	走	そうにょう	走る	起、越

構(かまえ)　（漢字の外を囲(かこ)む(surround)部首(ぶしゅ)）

画数(かくすう)	部首(ぶしゅ)	部首の名前(ぶしゅ)	部首が表す基本的な(ぶしゅ あらわ きほんてき)(basic)意味	例
2	匚	かくしがまえ	箱(はこ)(box)、区切(くぎ)る(to divide)	医、区
3	囗	くにがまえ	囲(かこ)む(to enclose)	国、四
6	行	ぎょうがまえ	道路(どうろ)(road)、歩く	術、街
8	門	もんがまえ	入口(いりぐち)(entrance)、門(もん)(gate)	問、開

復習漢字の練習 >>>

*復習漢字のリストは裏表紙の裏にあります。

復習漢字の練習

（復習漢字のリストは裏表紙の裏にあります。）

問題 1 次の文は漢字について書いてあります。［　］の中から言葉を選んで、文を完成しなさい。

The following passage contains information about kanji. Complete the passage by filling in the blanks with the appropriate words from the box.

a. 訓読み	b. 言べん	c. 送りがな	d. 部首	e. 音読み

昔の日本には字がありませんでしたから、1600年前ごろから日本人は中国の漢字を日本語に使うようになりました。1)［　］は昔の中国から来た読み方で、2)［　］は中国から来た漢字を同じ意味の日本語で読んだ言い方です。「食べる」の「べる」のようなひらがなの部分は3)［　］と言って、この部分で時制や肯定・否定などを表します。

それから、漢字には4)［　］という、その漢字の基本の意味を表す部分があります。例えば、「読む」の左にある「言」は5)［　］と言って「言葉」に関係する漢字に使われます。

＊部分＝part　時制＝tense　肯定・否定＝affirmative・negative　表す＝to show; express
例えば＝for example　基本の＝basic　関係する＝to be related

問題 2 下線の漢字の読み方を書きなさい。音読みと訓読みに気をつけましょう。

Provide *hiragana* readings for the underlined kanji, paying attention to the different *on-* and *kun-*readings.

ex. このa.大学は、とてもb.大きい。→ | a. だいがく | b. おおきい |

1）a.兄弟の中では、b.高校生のc.弟が一番背がd.高い。

2）このa.図書館では、b.新聞を読んだり、レポートをc.書いたり、d.新しいCDをe.聞いたりすることができます。それから、とても古いf.地図も見ることができます。

3）a.金曜日からb.旅行にc.行くので、d.銀行でe.お金をおろしておいた。

4）a.時計をb.家に忘れたc.時、d.時間がわからなくなってしまって、e.家族をレストランで長いf.間待たせてしまった。

5）a.電話でアメリカの友だちとb.話している時、日本にc.来られるかと聞いたら、d.来年だったら、遊びに行けるかもしれないと言ったので、ぜひe.来てほしいと言った。

6）私のa.父も、友だちのb.お父さんも、c.会社の仕事がいそがしいので、d.父親にe.会って話す時間があまりない。

7) カフェテリアにa. 食事に行ったら、クラスメートがb. 楽しそうにc. 音楽を聞きながら、ご飯をd. 食べていた。

8) 日本語では、a. 外国に行くことをb. 海外に行くと言います。外国に行く時は、c. 海をこえて(to cross) d. 国のe. 外に行くからです。

問題 3 漢字には部首(ぶしゅ)という、その漢字の基本(きほん)の意味を表(あらわ)す部分(ぶぶん)があります。1)～8)のペアの漢字の部首(ぶしゅ)は何ですか。例(れい)のように漢字の読み方を考えてから、部首(ぶしゅ)を①に書きなさい。そして、部首の意味を[　]から選んで②に入れましょう。

Every kanji has an element called a radical, which indicates the basic meaning of that kanji. Which element is the radical in each pair of kanji in (1) - (8) below? Consider the readings of each pair first; then, provide the radical and select its meaning from the box, as shown in the example.

部首(ぶしゅ)の意味

a. お金	b. 女の人	c. 食べ物	d. 時間や*太陽(たいよう)
e. 気持ちや*心	f. *植物(しょくぶつ)	g. 手	h. 人 　i. 水

*心 = mind　植物(しょくぶつ) = plant　太陽(たいよう) = sun

	読み方		① 部首(ぶしゅ)	② 意　味
ex.	おねえさん	いもうと	女	__b.__に関係(かんけい)がある漢字を作る。
	お姉さん	妹		
1)				_____に関係(かんけい)がある漢字を作る。
	休み	体		
2)				_____に関係(かんけい)がある漢字を作る。
	買う	貸す		
3)				_____に関係(かんけい)がある漢字を作る。
	早い	明るい		
4)				_____に関係(かんけい)がある漢字を作る。
	お茶	花		
5)				_____に関係(かんけい)がある漢字を作る。
	飲む	ご飯		
6)				_____に関係(かんけい)がある漢字を作る。
	思う	忘れる		
7)				_____に関係(かんけい)がある漢字を作る。
	拾う	持つ		
8)				_____に関係(かんけい)がある漢字を作る。
	洗う	海		

問題 4 手書きと印刷の漢字は、形が違うことがあります。「こころ」は、印刷の漢字では、「心」ですが、手書きは「心」のように書きます。ですから、漢字の書き方をおぼえる時には、手書きの漢字の形をおぼえるようにしましょう。

The forms of handwritten kanji and printed kanji are sometimes different. For example, *kokoro* is 心 in print form but 「心」 in handwritten form. When learning how to write kanji, you should focus of the shapes of the handwritten forms.

下線の漢字の形は印刷と手書きで、どの部分が違うでしょうか。例のように、違うところに ○をしましょう。そして、読み方も書きましょう。

In the underlined kanji below, find the parts in each pair where the printed version and the handwritten version differ and circle those parts, as shown in the example. Then, provide the reading for the kanji.

ex. 人が部屋に入ってきた。　読み方：はいって

印刷　手書き

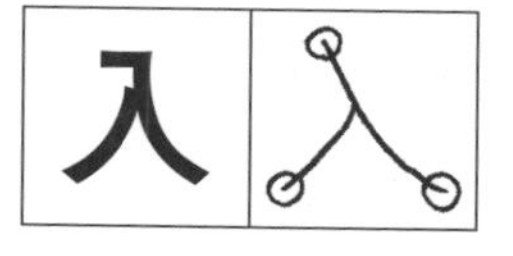

1) 北の風はつめたい。

印刷	手書き
北	北

2) あの人は足が長い。

印刷	手書き
長	長

3) よく考えてから話そう。

印刷	手書き
考	考

4) 雨が雪に変わった。

印刷	手書き
変	変

5) 春にはきれいな花を見たい。

印刷	手書き
春	春

6) 駅の前の通りに本屋がある。

印刷　手書き

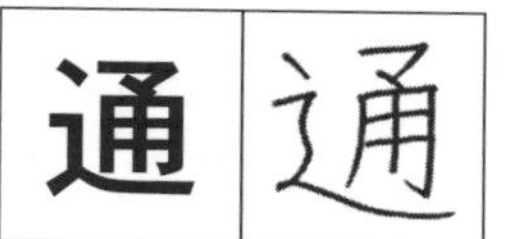

問題 5 下線のひらがなの言葉を漢字にして、a. ～ d. の中から正しい意味を選びなさい。そして、例のように、その漢字を書く時に注意するポイントの番号を４つ入れましょう。

Provide the kanji for the underlined *hiragana* words and select their meanings from (a) - (d), as shown in the example. Also, from the set of points below, select four points that you must consider when you write the kanji, as shown in the example.

◎漢字を書く時に注意するポイント：Points you must pay attention to when you write kanji:

①とめ (stop)、②はね (hook)、③はらい (sweep)、④むき (direction)、⑤出る (stick out)、⑥曲線 (curved line)、⑦長い線 (long line)、⑧短い線 (short line)、⑨直角 (right angle)

ex. つきがとてもきれいだ。　(a. month　ⓑmoon　c. love　d. you)

1) ペットがしんでかなしい。
(a. to run away b. to die c. to catch d. to miss)

2) 飛行機(ひこうき)から青いそらを見た。
(a. ocean b. cloud c. sky d. island)

3) みちがわからなくて、こまった。
(a. time b. address c. question d. road)

4) 「青いとり」という本を読んだ。
(a. chicken b. insect c. bird d. animal)

5) きのう、なにをしましたか。
(a. what b. where c. who d. how)

6) あきは、食べ物がおいしい。
(a. spring b. summer c. fall d. winter)

7) 私がよく行くところは喫茶店(きっさてん)です。
(a. shop b. thing c. object d. place)

8) きのう新しいふくを買った。
(a. blow fish b. clothes c. sock d. umbrella)

9) ねるので、電気をけしてください。
(a. to turn on b. to turn off c. to miss d. to change)

10) 暑いから、まどをあけた。
(a. to break b. to cool c. to open d. to close)

11) あしたは、はれそうだ。
(a. rainy b. sunny c. snowy d. cloudy)

12) ５月の旅行ははじめに中国に行ってから、その後で日本に行く。
(a. first b. anyway c. finally d. probably)

問題 6 絵(え)を見て、例(れい)のようにひらがなの言葉(ことば)を漢字にして文を作りなさい。

For each picture below, create a sentence using the provided words. Write the words in kanji.

ex. いぬ　ゆき　はしる　とる　→
犬は雪の中を走ってボールを取りに行く。

1) 
かぜ　つよい　じてんしゃ　のる　→

____

2) 

とうきょう　ぎんこう　はたらく　おもう　→

____

3) あめ　ともだち　にもつ　あるく　→

____

4) あに　けんきゅう　えいご　つかう　→

____

5) すき　かしゅ　てがみ　おくる　→

____

問題 7 □の中の言葉(ことば)で、意味が反対(はんたい)の言葉(ことば)のペアを見つけなさい。そして、例(れい)のように漢字と英語の意味を書きましょう。

Make pairs of antonyms (words with opposite meanings) from the words in the box below; then, write their kanji and their English meanings, as shown in the example.

ex. きた　おおきい　ちいさい　みなみ

漢字	大きい	小さい	北	南
英語	big	small	north	south

1	すくない　げんき　あさ　びょうき　おおい　よる
2	ひがし　おわる　おなじ　にし　はじまる　ちがう
3	くろい　べんり　はいる　ふべん　でる　しろい
4	みぎ　つよい　ひだり　はは　よわい　ちち
5	あかるい　おしえる　さむい　くらい　あつい　ならう
6	いま　たかい　ふゆ　やすい　なつ　むかし

問題 8 下線(かせん)の漢字は、特別(とくべつ)な読み方をする漢字です。意味をよく考えて、漢字の読み方を書きなさい。 The underlined kanji words have special readings. Consider the context and provide the reading for each word.

1) a.今日はひまだったので、b.一人でデパートに行った。

2) a.今朝早く、友だちがb.部屋に来たので、びっくりした。

3) テニスがa.下手なので、来週からテニスがb.上手な人とc.二人で練習することにした。

4) 私は a. 時々風邪(かぜ)をひいて学校を休む。b. 今年は九月 c. 五日から c. 十日まで、e. 六日間も休んでしまった。

5) 今月の a. 二十日から、バスの料金(りょうきん)(fare)が b. 大人は 30 円、子どもは 10 円高くなる。

問題 9 どの書き順(じゅん)が正(ただ)しいですか。正(ただ)しいものに○をして、読み方と英語の意味を書きなさい。

Which stroke order is correct? Circle the correct stroke order for each kanji and provide the reading and the English meaning for each word, as shown in the example.

ex. このセーターは千円だった。→ 読み方（せんえん） 英語の意味（one thousand yen）

ⓐ	ノ	二	千
b.	丨	亻	千
c.	一	十	千

a.	丨	冂	冂	円	円
b.	丨	冂	月	円	
ⓒ	丨	冂	冂	円	

1) 友だちは毎年、日本に行きます。

2) ゆうべ a. 遅く ねたので、朝早く b. 起き られなかった。

3) 私は勉強が好きじゃない。

4) 来年、ルームメイトが結婚します。

問題 10 1)～5)の文に合(あ)うように、☐ の中の漢字を組(く)み合(あ)わせて言葉(ことば)を作りなさい。

In Sentences (1) - (5), provide the kanji word by combining the kanji in the box that match the description in the sentence, as shown in the example.

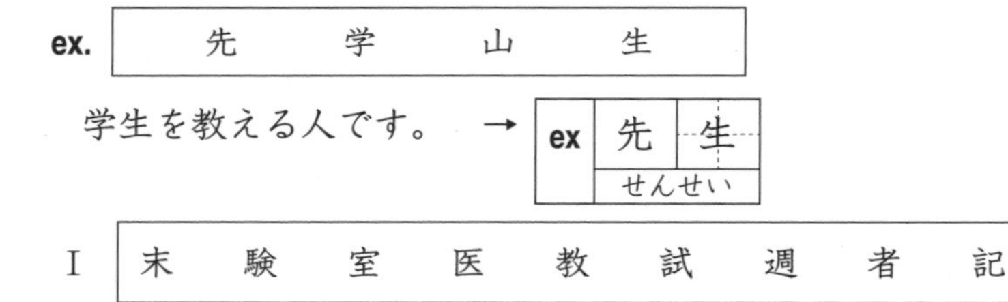

ex.
先 学 山 生
学生を教える人です。→
ex 先 生
せんせい
I
末 験 室 医 教 試 週 者 記 日

1) 日本語でテストのことです。

2) 土曜日と日曜日のことです。

3) 授業をする部屋のことです。

4) 毎日、その日にしたことやあったことを書きます。

5) 病気の時に、この人がいる所に行きます。

Ⅱ

工	守	悪	留	台	卒	口	風	場	業

1）日本にはたいてい８月から９月ごろに来ます。そして、雨がたくさんふります。

2）だれかのよくないことを言うことです。

3）車やテレビのような物を作る所です。

4）友だちの家に行きましたが、友だちはいませんでした。「いませんでした」という意味の漢字の言葉（ことば）です。

5）日本の大学では４年間の勉強が全部終わると、これができます。

Ⅲ

物	題	球	宿	着	近	野	料	最	理

1）300年前の日本人はみんなこれをきていました。

2）日本語の学生は先生にこれを出さなくてはいけません。

3）「このごろ」という意味の言葉（ことば）です。

4）カレーやすしやサラダを作ることです。

5）ベーブ・ルース(Babe Ruth)は、これで有名な人です。

問題 11 ［　　］の中から、1)～7)の文に合（あ）う言葉（ことば）を選（えら）びなさい。そして、ひらがなを漢字にしましょう。In Sentences (1) - (7), select the word from the box that matches the description in each sentence and write it in kanji.

ex. ［きょうだい　ひだり］ 右じゃありません。→ **ex.** 左

Ⅰ

れんしゅう	ぶんか	くうこう	よやく	ひろい	うんどう	しんぱい

1）テストの前に、あまり勉強していない学生が思います。

2）有名なレストランに行く時は、これをした方がいいです。

3）ジョギングやサッカーをすることです。

4）日本語が上手になりたい人は、たくさんこれをします。

5）せまくないことです。

6) 日本語の授業では、言葉(ことば)といっしょにこれも勉強します。

7) ここで飛行機(ひこうき)に乗ります。

II

いたい　　せいかつ　　くすり　　いろ　　かお　　いみ　　てら

1) 京都(きょうと)にはこれがたくさんあります。

2) 赤、青、黒、白のことです。

3) 口、目、鼻(はな)があるところです。

4) 古い牛乳(ぎゅうにゅう)を飲んだ時は、おなかがどうなりますか。

5) 東京(とうきょう)は何でも高いので、これが大変です。

6) 病気の時にこれを飲んだり、使ったりします。

7) 言葉(ことば)のこれがわからない時、辞書(じしょ)で調べます。

問題12 1)～6)の□の中には同じ漢字が入ります。漢字のリストの中から、適当(てきとう)な漢字を選(えら)んで□に入れなさい。そして、その読み方も書きましょう。

Each pair or group of kanji compounds in (1) - (6) below contains the same kanji. Complete the compounds by selecting the appropriate kanji from the kanji list.

漢字のリスト

神　屋　注　員　気　地

1) 店□、駅□→

2) 天□、元□、病□→

3) 本□、肉□、花□→

4) □意する、□文する→

5) □図、□下→

6) □社、□様→

問題13 下の表(list)の漢字は、漢字の一部分でよく使われる漢字です。

The kanji in the list below are often used as elements in other kanji.

ステップ１：漢字の意味と読み方を見ましょう。 Look at the meanings and readings of the following kanji.

	漢字	意味	音読み	訓読み	よく使う場所
1	糸	thread	シ	いと	部首のいと、いとへん、部首の時は形が「糸」になる。
2	竹	bamboo		たけ	部首のたけかんむり、部首の時は形が「⺮」になる
3	王	king; rule	オウ		部首のおう、おうへん、部首の時は形が「王」になる
4	貝	shellfish		かい	部首のかい、かいへん
5	門	gate	モン		部首のもんがまえ
6	耳	ear	ジ	みみ	部首のみみ、みみへん
7	馬	horse	バ	うま	部首のうま、うまへん
8	矢	arrow		や	部首のやへん
9	寺	temple	ジ	てら	つくり（漢字の右がわ）

ステップ２：［　　］のどちらかの漢字の部分を選んで、(　　)と組み合わせて漢字を作りなさい。そして、その読み方も書きましょう。

Choose one kanji from the box to put with the element in parentheses to construct a kanji that completes the sentence. Provide the reading for the underlined kanji word.

ex. ［門　糸］

a. レストランと本屋の(　日　)にコンビニがあります。→ 日＋門 → a. 間（あいだ）

b. 次の(　口　)題を３分で考えてください。→ 口＋門 → b. 問題（もんだい）

1) ［糸　耳］

a. 日本に留学した(　圣　)験があります。

b. 日本語の授業は11時に(　冬　)わります。

2) ［王　貝］

a. 友だちにCDを(　代　)してもらった。

b. デパートでセーターを(　罒　)うつもりだ。

3) ［馬　⺮］

a. 弟と(　尺　)の前にあるレストランでスパゲッティを食べた。

b. 来週試(　㑒　)があるので、図書館で勉強します。

4) 貝　矢

a. 私の家（ 方 ）は、みんなスポーツが好きだ。

b. 私は（ 匚 ）者になりたいと思っています。

5) 竹　耳

a. パイロットは子どもに人気のある（ 戠 ）業だと思う。

b. すみません、その本を（ 又 ）ってください。

6) 寺　馬

a. （ 日 ）間がないので、パーティーに行けません。

b. 30分（ 彳 ）ったが、バスは来なかった。

7) 門　⺮

このクイズの（ 合 ）えは、やさしかった。

8) 矢　王

a. 母の料（ 里 ）は、いつもおいしい。

b. 子どもの時から野（ 求 ）が大好きです。

問題 14 次の文の下線（かせん）のひらがなを漢字にしなさい。（　）の中の数字（すうじ）は漢字の数（かず）です。

Provide the kanji for the underlined *hiragana* words in the following sentences. The numbers in ( ) indicate the number of kanji that should be provided.

ex. おとうさんは、コーヒーがすきです。(2)

お	父	さ	ん	は	、	コ	ー	ヒ	ー	が	好	き	で	す	。

1) わたしの だいがくいんせいの いもうとは にしゅうかんにいちど えいがをみると いっていた。(15)

2) うえからにばんめのあねのごしゅじんは いちねんに さんかいぐらい うみにサーフィンをしにいくそうだ。(13)

3) いちまんはっせんろっぴゃくよんじゅうえんで あおいすてきなネクタイをうっていたので、ははにおかねをかりて かってしまった。でも、まだそのおかねをぜんぶかえしていない。(19)

4) どようびのしちじはんごろ、えきにでんしゃがとまったとき あかいシャツをきたわかい おんなのひとがせのたかい おとこのひとのよこに たっているのをみた。(22)

5) テストをうけるまえに、せんせいにかんじのしつもんをしたら、しんせつにこたえてくれた。(11)

6) つぎのくがつよっかのかようびのじゅぎょうでは、せかいのゆうめいじんについてたなかさんがつくったビデオをさんじゅっぷんぐらいみます。(22)

7) いま、つまとふたりのおとこのことおおきいまちにすんでいる。なつになったら、かぞくでにほんのみなみにあるやまやみずがきれいなかわにキャンプをしにいきたいとかんがえているから、インターネットでいいばしょをしらべてみた。(22)

8) ひるやすみにともだちとはなしているときにがいこくからにほんにきているさかなやうしのにくがおおいことをしっておどろいた。(15)

9) どようびはくるまがきたなかったので、くるまをあらったり、いろいろなようじをしたりした。それから、けいざいのほんをよんで、ぶんがくのしゅくだいをした。(15)

10) しごとでおもいかばんをもってたくさんあるいたら、あしがいたくなってしまった。それで、びょういんのうしろにあるちいさいこうえんのきのしたのふるいベンチですこしやすんだ。(16)

11) ゆうしょくをたべてからいぬといえのちかくをはしっていたら、あめがゆきにかわったので、ジョギングをやめてアパートにかえった。(11)

基本情報>>>

練習問題>>>

第1課

日本の地理(ちり)

RW 読み方・書き方を覚える漢字

1 島

島	島(筆順) (10)	読み	意味	成り立ち	語例
島	島 島 島 島 島 島 島 島 島 島	トウ	island	成り立ち(なりたち) 山＋鳥(大きい波(なみ)：wave)＝海の中にある山	半島(はんとう) >>>L.11
		しま	山 やま		島国(しまぐに)

例文	読み	意味
1. シンガポールはマレー**半島**の一番南にある。	ハントウ	peninsula
2. 日本には大きな**島**が四つある。	しま	**island**

2 平

平	平(筆順) (5)	読み	意味	部首	語例
平	平 平 平 平 平	ヘイ ビョウ	flat; equal; peace	部首(ぶしゅ) 干 EX 年	平均(へいきん) >>>L.8 平成(へいせい) >>>L.11 太平洋(たいへいよう) >>>L.15 平気(へいき) >>>L.15 平日(へいじつ) 平等(びょうどう)(な) >>>L.9
		たい(ら) ひら	干 かん		

例文	読み	意味
1. 世界に**平和**が来るだろうか。	ヘイワ	**peace**
2. 日本は山が多く、人が住める**平らな**所が少ない。	たい(らな)	flat

3 和

和	和(筆順) (8)	読み	意味	部首	語例
和	和 和 和 和 和 和 和 和	ワ	peace; harmony; Japanese (style)	部首(ぶしゅ) 口＝食べる、飲む、話すなどの言葉(ことば)に関係(かんけい) EX 名、味、古、台	和食(わしょく) >>>L.10 和風(わふう) 和紙(わし) >>>L.12 和室(わしつ) 和服(わふく)
			口 くち		

例文	読み	意味
1. **平和**のために、何ができるだろう。	ヘイワ	**peace**
2. **和食**が好きな外国人は多い。	ワショク	Japanese food / dishes

4 伝

伝	伝(筆順) (6)	読み	意味	部首	語例
伝	伝 伝 伝 伝 伝 伝	デン	report; transmit; communicate	部首(ぶしゅ) 亻＝人や人がすることに関係(かんけい) EX 休、住 特別な読み(とくべつなよみ) 手伝(てつだ)う	伝統(でんとう) >>>L.5 伝統的(でんとうてき) >>>L.1 伝言(でんごん)スル 宣伝(せんでん)スル >>>L.10 伝(つた)わる >>>L.7 手伝(てつだ)う >>>L.3 手伝(てつだ)い
		つた(わる) つた(える)	亻 にんべん		

例文	読み	意味
1. 柔道(じゅうどう)は日本の**伝統的な**スポーツだ。	デントウテキ(な)	traditional
2. テレビで聞いたニュースを先生に**伝えた**。	つた(えた)	**to report; convey**
3. 友達(ともだち)が宿題を**手伝って**くれた。	*てつだ(って)	to help

5	温	温	オン / あたた(か) / あたた(かい) / あたた(まる) / あたた(める) (12)	warm; gentle / 氵 さんずい	部首 氵＝水に関係(かんけい) EX 海、消 / 類義/反対語 温(あたた)かい↔冷(つめ)たい 温(あたた)まる↔冷(ひ)える 温(あたた)める↔冷(ひ)やす	地球温暖化(ちきゅうおんだんか) >>>L.14 温泉(おんせん) 温度(おんど) 体温(たいおん) 温(あたた)める >>>L.10 温(あたた)かい >>>L.10
	1. ここは夏でも、あまり**気温**が高くない。		キオン	(atmospheric) temperature		
	2. あの人はとても心が**温かい**人だ。		あたた(かい)	warm		

6	差	差	サ / さ(す) (10)	difference; discrepancy / 工 たくみ	部首 工 EX 工、左	差別(さべつ)スル 交差点(こうさてん) 時差(じさ) 偏差値(へんさち)
	漢字をよく知っている人とあまり知らない人では、成績(せいせき)に大きな**差**がある。		サ	difference		

7	美	美	ビ / うつく(しい) (9)	beautiful / 羊 ひつじ	成り立ち 羊(ひつじ)(sheep) ＋ 大 ＝形(かたち)のよい大きい羊(ひつじ)はすばらしい(splendid) →美(うつく)しい	美人(びじん) >>>L.13 美術(びじゅつ) 美術館(びじゅつかん) 美容院(びよういん)
	1. **美術館**にピカソの絵(え)を見に行った。		ビジュツカン	art museum		
	2. 富士山(ふじさん)はとても**美しい**。		うつく(しい)	beautiful		

8	選	選	セン / えら(ぶ) (15)	select; choose / 辶 しんにょう	部首 辶 EX 近、道、運 / 画数/形 辶＝3画(かく)	選手(せんしゅ) >>>L.4 選挙(せんきょ) >>>L.14 選挙権(せんきょけん) >>>L.14 当選(とうせん)スル >>>L.14 落選(らくせん)スル >>>L.14 選択(せんたく)スル
	1. キムさんはスケートの**選手**だ。		センシュ	athlete		
	2. 読みたい本がたくさんあって、**選ぶ**のに困(こま)った。		えら(ぶ)	to choose		

9	残	残	ザン / のこ(る) / のこ(す) (10)	remain; the remainder; the rest / 歹 かばねへん	部首 歹＝死ぬことに関係(かんけい) EX 死	残念(ざんねん)(な) >>>L.3 残業(ざんぎょう)スル 残(のこ)す 残(のこ)り
	1. 昨日(きのう)は雨でテニスができなくて**残念**だった。		ザンネン	disappointing		
	2. まだしなければいけない宿題が**残って**いる。		のこ(って)	to be left		

10 建

建	(9)
音	ケン
意味	build
訓	た(つ) た(てる)
部首	廴 えんにょう

画数/形(かくすう/かたち) 廴=3画(かく)

建築(けんちく) >>>L.11
建設(けんせつ)スル
建(た)てる >>>L.6
建(た)つ

例文	読み	意味
1. このa.**建物**はゴシック(Gothic) b.**建築**だ。	a. たてもの b. ケンチク	a. building b. architecture
2. 大学のとなりに大きい病院を**建てて**いる。	た(てて)	to build

11 形

形	(7)
音	ケイ ギョウ
意味	shape; form
訓	かた かたち
部首	彡 さんづくり

成り立ち(なりたち) 彡=美(うつく)しい模様(もよう)(pattern)→模様(もよう)に関係(かんけい)

形式(けいしき) >>>L.13
三角形(さんかくけい)
図形(ずけい)
長方形(ちょうほうけい)
人形(にんぎょう)

例文	読み	意味
1.「食べる」の**過去形**は「食べた」だ。	カコケイ	past form (tense)
2. 友だちの子どもに女の子の**人形**をあげた。	ニンギョウ	doll
3. 花の**形**のクッキーを作ろうと思っている。	**かたち**	**shape**

12 的

的	(8)
音	テキ
意味	target
訓	
部首	白 しろい

文法(ぶんぽう) 的は名詞(めいし)について、な形容詞(けいようし)を作る
EX 文化的(cultural)
科学的(scientific)

一般的(いっぱんてき) >>>L.1
代表的(だいひょうてき) >>>L.4
国際的(こくさいてき) >>>L.5
個人的(こじんてき) >>>L.6
近代的(きんだいてき) >>>L.11
積極的(せっきょくてき) >>>L.11
具体的(ぐたいてき) >>>L.14

例文	読み	意味
1. 日本に行く**目的**は日本語の勉強だ。	**モクテキ**	**purpose**
2. 寿司(すし)は一番**日本的な**食べ物だと思う。	ニホンテキ(な)	Japanese

13 特

特	(10)
音	トク
意味	special
訓	
部首	牜 うしへん

部首(ぶしゅ) 牜=牛(cow)に関係(かんけい) EX 牛、物

特徴(とくちょう) >>>L.2
独特(どくとく)(の) >>>L.11
特長(とくちょう) >>>L.12
特集(とくしゅう)
特色(とくしょく)
特急(とっきゅう)

例文	読み	意味
1. この漢字は画数(かくすう)(number of strokes)が多いので、**特に**難(むずか)しい。	トク(に)	**especially**
2. 寿司(すし)は、外国でも**特別な**食べ物ではなくなった。	トクベツ(な)	**special**

14 市

市	(5)
音	シ
意味	town; city; market
訓	いち
部首	巾 はば

メモ 日本では5万人より多くの人が住んでいる所が市(し)になる

市長(しちょう) >>>L.14
市町村(しちょうそん)
市民(しみん)
市役所(しやくしょ)
都市(とし)

例文	読み	意味
1. 京都(きょうと) a.**市**には錦(にしき)という有名なb.**市場**がある。	a. シ, b. いちば	a. **city**, b. market
2. 東京のような**大都市**が好きだ。	ダイトシ	**large city**

15 説

説 説

(14)

セツ

explain; theory

言 ごんべん

部首 言＝言葉(ことば)に関係(かんけい) EX 話、読、語

説明(せつめい)スル >>>L.2
演説(えんぜつ)スル >>>L.14
解説(かいせつ)スル
社説(しゃせつ)

1. 本をよく読むが、特(とく)にイギリスの**小説**が好きだ。 | ショウセツ | **novel**
2. 村上春樹(むらかみはるき)という**小説家**の本を読(き)んでみたい。 | ショウセツカ | novelist
3. 友達(ともだち)が日本の地理(ちり)について**説明して**くれた。 | セツメイ(して) | to explain

16 決

決 決

(7)

ケツ

き(まる)
き(める)

decide

氵 さんずい

音(おと) 夬＝ケツという音を表(あらわ)す

決(けっ)して >>>L.9
解決(かいけつ)スル >>>L.9
決心(けっしん)スル
決定(けってい)スル
決(き)まり >>>L.2
決(き)める

1. この問題(もんだい)(problem)を**解決する**のは難(むずか)しい。 | カイケツ(する) | to solve
2. 日本に行く日が**決まった**ら電話します。 | き(まった) | **to be decided**

17 別

別 別

(7)

ベツ

わか(れる)

separate; another; different

刂 りっとう

部首 刂＝刀(かたな)(sword)のこと → 切ることに関係(かんけい) EX 利

別(べつ)(の) >>>L.9
区別(くべつ)スル
差別(さべつ)スル
性別(せいべつ)
別(わか)れ
別(わか)れる

1.「上手な」は**特別な**読み方をする言葉(ことば)だ。 | トクベツ(な) | **special**
2. あの二人は、けんかをして**別れて**しまった。 | わか(れて) | to break up

18 達

達 達

(12)

タツ

たち

reach; arrive at

辶 しんにょう

文法(ぶんぽう) 達(たち)は複数(ふくすう)マーカー(plural form)を作る EX 学生達、私達

発達(はったつ)スル >>>L.3
達(たっ)する
上達(じょうたつ)スル
速達(そくたつ)
配達(はいたつ)スル

1. a. **子供達**はテニスが b. **上達する**のが速(はや)い。 | a. こどもたち b. ジョウタツ(する) | a. **children** b. to improve
2. **友達**と映画に行く約束(やくそく)がある。 | *ともだち | **friend(s)**

19 覚

覚 覚

(12)

カク

おぼ(える)
さ(める)
さ(ます)

memorize; learn by heart; wake up

見 みる

部首 見＝見ることに関係(かんけい) EX 見、観 26

感覚(かんかく)
覚(さ)ます
覚(さ)める

1. 田中さんは、すばらしいファッション**感覚**を持っている。 | カンカク | sense
2. テストのために漢字を**覚え**なければいけない。 | おぼ(え) | **to memorize**

R 読み方を覚える漢字

20 都

漢字	書き順	音読み / 訓読み	意味 / 部首	メモ	語彙
都	都 者 者 者 者 者 者 者 都 都 都 (11)	ト ツ	capital; big city; everything	部首 阝＝村(むら)(village)や人のいる所に関係(かんけい) EX 部	都会(とかい) 首都(しゅと) 都合(つごう) 都(みやこ)
		みやこ	阝 おおざと	成り立ち 阝(むら)＋者(人がたくさん集(あつ)まる)＝人がたくさん集(あつ)まる所	

例文	読み	意味
1. a. **東京都**はイタリアの b. **首都**ローマと姉妹(しまい)(sister) c. **都市**だ。	a. トウキョウト b. シュト, c. トシ	a. **Tokyo** (Prefecture) b. capital city, c. **city**
2. 昔 a. **都**があった b. **京都府**の今の人口(じんこう)(population)を調べてみた。	a. みやこ b. キョウトフ	a. capital b. **Kyoto** (Prefecture)
3. **都合が悪い**ので、行けません。	ツゴウ(が)わる(い)	to be inconvenient

21 州

漢字	書き順	音読み / 訓読み	意味 / 部首	メモ	語彙
州	州 州 州 州 州 州 (6)	シュウ	state; province; sandbank	成り立ち 川の中にある土地(とち)	州(しゅう) 欧州(おうしゅう)
			川 かわ	→州	

例文	読み	意味
1. 広島(ひろしま)は a. **本州**にあり、b. **九州**は本州の西にある。	a. ホンシュウ b. キュウシュウ	a. **Honshu island** b. **Kyushu island**
2. アメリカには50の**州**がある。	シュウ	state

22 府

漢字	書き順	音読み / 訓読み	意味 / 部首	メモ	語彙
府	府 府 府 府 府 府 府 府 (8)	フ	government office; prefecture	部首 广＝屋根(やね)(roof)や家に関係(かんけい) EX 広、店	政府(せいふ) >>>L.11 都道府県(とどうふけん) 幕府(ばくふ)
			广 まだれ	メモ 大阪府(おおさかふ)と京都府だけが県(けん) 23 ではなくて府を使う	

例文	読み	意味
大阪(おおさか)は大阪県(おおさかけん)ではなく、**大阪府**と言う。	おおさかフ	Osaka **Prefecture**

23 県

漢字	書き順	音読み / 訓読み	意味 / 部首	メモ	語彙
県	県 県 県 県 県 県 県 県 県 (9)	ケン	prefecture	メモ 日本には43の県(けん)がある	県知事(けんちじ) 県庁(けんちょう) 県民(けんみん)
			目 め		

例文	読み	意味
埼玉県(さいたま)は東京の北にある。	さいたまケン	Saitama **Prefecture**

24 泳

漢字	書き順	音読み / 訓読み	意味 / 部首	メモ	語彙
泳	泳 泳 泳 泳 泳 泳 泳 泳 (8)	エイ	swim	成り立ち 氵(水)＋永(長くなる)＝体をのばして(to stretch)泳(およ)ぐ	水泳(すいえい) 泳(およ)ぎ
		およ(ぐ)	氵 さんずい		

例文	読み	意味
1. 私の趣味(しゅみ)は**水泳**です。	スイエイ	swimming
2. ここでは**泳ぐ**ことができない。	およ(ぐ)	to swim

25 酒

漢字	音読み / 訓読み	意味 / 部首	説明	語彙
酒 (10)	シュ	alcoholic drink; Japanese rice wine (sake)	成り立ち 氵(水)＋酉(つぼ: jar)＝酒	飲酒スル(いんしゅ)
	さけ	氵／さんずい 酉／さけづくり		日本酒(にほんしゅ) 洋酒(ようしゅ)

1. おみやげに**日本酒**を買うつもりだ。 — ニホンシュ — Japanese rice wine (sake)
2. 子供(こども)に**酒**を飲ませてはいけない。 — さけ — **alcoholic drink**

26 観

漢字	音読み / 訓読み	意味 / 部首	説明	語彙
観 (18)	カン	view; look; appearance	音 雈＝カンという音を表(あらわ)す EX 勧、歓	観察スル(かんさつ) >>>L.2 観客(かんきゃく) 観光客(かんこうきゃく)
	み(る)	見 みる		観測スル(かんそく) 観る(み) >>>L.8

1. たくさんの外国人が京都へ**観光**に行く。 — カンコウ — **sightseeing**
2. アメリカに行くまでミュージカルを**観た**ことがなかった。 — み(た) — to see; watch

27 光

漢字	音読み / 訓読み	意味 / 部首	説明	語彙
光 (6)	コウ	light; ray; shine; landscape	部首 儿＝人の状態(じょうたい)(condition)に関係(かんけい) EX 兄、先、元	光景(こうけい) 蛍光灯(けいこうとう)
	ひかり ひか(る)	儿 ひとあし	成り立ち 火＋儿＝人が火を持っている→光(ひかり)	日光(にっこう) 光(ひかり) >>>L.12

1. 来年はニュージーランドを**観光**してみたい。 — カンコウ — **sightseeing**
2. 今晩(こんばん)は星(ほし)(star)がきれいに**光って**いる。 — ひか(って) — to shine

28 階

漢字	音読み / 訓読み	意味 / 部首	説明	語彙
階 (12)	カイ	floor; stairs; rank	部首 阝＝丘(おか)(hill)→山や段(だん)(step)に関係(かんけい) EX 院	階段(かいだん) >>>L.7 段階(だんかい)
		阝 こざとへん	メモ 漢字の右の阝＝おおざと EX 都、部 漢字の左の阝＝こざとへん EX 際 92	

1. アクセサリーはデパートの**一階**で売っている。 — イッカイ — first floor
2. 会議(かいぎ)の部屋はa. **上の階**にあるので、b. **階段**を使って下(くだ)さい。 — a. うえ(の)カイ b. カイダン — a. upper **floor** b. staircase

29 専

漢字	音読み / 訓読み	意味 / 部首	説明	語彙
専 (9)	セン	exclusively; specialty	部首 寸＝手や手ですることに関係(かんけい) EX 寺	専攻(せんこう) >>>L.1 専門家(せんもんか)
		寸 すん		専門店(せんもんてん)

1. 田中先生の**専門**は中国の歴史(れきし)だそうだ。 — センモン — **specialty**
2. 私の**専攻**はフランス文学です。 — センコウ — major

30 葉

葉	Reading	Meaning	Notes	Vocabulary
(12)	ヨウ	leaf	部首(ぶしゅ) 艹＝草(くさ)(grass)や木に関係(かんけい) EX 花	紅葉(こうよう)(紅葉(もみじ))
	は	艹 くさかんむり		葉書(はがき)
				落ち葉(おちば)

Example	Reading	Meaning
1. 授業で面白(おもしろ)い**言葉**を勉強した。	ことば	**word**
2. 秋になって、a.**木の葉**が赤や黄(き)色になることをb.**紅葉**と言う。	a. このは b. コウヨウ	a. leaf b. autumn foliage

31 関

関	Reading	Meaning	Notes	Vocabulary
(14)	カン	barrier; connection	部首(ぶしゅ) 門＝入り口(いりぐち)(entrance)に関係(かんけい) EX 開、間	関係(かんけい) >>>L.4
	せき	門 もんがまえ		～に関(かん)する >>>L.12
				関心(かんしん) >>>L.14
				⇔無関心(むかんしん)(な) >>>L.14
				関連(かんれん)スル
				玄関(げんかん)
				税関(ぜいかん)

Example	Reading	Meaning
1. 東京は**関東**の中にある。	カントウ	the **Kanto region**
2. **関西**の言葉(ことば)は東京と違う。	カンサイ	the **Kansai region**
3. 大学で**国際**(こくさい)**関係**を勉強している。	コクサイカンケイ	international relations

32 正

正	Reading	Meaning	Notes	Vocabulary
(5)	セイ ショウ	correct; righteous	部首(ぶしゅ) 止 EX 止、歩 音(おと) 正＝セイという音を表(あらわ)す EX 政 359、整	改正(かいせい)スル >>>L.14
	ただ(しい)	止 とめる		正確(せいかく)(な)
				正式(せいしき)(な)
				修正(しゅうせい)スル
				正直(しょうじき)(な)
				正面(しょうめん)
				正(ただ)しい >>>L.4

Example	Reading	Meaning
1. **お正月**には特別(とくべつ)な料理を食べる。	(お)ショウガツ	**New Years**
2. リストの中から**正しい**答えを見つけて下(くだ)さい。	ただ(しい)	correct

33 絵

絵	Reading	Meaning	Notes	Vocabulary
(12)	カイ エ	picture; drawing	部首(ぶしゅ) 糸＝糸(いと)(thread)、織物(おりもの)(textile)に関係(かんけい) EX 紙、結 成り立ち(なりたち) 糸＋会(あわせる: to put)＝色々(いろいろ)な糸で作った刺繍(ししゅう)(embroidery)→色々(いろいろ)な色の絵(え)	絵画(かいが)
		糸 いとへん		絵の具(えのぐ)

Example	Reading	Meaning
1. あの人は**絵**が上手だ。	**エ**	**painting**
2. 小さい時に、よく母に**絵本**を読んでもらった。	エホン	picture book

34 身

身	Reading	Meaning	Notes	Vocabulary
(7)	シン	body; oneself	成り立ち(なりたち) 女の人のおなかに赤ちゃんがいる形(かたち)(shape)	身分(みぶん) >>>L.8
	み	身 み		身近(みぢか)(な) >>>L.8
				独身(どくしん)(の) >>>L.10

Example	Reading	Meaning
1. 私の**出身**はオーストラリアのシドニーです。	シュッシン	**one's native place; one's hometown**
2. 子供(こども)の時に**身につけた**マナーは忘れない。	み(につけた)	to acquire

35 然

漢字	音読み	意味	部首・メモ	語彙
然 (12)	ゼン ネン	like; as	画数/形 9画目→右から左に書く	自然(な) しぜん >>>L.1 ⇔不自然(な) ふしぜん 全然 ぜんぜん >>>L.3 突然 とつぜん >>>L.8 偶然 ぐうぜん 当然 とうぜん 天然 てんねん
		灬 れんが		

例文	読み	意味
1. この都市(とし)にはまだ**自然**が残(のこ)っている。	シゼン	nature
2. この本は難(むずか)しすぎて**全然**分(わ)からない。	ゼンゼン	(not) at all

36 雑

漢字	音読み	意味	部首・メモ	語彙
雑 (14)	ザツ	mixed; miscellaneous; slipshod	部首 隹＝鳥に関係(かんけい) EX 難 40、集 77	混雑(こんざつ)スル
		隹 ふるとり		

例文	読み	意味
1. あの**雑誌**は今、一番人気がある。	ザッシ	magazine
2. 東京の地下鉄(ちかてつ)は**複雑**で分(わ)かりにくい。	フクザツ	complicated

37 誌

漢字	音読み	意味	部首・メモ	語彙
誌 (14)	シ	document; records	成り立ち 言(言葉(ことば))＋心＋士(とめる: to keep in mind)＝言葉(ことば)を心にとめる→言葉(ことば)を紙に書いた物 音 志＝シという音を表(あらわ)す	週刊誌(しゅうかんし)
		言 ごんべん		

例文	読み	意味
電車に乗る前に**雑誌**を買った。	ザッシ	magazine

第1課
日本の地理

練習問題

問題1 下線の漢字の読み方を書きなさい。音読みと訓読みに気をつけましょう。

Provide *hiragana* readings for the underlined kanji, paying attention to the different *on-* and *kun-*readings.

1) a. 北海道から b. 海を越え(こ)て(to cross)、ロシアや韓国(かんこく)などの c. 海外に行く船(ふね)が出ている。

2) 昔 a. 四国にあった b. 国の名前を知りたかったので、古い c. 地図を d. 図書館で借りた。

3) 夏に a. 出身地で b. 行われる c. 行事に d. 出るために、九州に e. 行こうと思う。

4) 山の中にある a. 大きな古い b. 建物で、c. 大変おいしい d. 名物のうどんを食べて、うどんのイメージが e. 変わりました。

5) a. お正月に神社(じんじゃ)(Shrine)にお参(まい)りに行く(to visit)つもりなので、お参(まい)りに行く時の b. 正しいマナーを教えてもらった。

6) クラスで a. 5分で漢字がいくつ読めるかというゲームをした時、b. 私達のグループは c. 友達のグループの d. 2分の1しか、答えが e. 分からなかった。

7) a. 毎年4月の b. 日曜日に花見(はなみ)に行くけれど、その c. 日はたいてい雨が降(ふ)ることが多い。d. 二年前も e. 今年も降(ふ)ったから、f. 来年も降(ふ)るだろうか。

問題2 [　　] の中から、1)～7)の文に合(あ)う言葉を選びなさい。漢字の読み方も書きましょう。

In Sentences (1) - (7), choose the word from the box that matches the description in each sentence; then, write the word's reading in *hiragana*.

ex. 花見	a. 雑誌	b. 出身	c. 専門	d. 言葉	e. 観光	f. 自然	g. 都市

ex. 桜(さくら)を見ながら、歌を歌ったりお酒を飲んだりします。→

ex.	ex.
	はなみ

1) 有名な所を見たり美術館(びじゅつかん)に行ったりすることです。

2) ホームタウンのことです。

3) 山や川や海のことです。

4) 「Time」や「Economist」や「National Geographic」のことです。

5) 人が話したり書いたりするものです。

6) 一つのことを勉強したり、研究したりします。

7) 人がたくさん住んでいる大きい町のことです。

問題 3 日本の地図を見て、a.～e. に ［　　］ の中から適当(てきとう)な場所の言葉を選んで、その読み方を書きなさい。そして、f.～h. は漢字の読み方を書きなさい。

From the box, choose the appropriate place name for each of the places in (a) - (e) below, and write the *hiragana* reading in the space provided. Next, provide *hiragana* readings for the kanji in (f) - (h).

九州	四国	本州	東京都	広島(ひろしま)県

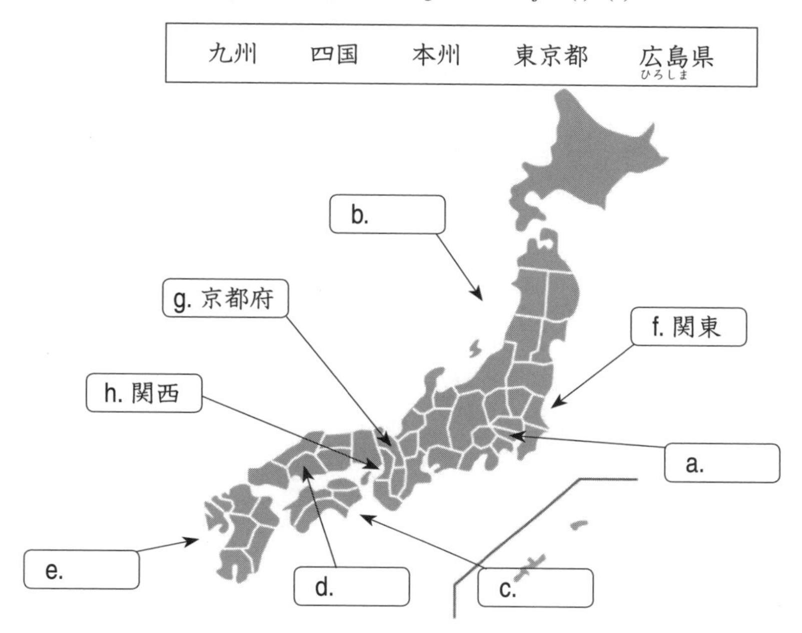

問題 4 ［　　］ の中から、1）～8)の文の＿＿に入る適当(てきとう)な言葉を選んで漢字にして書きなさい。言葉を入れる時、動詞(どうし)の形にも気をつけましょう。

Choose the appropriate word from the box and write it in kanji in the blanks below. Conjugate verbs as necessary.

ex. おこなう	もくてき	えらぶ	のこる	おぼえる
きまる	たのしむ	さがある	しま	

ex. 七月七日に七夕(たなばた)という行事を＿＿＿ます。 → **ex.** 行い

1）四国の松山(まつやま)では温泉(おんせん)を＿＿＿＿＿＿＿ことができる。

2）京都にはたくさん古い寺が＿＿＿＿＿＿＿いる。

3）ユネスコでは、世界遺産(いさん)(world heritage)を＿＿＿＿＿＿＿仕事もしている。

4）ゴミは毎週＿＿＿＿＿＿＿日に出さなければいけません。

5）子ども達は遊(あそ)びながら、新しい言葉を＿＿＿＿＿＿＿そうだ。

6）日本とニュージーランドの気温には、どのぐらい＿＿＿＿＿＿＿と思いますか。

7）日本に行く＿＿＿＿＿＿＿は、日本語の勉強だ。

8）イギリス、日本、フィリピンは＿＿＿＿＿＿＿からできている国だ。

問題 5　1）～6)の下線(かせん)の言葉に合(あ)うように［　　］の中の漢字の部分(ぶぶん)を組(く)み合(あ)わせて言葉を作りなさい。言葉の英語の意味も書きましょう。

Create kanji for the underlined *hiragana* in (1) - (6) below using the elements in the box. Provide the English meaning for the words.

土	タ	里	ロ	斤	云	日	ex 羊	艹	白	糸
戸	阝	イ	也	王	会	言	比	舌	ex 大	

ex. 富士山(ふじさん)はうつくしいと思う。　　羊 ＋ 大 →

ex.	美	しい
	beautiful	

1）ここは昔から桜(さくら)のめいしょだ。

2）高校で日本のちりを勉強した。

3）先生に明日(あした)も休むとつたえて下さい。

4）「桃太郎(ももたろう)」というむかしばなしを聞いたことがある。

5）モネ(Monet)のえが大好きだ。

6）トイレは２かいにあります。

問題 6　a.～d. の中から言葉を選んで、漢字にして＿＿＿に書きなさい。

Choose the appropriate word from (a) - (d) that correctly completes the sentence and write it in kanji on the line provided.

ex.（a. きおん　b. たてもの　c. きこう　d. しま）
東京の夏は、＿＿＿が高いので、好きじゃない。 →

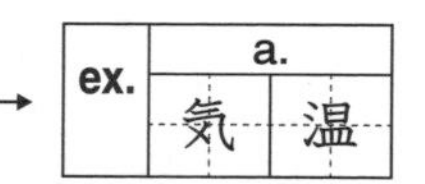

1）（a. へいわ　　b. しぜん　　c. わへい　　d. せんそう）
日本は、＿＿＿＿＿な国だと言われている。

2）（a. がいこく　　b. ぎょうじ　　c. めいしょ　　d. ひとびと）
京都にはたくさんの＿＿＿＿＿が観光しに来る。

3）（a. くに　　b. とし　　c. ちほう　　d. しゅっしん）
田舎(いなか)には住みたくないので、＿＿＿＿＿にひっこした。

4）（a. ぜんたい　　b. し　　c. ぎょうじ　　d. かたち）
ニュージーランドの国の＿＿＿＿＿の大きさは日本と同じだ。

5）（a. うつくしい　　b. きもち　　c. とくべつ　　d. とく）
この町では、夏になると、＿＿＿＿＿な祭(まつ)りが行われる。

問題 7 1）～8)の文の＿＿に同じ漢字を入れて文を完成させなさい。その漢字の読み方も書きましょう。

Fill in the two blanks in each sentence below with the same kanji and provide readings for both of the completed words.

ex. 生	最	美	見	建	理	説	形	特

ex. 先＿は、学＿に、明日はテストがありますと言った。→

ex.	先	生	学	生
	せんせい		がくせい	

1）日本の地＿＿はよく分かりませんが、日本の料＿＿は大好きだ。

2）日本の大学の授業を＿＿学してから、日本の大学についての私の意＿＿が少し変わった。

3）この小＿＿を書いた人について、もう少し＿＿明をしてくれませんか。

4）この漢字は＿＿別な読み方をするので、＿＿に注意して下さい。

5）丸い(round)＿＿の眼鏡をかけた女の子が、人＿＿で遊んでいる。

6）あの＿＿術館には、イタリアの＿＿しい絵がたくさんある。

7）＿＿近、世界で＿＿も人気がある食べ物の一つはすしだと思う。

8）150年前に中国人がこの有名な＿＿物を＿＿てたそうだ。

問題 8 （　）の漢字の部分と［　　］の中の部首を組み合わせて、漢字を作りなさい。その漢字の読み方を書いて、短い文も作ってみましょう。

Create a kanji by combining the element in parentheses and one of the radicals from the box. Provide the reading for that kanji or the compound with that kanji and write a short sentence using it, as shown in the examples.

ex. 辶（しんにょう） 氵（さんずい）

	漢字の部分	作った漢字		読み方	短い文
1	（毎）	海		うみ	海は青くて広いです。
2	（軍）動	運	動	うんどう	運動するのが大好きです。

部首

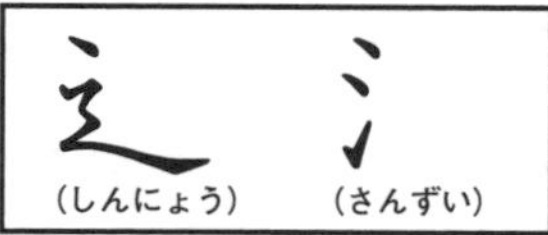

	漢字の部分	作った漢字		読み方	短い文
1)	（永）				
2)	（巽）				
3)	（酉）				
4)	友（幸）	友			
5)	気（昷）	気			
6)	（夬）				

問題 9 質問に答えなさい。 Answer the following questions.

1)「名物」「名所」はどんな意味ですか。短い(みじか)文で説明(せつめい)しましょう。

Write short sentences in Japanese explaining the meanings of 名物 and 名所.

名物 ______________________________

名所 ______________________________

2)「名」という漢字にはどんな意味があると思いますか。

What do you think the kanji 名 means?

______________________という意味があると思います。

3)「名」と［　　］の中の漢字一つを使って、1)～4)の文の意味の言葉を作りましょう。

Create kanji compounds to match the meanings of Sentences (1) - (4) using 名 and one of the kanji from the box below.

画	医	人	言

1) 有名で病気を治す(なお)(to cure)のが上手な人

2) 有名ですばらしい絵

3) 絵や料理やつりがとても上手な人

4) とても有名でいい言葉

問題 10 文を読んで質問に答えなさい。 Answer the following questions.

日本の*近畿(きんき) a.地方に、淡路島(あわじ)という b.島があります。この島には、淡路(あわじ) c.市、南あわじ市、洲本市(すもと)の三つの市があります。島にある山では、d.美しい e.自然が f.楽しめます。島には g.色々な h.名所や伝統的(でんとうてき)な i.行事もあります。例え(たと)ば「人形浄瑠璃(じょうるり)」という人形劇(げき)(puppet show)はとても有名で、淡路島(あわじ)を j.観光する人は、たいていこの人形劇(げき)を見ます。

*近畿(きんき) (the name of a region in Japan)

1) a.～j.の下線(かせん)の漢字の読み方を書きましょう。 Provide the readings for kanji (a) - (j).

a.地方　b.島　c.市　d.美しい　e.自然　f.楽しめ　g.色々な　h.名所　i.行事　j.観光

2) a.～j.の言葉をできるだけたくさん使って、「あなたの国の島」について文を書いてみましょう。

Using as many of the words from (a) - (j) as possible, write a short passage about islands in your country.

第2課
日本語のスピーチスタイル

RW 読み方・書き方を覚える漢字

38 実

字	読み	意味	部首・成り立ち	語彙
実 (8)	ジツ / み、みの(る)	truth; reality; fruit; nut; bear fruit / 宀 うかんむり	部首 宀 = 家に関係(かんけい) EX 家、室	実際(じっさい) >>> L.3、実験(じっけん) >>> L.8、事実(じじつ) >>> L.10、実行(じっこう)スル >>> L.14、実力(じつりょく)、現実(げんじつ)、確実(かくじつ)(な)

1. **実は**、今学校に行っていないんです。 — ジツ(は) — **to tell the truth**
2. リンゴが**実る**頃(ころ)に台風(たいふう)が来ることがある。 — みの(る) — to bear

39 相

字	読み	意味	部首・成り立ち	語彙
相 (9)	ソウ、ショウ / あい	together; each other; minister / 目 め	部首 目 EX 目、着、県 23 成り立ち 木＋目＝目で木を見る→向(む)き合(あ)う	相談(そうだん)スル >>> L.4、首相(しゅしょう) >>> L.9、相変(あいか)わらず、*相撲(すもう)

1. 留学について先生に**相談し**ました。 — ソウダン(し) — to discuss; consult
2. 話す時は**相手**の顔を見て話した方がいい。 — **あいて** — **the person one is speaking to**

40 難

字	読み	意味	部首・成り立ち	語彙
難 (18)	ナン / むずか(しい)	difficult; difficulty; trouble; hardship / 隹 ふるとり	成り立ち 菓(金色：gold color)＋隹(鳥)＝金色の鳥の羽(はね)(feather)を見つけることは大変→難(むずか)しい	難問(なんもん)、困難(こんなん)、盗難(とうなん)

1. 色々な**困難**があっても、一生懸命(いっしょうけんめい)がんばる人は偉(えら)いと思う。 — こんなん — hardship
2. この本は**難しくて**、読みにくい。 — **むずか(しくて)** — **difficult**

41 性

字	読み	意味	部首・成り立ち	語彙
性 (8)	セイ、ショウ	nature; gender / 忄 りっしんべん	部首 忄＝心に関係(かんけい) 成り立ち 忄(心)＋生(生(う)まれる：to be born)＝生(う)まれた時から持っている心	性格(せいかく) >>> L.7、可能性(かのうせい) >>> L.9、性質(せいしつ)、性別(せいべつ)、必要性(ひつようせい)

1. 今年(ことし)の日本語のクラスは**女性**が少ない。 — **ジョセイ** — **female**
2. **男性**のための料理のクラスがあるそうだ。 — **ダンセイ** — **male**

42 比

比	比 / 比	比 比 比 比 (4)

- 音読み: ヒ
- 訓読み: くら(べる)
- Meaning: compare
- 部首: 比 ひ
- 成り立ち: 二人の人が並んでいる (to stand in line) → 並べて (to put side by side) 比べる
- 語彙: 比較スル、比較的

例文	読み	意味
1. 色々な会社のコンピュータを**比較して**から買った。	ヒカク(して)	to compare
2. イギリスの英語とアメリカの英語を**比べる**と、とても面白い。	**くら(べる)**	**to compare**

43 代

代	代 / 代	代 代 代 代 代 (5)

- 音読み: ダイ
- 訓読み: か(わる)、か(える)
- Meaning: replace; substitute; period; era
- 部首: 亻 にんべん
- 類義/反対語:
  - ・変わる＝物の形や質 (nature; property) がかわる
  - ・代わる＝物や人が他の物や人におきかわる (to be replaced)
- 語彙: 現代 >>> L.4、代表的 >>> L.4、時代 >>> L.5、1980年代 >>> L.7、近代化 >>> L.11、20代 >>> L.13、代わる >>> L.14

例文	読み	意味
1. 明治**時代**の前は江戸**時代**だ。	ジダイ	period
2. 今日は田中先生の**代わりに**私が授業をします。	**か(わりに)**	**in place of**

44 感

感	感 / 感	感 感 感 感 感 感 感 感 感 感 感 感 感 (13)

- 音読み: カン
- Meaning: feel; feeling; sense; sensation
- 部首: 心 こころ
- 部首: 心＝心に関係　EX 忘、思、悪、意
- 語彙: 感じる >>> L.2、感謝スル >>> L.4、感想 >>> L.13、感動スル >>> L.13、感覚、感情、感心スル

例文	読み	意味
1. 壁を白くしたら、部屋が明るい**感じ**になった。	**カン(じ)**	**feeling; impression**
2. ストレスを**感じた**時はヨガをするといいそうだ。	カン(じた)	to feel

45 表

表	表 / 表	表 表 表 表 表 表 表 表 (8)

- 音読み: ヒョウ
- 訓読み: おもて、あらわ(れる)、あらわ(す)
- Meaning: table; surface; express; represent
- 部首: 衣 ころも
- 部首: 衣＝着る物に関係
- 成り立ち: 衣(着物) + 毛 (つつむ) ＝上に着る物 (jacket) →一番上にある物
- 語彙: 表現スル >>> L.2、発表 >>> L.3、代表的 >>> L.4、表す >>> L.4、表れる >>> L.6、表 >>> L.15

例文	読み	意味
1. この**表**のデータは間違っている。	**ヒョウ**	**table**
2. 部首の「さんずい」は、水と関係があることを**表して**いる。	あらわ(して)	to represent

46 忙

忙	忙 / 忙	忙 忙 忙 忙 忙 忙 (6)

- 音読み: ボウ
- 訓読み: いそが(しい)
- Meaning: busy; restless
- 部首: 忄 りっしんべん
- 成り立ち: 忄(心) + 亡(なくなる) ＝ 忙しい時は心で考えることができなくなる
- 語彙: 多忙(な)

例文	読み	意味
1. 社長は毎日**多忙**だ。	タボウ	very busy
2. 昨日は授業や宿題がたくさんあって、**忙し**かった。	**いそが(し)**	**busy**

47 短

漢字	読み	意味	部首 / 成り立ち	語彙
短 (12)	タン / みじか(い)	short; defect / 矢 やへん	部首 矢 EX 知 成り立ち 矢(arrow)＋豆(footed dish)＝矢(や)はあまり長くないし、皿(さら)の高さも高くない→短(みじか)い	短期(たんき) 短所(たんしょ) 短大(たんだい)

例文	読み	意味
1. 日本語の授業で、**短歌**を習った。	タンカ	tanka; Japanese poem
2. 暑いので、髪(かみ)を**短く**した。	みじか(く)	short

48 晩

漢字	読み	意味	部首 / 成り立ち	語彙
晩 (12)	バン	night / 日 ひへん	部首 日＝時間や日に関係(かんけい) EX 時、曜 成り立ち 日＋免(かくれる: to hide oneself)＝日(ひ)(sun)が見えなくなる→夜	晩ご飯(ばんごはん) 一晩(ひとばん) 毎晩(まいばん)

例文	読み	意味
1. **今晩**は友達と映画を見に行くつもりだ。	コンバン	tonight
2. **晩ご飯**はカレーが食べたい。	バン(ご)ハン	dinner

49 由

漢字	読み	意味	部首 / 成り立ち	語彙
由 (5)	ユ / ユウ	reason; originate / 田 た	部首 田＝田(た) 畑(はた)(field)や耕作(こうさく)(cultivation)に関係(かんけい) EX 男、町	自由(じゆう)(な) ⇔不自由(ふじゆう)(な) >>> L.9

例文	読み	意味
1. 山田さんが授業を休んだ**理由**を知っていますか。	リユウ	reason
2. グループで旅行に行くと、あまり**自由**がないので好きじゃない。	ジユウ	freedom

50 必

漢字	読み	意味	部首 / 成り立ち	語彙
必 (5)	ヒツ / かなら(ず)	certain(ly); sure(ly) / 心 こころ	部首 心 EX 思、感 44	必死(ひっし)(の) >>> L.9 必要性(ひつようせい) 必(かなら)ず >>> L.13 必(かなら)ずしも

例文	読み	意味
1. 外国に行く時には、パスポートが**必要**だ。	ヒツヨウ	necessary
2. 毎朝、**必ず**コーヒーを飲む。	かなら(ず)	without fail

51 要

漢字	読み	意味	部首 / 画数・形	語彙
要 (9)	ヨウ / い(る)	need; main point / 覀 か	部首 覀 画数/形 ・西＝4画(かく)目、5画(かく)目は直(ちょく)線(せん)(straight line)ではない ・要＝4画(かく)目、5画(かく)目は直線(ちょくせん)	要素(ようそ) >>> L.13 要求(ようきゅう)スル 主要(しゅよう)(な) 需要(じゅよう) 重要(じゅうよう)(な) 不要(ふよう)(な)

例文	読み	意味
1. キャンプに**必要**な物を買いに行った。	ヒツヨウ	necessary
2. 雨が降(ふ)りそうですが、傘(かさ)が**要り**ますか。	い(り)	to need

52					
合	合 合 合 合 合 合 (6)	ゴウ	fit; join; suit	成り立ち 口(入れ物: container) + 亼(ふた: lid) = 合う	都合 >>> L.2 合格スル >>> L.3 試合 >>> L.4 割合 >>> L.6 付き合う >>> L.7 似合う >>> L.9 知り合い >>> L.14
		あ(う) あ(わす) あ(わせる)	口 くち	類義/反対語 会う=人にあう 合う=一つになる; 集まる	

例文	読み	意味
1. 医者の試験に**合格して**うれしい。	ゴウカク(して)	to pass
2. 来られない**場合**は、電話をして下さい。	*ばあい	**case; occasion**
3. ジーンズにはこのTシャツが**合う**と思う。	あ(う)	**to suit; match**

53					
昨	昨 昨 昨 昨 昨 昨 昨 昨 昨 (9)	サク	previous; yesterday	成り立ち 日+乍(積み重ねる: to pile up)=前の	昨年 昨晩 昨夜
			日 ひへん		

例文	読み	意味
1. **昨年**、大学を卒業しました。	サクネン	last year
2. **昨日**は雨でテニスができなかった。	*きのう/サクジツ	**yesterday**

R 読み方を覚える漢字

54					
皆	皆 皆 皆 皆 皆 皆 皆 皆 皆 (9)		all	部首 白 EX 的 12 画数/形 皆=階 28 の右	皆様
		みな	白 しろい		

例文	読み	意味
皆さん、明日の宿題は作文ですよ。	みな	**everyone**

55					
敬	敬 敬 敬 敬 敬 敬 敬 敬 敬 敬 敬 敬 (12)	ケイ	respect	部首 攵=動作(action)に関係 EX 教	尊敬スル >>> L.4 敬う
		うやま(う)	攵 ぼくづくり		

例文	読み	意味
1. **敬語**の使い方は難しい。	**ケイゴ**	**honorific language**
2. 父や母を**敬う**ことは大切だ。	うやま(う)	to respect

56		
複 (14)	フク	double; multiple
		ネ ころもへん
部首 ネ＝着る物や布(cloth)に関係	音 复＝フクという音を表す EX 復、覆	複数
三年生になって**複雑な**文が作れるようになった。	フクザツ(な)	complex

57		
課 (15)	カ	division; section; chapter
		言 ごんべん
音 果＝カという音を表す EX 果 191、菓		課長 >>> L.2 日課
この**課**の文法は難しくない。	カ	lesson

58		
例 (8)	レイ	example; custom; compare
	たと(える)	イ にんべん
部首 イ EX 代 43		例外 実例 例える
1. この漢字を使った言葉の**例**を教えて下さい。	レイ	example
2. 嫌いな野菜がたくさんあります。**例えば**、にんじんとかセロリです。	たと(えば)	for example

59		
落 (12)	ラク	fall; drop; fail
	お(ちる) お(とす)	艹 くさかんむり
音 各＝カク／ラクという音を表す カク EX 格 98、各 351 ラク EX 絡 63、洛、酪		落選スル >>> L.14 落語 落ちる >>> L.9 落ち着く 落とし物
1. **落選した**けれど、もう一度チャレンジするつもりだ。	ラクセン(した)	to fail to be elected
2. 大切なコップなので、**落とさ**ないようにして下さい。	お(とさ)	to drop

60		
面 (9)	メン	face; mask; surface
	おも	面 めん
成り立ち 目＋周りの顔＝顔につける面(mask)		面積 面接 画面 正面 洗面所 表面 面白い >>> L.3
1. その映画の犬が死ぬ**場面**で、泣いてしまった。	バメン	scene
2. **面白い**本だったので、友達に貸してあげた。	おもしろ(い)	interesting

61 僕

僕	ボク	I	文法 僕(ぼく)＝男性(だんせい)だけが使う
(14)		亻 にんべん	

例文	読み	意味
僕の家は大学の近くにある。	ボク	I (male)

62 連

連	レン	be connected; take; group	部首 辶＝道、歩くこと、進(すす)む (to proceed) ことに関係(かんけい) 成り立ち 辶(道)＋車＝道をたくさんの車が走る→続(つづ)く
(10)	つ(れる)	辶 しんにょう	

国連(こくれん) >>> L.15
連休(れんきゅう)
連続(れんぞく)スル
関連(かんれん)スル
連(つ)れて行(い)く >>> L.3
連(つ)れる

例文	読み	意味
1. 探(さが)していた昔の友達と連絡がとれた。	レンラク	contact
2. 日曜日に子供(こども)を公園(こうえん)に連れて行った。	つ(れて)	to take

63 絡

絡	ラク	get entangled	音 各＝ラクという音を表(あらわ)す EX 落59、洛、酪
(12)	から(まる) から(む)	糸 いとへん	

例文	読み	意味
友達に来週のコンサートの時間を連絡しておこう。	レンラク(して)	to inform

64 困

困	コン	have trouble; be annoyed; be distressed	成り立ち 木＋囗(かこみ: enclosure)＝かこみの中で、木は大きくなれない→困(こま)る
(7)	こま(る)	囗 くにがまえ	

貧困(ひんこん) >>> L.14
困難(こんなん)(な)

例文	読み	意味
1. 外国生活では困難なことがあるかもしれない。	コンナン(な)	difficult
2. a. 貧困でb. 困っている人達のニュースを見た。	a. ヒンコン b. こま(って)	a. poverty b. to be in trouble

65 願

願	ガン	wish; hope; request; pray	部首 頁＝人の頭(あたま)や顔に関係(かんけい) EX 題、顔 成り立ち 頭(あたま)で願(ねが)いごと (wish) を考えるので、願にも頁がある
(19)	ねが(う)	頁 おおがい	

願望(がんぼう)
願(ねが)う >>> L.6
願(ねが)い

例文	読み	意味
1. イギリスの大学に留学するための願書を書いた。	ガンショ	application
2. 先生に推薦状(すいせんじょう)をお願いした。	(お)ねが(いした)	to ask

66	簡	カン	brief	画数/形 ⺮ = 6画
(18)			⺮ たけかんむり	
今日の小テストは**簡単**だった。		カンタン	simple; easy	

67	単	タン	one; single; simple	類義/反対語 単⇔複56 画数/形 単 EX 戦162、弾	単語 >>> L.3 単位 >>> L.6 単純(な) 単なる 単に
(9)			⺍ つ		
1. 明日、**単語**のテストがあります。		タンゴ	word		
2. 今度のアルバイトは**簡単に**見つかった。		カンタン(に)	easily		

68	論	ロン	argument; discourse	部首 言 EX 説15	議論スル >>> L.14 討論スル >>> L.14 論争 結論 反論スル 理論
(15)			言 ごんべん		
1. 来月までに**論文**を書かなければいけない。		ロンブン	thesis; dissertation		
2. フランス人は**議論**をするのが好きらしい。		ギロン	discussion		

69	誰	だれ	who	画数/形 誰の右＝雑36の右
(15)			言 ごんべん	
あそこに立っている人は**誰**ですか。		だれ	who	

70	議	ギ	discussion; consult; opinion	音 義＝ギという音を表す EX 義265、儀、犠	不思議(な) >>> L.6 議員 >>> L.14 議論スル >>> L.14 議会 議長
(20)			言 ごんべん		
1. 木曜日の午後に**会議**がある。		カイギ	meeting		
2. 日本の国会(the Diet)**議員**は今722人いる。		ギイン	Diet member		

71	過	過 過 過 過 / 過 過 過 過 / 過 過 過 過 (12)	カ / す(ぎる) す(ごす)	pass; exceed; spend (time); mistake / ⻌ しんにょう	音 咼＝カという音を表す EX 禍、渦	過去 >>> L.11 / 過半数 / 通過スル / 過ぎる / 過ごす / 食べ過ぎ(る)
1.「食べた」は「食べる」の過去形だ。			カコケイ	past (tense) form		
2. 二時過ぎに友達に会う予定がある。			す(ぎ)	**past**		

72	無	無 無 無 無 / 無 無 無 無 / 無 無 無 無 (12)	ム ブ / な(い)	not; without; un-; -less / 灬 れんが	文法 ・無は言葉の前についてXがないという意味を作る EX 無関係、無意味、無休 ・訓読みの無いはひらがなで書くことが多い EX 興味がない、お金がない	無駄遣い >>> L.10 / 無関心(な) >>> L.14 / 無料 >>> L.15 / 有無 / 無関係 / 無視スル / 無事
病気の時は無理をしない方がいいです。			ムリ(をし)	**to work too hard**		

音読みはどんな読み方？　訓読みはどんな読み方？

◉音読み……中国から来た読み方です。読み方を聞いても、すぐに意味が分からないことが多いです。

◉訓読み……日本の読み方なので、読み方を聞けば、意味がすぐに分かります。

漢字の例	音読み	訓読み
食	ショク	た(べる)
国	コク	くに
聞	ブン	き(く)

第2課
日本語のスピーチスタイル

練習問題

問題1 下線（かせん）の漢字の読み方を書きなさい。音読みと訓読み（くん）に気をつけましょう。

1) エジプト旅行の時に a.お世話になったガイドとたくさん b.話をしたが、彼（かれ）は日本語だけでなく c.世界の色々な国の d.言葉が e.話せると f.言っていた。

2) この会話のデータには男女の言葉の違いがよく a.表れているので、b.例えばこれを c.表にすれば、いい d.例になると思う。

3) バレンタインデーは、a.女性から b.男の人にプレゼントをあげる日ですが、ホワイトデーは、c.男性から d.女の人にプレゼントをあげる日です。

4) コピーが見にくくて、a.論文の b.最後の c.最も難しいところの d.文字が読めない。

5) 来週、a.京都の b.工場で10時に会議をするつもりですが、c.都合が悪い人が多い d.場合は皆さんの予定（よてい）に e.合う時間と f.場所に変えたいと思います。

6) とてもおいしいラザニアの作り a.方だから、メモしておいた b.方がいいよ。

問題2 ［　　］の中から、1)～6)の文に合（あ）う言葉を選びなさい。漢字の読み方も書きましょう。

ex. 男性	a. 敬語	b. 複雑	c. 簡単	d. 部分	e. 論文	f. 説明

ex. おとこの人という意味です。→

ex.	ex.
	だんせい

1) 分かりにくくて、やさしくないという意味です。

2) 全体じゃないという意味です。

3) 難しくないという意味です。

4) 日本では大学生は先生に話す時にこれを使います。

5) 大学院で勉強する学生が書くものです。

6) 分からないことがあった時に、先生にこれをしてもらいます。

問題 3 ＿＿に □ の言葉を選んで文を完成（かんせい）させなさい。漢字の場合は読み方、ひらがなの場合は漢字を書きましょう。

Choose the appropriate word from the box to complete each of the sentences below. Provide *hiragana* readings for words given in kanji and kanji for words given in *hiragana*.

ex. ア）泳い　イ）島　ウ）観光し　エ）自然

a.＿＿が美しい b.＿＿で c.＿＿たり、海で d.＿＿だりした。

→

a.	エ	b.	イ	c.	ウ	d.	ア
	しぜん		しま		かんこうし		およい

ア）ともだち　イ）のこって　ウ）たてもの

a.＿＿と古い b.＿＿が c.＿＿いる町を歩いた。

→

a.	ア	b.	ウ	c.	イ
	友達		建物		残って

1） ア）僕　イ）皆　ウ）困って　エ）お願い

a.＿＿は b.＿＿に、よく変な c.＿＿をされるので、d.＿＿いる。

2） ア）落として　イ）会議　ウ）誰　エ）過ぎ

12時 a.＿＿に b.＿＿が終わったが、その時 c.＿＿かがコップを d.＿＿しまった。

3） ア）りゆう　イ）いそがしい　ウ）かわり

来週は試験がたくさんあって a.＿＿。アルバイトに行けないと思うので、店の人に b.＿＿を話して、私の c.＿＿にアルバイトができる人を探（さが）してもらった。

問題 4 1）～5）の＿＿に入るように □ の中の漢字を組（く）み合（あ）わせて言葉を作りなさい。そして、漢字の読み方も書きましょう。

Combine kanji from the box to create compounds that complete the sentences below; then, provide *hiragana* readings for the compounds you've created.

a. 手　b. 理　c. 簡　d. 長　e. 絡　f. 課　g. 連　h. 相　i. 場　j. 面　k. 単　l. 無

ex. 昨日のテストは＿＿＿＿＿だった。 →

ex.	c.	k.
	かんたん	

1） 田中さんが今、電話で話している＿＿＿＿＿は誰ですか。

2） 姉から最近全然（ぜんぜん）＿＿＿＿がないので心配だ。

3） 会社で上司（じょうし）(boss)の＿＿＿＿＿に2時までにコピーをしてほしいと頼（たの）まれた。

4） 映画を見ている時、子どもが死んでしまう＿＿＿＿で、泣（な）いてしまった。

5） 風邪（かぜ）の時に夜遅くまで起きて＿＿＿＿をすると、よくならない。

問題5 1)～7)の下線(かせん)の言葉に合うように、□の中の漢字の部分を組(く)み合(あ)わせて言葉を作りなさい。言葉の英語の意味も書きましょう。

心	比	ロ	豆	ノ	生	日	女	力	列	忄
免	西	矢	利	白	田	ex.原	木	ex.頁	亻	

ex. 友達におねがいしてみた。　原 ＋ 頁 → ex. お願い (request)

1) みじかいレポートを明日までに書かなければいけない。

2) 私の家族はみなすしが好きだ。

3) 車がなかったら、こまると思う。

4) 海外旅行にはパスポートがひつようだ。

5) 明日のばんコンサートに行くつもりだ。

6) この授業はだんせいの学生の方が多い。

7) 南の島、たとえばニューカレドニアに行ってみたい。

問題6 下線(かせん)のひらがなを漢字にしなさい。a.～d.の中から英語の意味も選びましょう。

Provide kanji for the underlined *hiragana* word and choose the correct English meaning.

ex. つきがとてもきれいだ。
(a. month　b. moon　c. love　d. you) → ex. b. 月

1) 明日までにこのデータをひょうにして下さい。
(a. chart　b. completion　c. sort　d. revise)

2) じつは、田中さんは結婚しているんです。
(a. perhaps　b. surprisingly　c. generally　d. to tell the truth)

3) 母が病気なので、母のかわりにご飯を作った。
(a. together　b. separately　c. independent　d. in place (of))

4) この漢字はむずかしい。
(a. easy　b. difficult　c. terrible　d. strange)

5) 壁(かべ)の色は白よりピンクの方が暖(あたた)かいかんじになる。
(a. temperature　b. impression　c. idea　d. appearance)

6) 毎日仕事でいそがしい。
(a. busy　b. difficult　c. extreme　d. enjoyable)

問題 7 下線のひらがなを漢字にしなさい。漢字の部首の部分に○をして、漢字の画数も書きましょう。

Provide kanji for the underlined *hiragana*; then, circle the kanji's radical and write the number of strokes the kanji has.

ex. 平わはとても大切だ。 → ex. 和 8画

1) このレストランには若い女せいがよく来るそうだ。

2) あの人には赤い色のシャツがあうと思う。

3) 今ばんは、昨日買った雑誌を読むつもりだ。

4) 今週は先週とくらべると暖(あたた)かい。

5) 「です／ます」スタイルを使って話すと丁寧(ていねい)なかんじがします。

6) 明日第(だい)4かの漢字のテストがあります。

問題 8 質問に答えなさい。

Answer the following questions.

1) 漢字の特別な読み方と英語の意味を書きましょう。

For each kanji compound below, write the special reading and the meaning in English.

		特別な読み方	英語の意味
ex.	一人	ひとり	alone
a.	昨日		
b.	明日		
c.	今日		

2) 上の漢字の使い方をよく考えて、ア～エの漢字の読み方と英語の意味を考えましょう。

Based on the uses of the kanji above, connect the compounds in A to their most likely readings in B and English meanings in C.

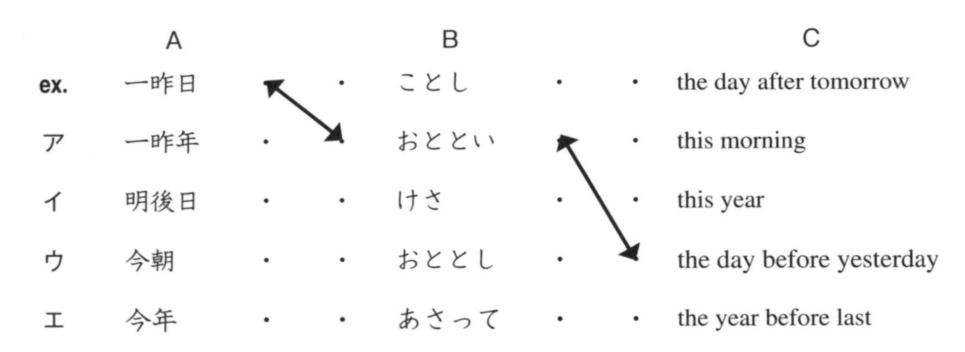

	A	B	C
ex.	一昨日	ことし	the day after tomorrow
ア	一昨年	おととい	this morning
イ	明後日	けさ	this year
ウ	今朝	おととし	the day before yesterday
エ	今年	あさって	the year before last

問題 9 文を読んで質問に答えなさい。

私の国のa.言語は日本語です。日本語では、b.男女のc.言葉の使い方が違います。そして、話すd.相手によって言葉を使い分けます。先生と話すe.場合は丁寧(ていねい)な言葉を使いますが、友達と話す時はカジュアルな言葉を使います。それから、f.地方には、方言(ほうげん)という地方の言葉があります。g.例えば、東京では「ありがとう」と言いますが、大阪(おおさか)では、「おおきに」と言うことがあります。方言(ほうげん)はとてもおもしろいと思います。

1）a.～g.の下線(かせん)の読み方を書きましょう。

a.言語　b.男女　c.言葉　d.相手　e.場合　f.地方　g.例えば

2）a.～g.の言葉をできるだけたくさん使って、「あなたの国の言葉」について文を書いてみましょう。

第3課

日本のテクノロジー

RW 読み方・書き方を覚える漢字

73 発

発	音訓	意味	部首 / 説明	語
発 (9)	ハツ	departure; emit; start	部首 癶 = 両足(りょうあし)(both legs) を開(ひら)いている形→足に関係(かんけい)	発明(はつめい)スル >>> L.5 発展(はってん)スル >>> L.11 開発(かいはつ)スル >>> L.12 発見(はっけん)スル >>> L.13 発売(はつばい)スル 出発(しゅっぱつ)スル
		癶 はつがしら		

例文	読み	意味
1. 英語のRの**発音**は日本人には難しい。	ハツオン	pronunciation
2. テクノロジーが**発達して**、外国の友達とインターネットで簡単(かんたん)に話が出来るようになった。	ハッタツ(して)	to develop
3. 明日の授業でプロジェクトの**発表**をする。	ハッピョウ	presentation

74 他

他	音訓	意味	部首 / 説明	語
他 (5)	タ	other; another	部首 亻 EX 伝 4 画数/形 也 EX 地、池 420	その他(た) >>> L.3 他人(たにん) >>> L.9 他国(たこく)
	ほか	亻 にんべん		

例文	読み	意味
1. スミスさんは日本語の**他に**中国語を勉強している。	ほか(に)	in addition to
2. カナダの**他には**外国に行ったことがない。	ほか(には)	except for

75 首

首	音訓	意味	部首 / 説明	語
首 (9)	シュ	neck; head; chief; first	成り立ち 顔と伸(の)びた髪(かみ)の毛(け)の形→顔の意味が頭(あたま)や首(くび)を表(あらわ)すようになった	首都(しゅと) >>> L.1 首相(しゅしょう) >>> L.9 首位(しゅい) 手首(てくび)
	くび	首 くび		

例文	読み	意味
1. 泳(およ)ぐの**部首**は「さんずい」です。	ブシュ	radical
2. 朝起きたら、**首**が痛くて困った。	くび	neck

76 声

声	音訓	意味	部首 / 説明	語
声 (7)	セイ	voice; reputation	部首 士 EX 売 画数/形 士 →上の線(せん)が長く、下の線(せん)が短い	名声(めいせい) 大声(おおごえ) >>> L.4 泣(な)き声(ごえ) 鳴(な)き声(ごえ)
	こえ	士 さむらい		

例文	読み	意味
1. YouTubeの**音声**は聞きにくいことがある。	オンセイ	sound
2. 図書館では大きい**声**で話さないで下さい。	こえ	voice

77 集

音読み/訓読み	意味	説明	語彙
シュウ	gather; meet; collect	成り立ち 木＋隹(鳥)＝木の上にたくさん鳥がいる→集まる	集会、集合スル、集団、集中スル、編集、募集スル、集める
あつ(まる) あつ(める)	隹 ふるとり	部首 隹　EX 雑 36	

(12)

例文	読み	意味
1. この部屋は色々な**集会**に使われいる。	シュウカイ	meeting
2. 有名人の周りには、いつも人が**集まって**いる。	**あつ(まって)**	**to gather**

78 供

音読み/訓読み	意味	説明	語彙
キョウ	offer; treat; attendant; accompany	文法 訓読みのとも(ども)は多くの人々を表す	供給スル
とも	亻 にんべん		

(8)

例文	読み	意味
1. 大きい地震があってガスの**供給**が止まってしまった。	キョウキュウ	service
2. **子供**達のためのニュースが読めるサイトがある。	**こども**	**child**

79 泣

音読み/訓読み	意味	説明	語彙
	cry; weep	類義/反対語 泣く⇔笑う 84	泣き声、泣き出す
な(く)	氵 さんずい		

(8)

例文	読み	意味
悲しい映画を見て、**泣いて**しまった。	**な(いて)**	**to cry**

80 両

音読み/訓読み	意味	説明	語彙
リョウ	both	成り立ち 天びん(balance)の形→二つ	両方 >>> L.6、両手 >>> L.13、両替スル、両立スル
	一 いち		

(6)

例文	読み	意味
一カ月に一度、**両親**に会いに帰ります。	**リョウシン**	**parents**

81 当

音読み/訓読み	意味	説明	語彙
トウ	hit; be equivalent; that (time, person etc.)	文法 他の名詞の漢字の前に当がつく時→「その」という意味　EX 当日＝その日、当人＝その人	適当(な) >>> L.7、当時 >>> L.11、当日 >>> L.14、当選スル >>> L.14、当たる >>> L.7、～に当たる >>> L.7、当たり前(の) >>> L.15
あ(たる) あ(てる)	小 しょう		

(6)

例文	読み	意味
1. このごろのCGは**本当**の写真のようだ。	**ホントウ**	**actual; real**
2. ボールがめがねに**当たって**、壊れてしまった。	あ(たって)	to hit

82 解

音読み・訓読み	意味・部首	画数/形
カイ	untie; solve; understanding	5画目は下に突き出(to stick out)ない、13画目は上に突き出る
と(ける) と(く)	角 つの	

画数 (13)

解決スル >>> L.9
解釈スル >>> L.13
解説スル
誤解スル
分解スル
解く

例文	読み	意味
1. 外国に住む時は、その国の文化を**理解する**ことが大切だ。	リカイ(する)	to understand
2. この問題は難しいので**解く**のに時間がかかる。	と(く)	to solve

83 念

音読み・訓読み	意味・部首	成り立ち・部首
ネン	thought; desire; attention	成り立ち 心＋今(ふくむ：to include)＝心の中にある考え
	心 こころ	部首 心 EX 感44、必50

画数 (8)

念願
記念スル
専念スル

例文	読み	意味
風邪で映画に行けなくなって**残念**だ。	ザンネン	unfortunate; disappointing

84 笑

音読み・訓読み	意味・部首	類義/反対語
ショウ	laugh	類義/反対語 笑う⇔泣く79
わら(う) え(む)	⺮ たけかんむり	

画数 (10)

笑顔 >>> L.4
笑い

例文	読み	意味
1. 公園で子供達が**笑い**ながら遊んでいる。	わら(い)	to laugh
2. どんな時でも、**笑顔**でいたいと思う。	えがお	smiling face; smile

85 法

音読み・訓読み	意味・部首	部首
ホウ	law; rule; method; way	部首 氵 EX 温5 泳24
	氵 さんずい	

画数 (8)

方法 >>> L.7
(健康)法 >>> L.8
法律 >>> L.11
違法
憲法

例文	読み	意味
1. この**文法**を使って文を作って下さい。	ブンポウ	grammar
2. 漢字を覚えるいい**方法**がある。	ホウホウ	method
3. 私の健康**法**は、毎日泳ぐことだ。	ホウ	how to (stay healthy)

86 直

音読み・訓読み	意味・部首	部首
チョク ジキ	straight; immediately; repair; re-	部首 目 EX 県23
なお(る) なお(す)	目 め	

画数 (8)

直接 >>> L.13
直後
直前
正直(な)
見直す >>> L.11
素直(な)

例文	読み	意味
1. 田中さんとは、**直接**話したことがない。	チョクセツ	directly
2. コンピュータが壊れたので、**直して**もらった。	なお(して)	to repair

87 苦

苦	音訓	意味	成り立ち・部首	語彙
苦 (8)	ク / くる(しい) にが(い) くる(しむ) くる(しめる)	hard; difficult; bitter / 艹 くさかんむり	成り立ち 艹(草:grass)+古(口をかたく閉じる:to close the mouth tightly)=口を閉じたくなる苦い草	苦情、苦労スル、苦しい >>> L.6、苦しむ >>> L.9、苦しめる、苦い

例文	読み	意味
1. 部屋が汚かったので、フロントに苦情を言った。	クジョウ	complaint
2. 風邪で熱があって、とても苦しい。	くる(しい)	laboring
3. 子供の頃から、数学が苦手だ。	**にがて**	**to be poor at**

88 助

助	音訓	意味	成り立ち・部首	語彙
助 (7)	ジョ / たす(かる) たす(ける)	help; save / 力 りきづくり	部首 力=ちから(power)や働くこと、勤めることに関係 EX 勉、動	助教授、助手、救助スル、助け

例文	読み	意味
1. 兄は大学でフランス語の助手をしています。	ジョシュ	assistant
2. 傘を貸してもらって、とても助かりました。	**たす(かり)**	**to be saved**

89 呼

呼	音訓	意味	成り立ち・部首	語彙
呼 (8)	コ / よ(ぶ)	call; invite; breathe / 口 くちへん	部首 口 EX 和 3	呼吸スル、呼び出す

例文	読み	意味
1. 友達をニックネームで呼ぶ。	**よ(ぶ)**	**to call**
2. 友達を家に呼んで、パーティーをした。	よ(んで)	to invite

R 読み方を覚える漢字

90 技

技	音訓	意味	成り立ち・部首	語彙
技 (7)	ギ / わざ	skill; craft / 扌 てへん	部首 扌=手に関係 EX 持、授 / 成り立ち 扌+支(仕事)=手を使ってする仕事	技術者 >>> L.12、演技スル、競技、特技、技

例文	読み	意味
1. 日本の工学の技術を学びに留学生が来た。	**ギジュツ**	**technology**
2. 柔道には29の技があるそうだ。	わざ	technique

91 術

術	術 術	(11)
音読み	ジュツ	
意味	method; technique; art; trick	
部首	行 ぎょうがまえ	

音 ボ＝ジュツという音を表す(あらわ) EX 述 312

技術(ぎじゅつ) >>> L.3
技術者(ぎじゅつしゃ) >>> L.12
芸術(げいじゅつ) >>> L.7
芸術家(げいじゅつか)
美術(館)(びじゅつ(かん))

例文	読み	意味
1. 足のけがをして、**手術**を受けた。	シュジュツ	surgical operation
2. ニューヨークには**美術館**がたくさんある。	ビジュツカン	museum

92 際

際	際 際	(14)
音読み	サイ	
意味	occasion; edge; associate; limit	
部首	阝 こざとへん	

音 祭＝サイという音を表す(あらわ)
部首 阝 EX 階 28

国際的(こくさいてき) >>> L.5
国際化(こくさいか)
交際(こうさい)スル

例文	読み	意味
1. 外国語は、**実際に**使わないと上手にならない。	ジッサイ(に)	actually; really
2. 大学で**国際**関係(かんけい)を勉強している。	コクサイ	international

93 緒

緒	緒 緒	(14)
音読み	ショ	
意味	beginning; strap; cord	
部首	糸 いとへん	

部首 糸 EX 絵 33、絡 63
音 者＝シャ、ショという音を表す(あらわ)
シャ EX 者、煮
ショ EX 暑、諸、署

例文	読み	意味
友達と**一緒に**レストランに行った。	イッショ(に)	together

94 型

型	型 型	(9)
音読み	ケイ	
訓読み	かた	
意味	mould; type; model	
部首	土 つち	

部首 土＝土(つち)(soil)や土(と)地(ち)(land)に関係(かんけい) EX 地
成り立ち 土＋ 刑(わく: frame)＝いがた(mold)

血液型(けつえきがた) >>> L.7
大型(おおがた)
小型(こがた)
新型(しんがた)

例文	読み	意味
1. この教科書(きょうかしょ)で新しい**文型**をたくさん習っている。	ブンケイ	sentence pattern
2. 日本では色々な人**型**のロボットが作られている。	**がた**	**type**

95 毛

毛	毛 毛	(4)
音読み	モウ	
訓読み	け	
意味	hair; bristle	
部首	毛 け	

成り立ち 細(ほそ)い毛(け)の形

毛布(もうふ)
毛皮(けがわ)
髪(かみ)の毛(け)

例文	読み	意味
1. 今晩は寒くなるので、**毛布**が必要だ。	モウフ	blanket
2. 子供の頃(ころ)、私は**毛**が白い犬が欲(ほ)しいと思っていた。	**け**	**hair**

96					
周	周 周 周 周 周 周 周 周 (8)	シュウ	circumference; neighborhood; lap	類義/反対語 ・周(しゅう)＝物の周(まわ)り、周(まわ)りを回(まわ)る ・週(しゅう)＝一週間のこと	周囲(しゅうい) 周辺(しゅうへん) (一)周(いっしゅう)
		まわ(り)	口 くち		

例文	読み	意味
1. 駅の**周辺**には車は止められない。	シュウヘン	vicinity
2. 大学の**周り**には、いいレストランが多い。	**まわ(り)**	**surroundings; vicinity**

97					
欲	欲 欲 欲 欲 欲 欲 欲 欲 欲 欲 欲 (11)	ヨク	desire; longing; greed	部首 欠＝口を大きく開けている動作(どうさ)(action)に関係(かんけい) EX 歌	欲(よく) 食欲(しょくよく)
		ほ(しい) ほっ(する)	欠 あくび		

例文	読み	意味
1. 夏になると暑くて**食欲**がなくなる。	ショクヨク	appetite
2. 今、新しいコンピュータが**欲しい**。	**ほ(しい)**	**to want**

98					
格	格 格 格 格 格 格 格 格 格 格 (10)	カク	rule; law; rank; character	音 各＝カクという音を表(あらわ)す	性格(せいかく) >>> L.7 価格(かかく) 資格(しかく) 人格(じんかく)
			木 きへん		

例文	読み	意味
1. 大学に**合格し**たら、ゆっくり休みたい。	**ゴウカク(し)**	**to pass (an examination)**
2. あの人は**性格**がとても明るい。	セイカク	character

99					
遊	遊 遊 遊 遊 遊 遊 遊 遊 遊 遊 遊 遊 (12)	ユウ	play; travel; hang around	成り立ち 辶(行く)＋斿(ゆれる: to swing)＝色々な所に行く→遊(あそ)ぶ	遊園地(ゆうえんち) 遊び(あそび)
		あそ(ぶ)	辶 しんにょう		

例文	読み	意味
1. 子供の時、よく**遊園地**に行った。	ユウエンチ	amusement park
2. 友達とゲームをして**遊ぶ**のが好きだ。	**あそ(ぶ)**	**to play**

100					
寝	寝 寝 寝 寝 寝 寝 寝 寝 寝 寝 寝 寝 寝 (13)	シン	sleep; lie down	部首 宀 EX 実 38 音 㑴＝シンという音を表(あらわ)す EX 侵、浸	寝室(しんしつ) 昼寝(ひるね)スル >>> L.13 寝起き(ねおき) 寝不足(ねぶそく) 寝坊(ねぼう)スル
		ね(る) ね(かす)	宀 うかんむり		

例文	読み	意味
1. **寝室**の窓(まど)のカーテンを洗濯(せんたく)した。	シンシツ	bed room
2. 毎日8時間ぐらい**寝**たいと思う。	**ね**	**to sleep**

101 将

将	音読み	意味	部首	語
将 (10)	ショウ	lead; general; leader; from now on	部首 寸 EX 専 29	将棋(しょうぎ) 主将(しゅしょう)
		寸 すん		

1. 将来は、医者か弁護士(べんごし)になりたい。 — ショウライ — future
2. 「将軍」という本を読んだことがありますか。 — ショウグン — Shogun; general

102 案

案	音読み	意味	部首	語
案 (10)	アン	idea; plan; draft expectation	音 安＝アンという音を表(あらわ)す EX 安、按、鞍	案(あん) 提案(ていあん)スル
		木 き		

タイから友達が来たら、京都を案内する予定(よてい)だ。 — アンナイ(する) — to show around

103 内

内	音読み・訓読み	意味	部首	語
内 (4)	ナイ	inside; within; secret; wife	部首 冂 EX 円 成り立ち 冂(屋根(やね): roof)＋入＝家の中に入る→内(うち)	内容(ないよう) >>> L.1 国内(こくない) >>> L.4 (家庭)内(かていない) >>> L.14 内部(ないぶ) 以内(いない) 市内(しない) 内側(うちがわ)
	うち	冂 どうがまえ		

1. 大きい駅には、町について案内をしてくれる所がある。 — アンナイ — (to give) information
2. いつもコートの内側のポケットに携帯(けいたい)電話を入れている。 — うちがわ — inside

104 頼

頼	音読み・訓読み	意味	部首	語
頼 (16)	ライ	request; rely	部首 頁 EX 顔、題、願 65	信頼(しんらい)スル >>> L.10 依頼(いらい)スル 頼(たよ)る >>> L.9 頼(たよ)り 頼(たの)み
	たの(む) たよ(る)	頁 おおがい		

1. あの会社の車は信頼することが出来る。 — シンライ(する) — to trust
2. 課長(かちょう)から新しいプロジェクトを頼まれた。 — たの(まれた) — to be asked

105 君

君	音読み・訓読み	意味	部首	語
君 (7)	クン	ruler; you	文法 君(くん)はたいてい目上(めうえ)の人(one's senior)が同年輩(どうねんぱい)(the same age)や目下(めした)(one's junior)の男の人を呼(よ)ぶ時に使う	君(きみ) >>> L.13
	きみ	口 くち		

1. この仕事は山田君に頼(たの)もうと思う。 — クン — Mr.
2. 今度、君の家に遊(あそ)びに行くよ。 — きみ — you

106						
辞	辞	辞 (13)	ジ	word; resign; refuse	文法 ・辞める→会社や仕事をやめる時 EX 今週でアルバイトを辞める ・やめる→続けていることをやめる時 EX 雨がふってきたので、テニスをやめた	辞職スル 辞典 辞める
	辭		や(める)	辛 からい		
1. 日本語の勉強には、どんな**辞書**が一番いいですか。			ジショ	dictionary		
2. 勉強が大変なので、アルバイトを**辞める**ことにした。			や(める)	to quit		

この課で書き方を覚える漢字

連62 ➡ 第2課 R

単67 ➡ 第2課 R

漢字ミニノート 2 mini note

音読み？ 訓読み？ どちらの方で読みますか？

［例］ 1）あの人(ひと)は、日本人(ジン)です。

2）そこは、車(くるま)でも電車(シャ)でも行けます。

3）電話(ワ)で友だちと2時間話(はな)した。

4）外国(ガイコク)は日本の外(そと)の国(くに)のことです。

◉音読み……「電話、外国」のように二つ以上(いじょう)(more than)の漢字を使った言葉の読み方に多いです。

◉訓読み……「車、外の国」のように、漢字が一つで使われている言葉の読み方に多いです。

第3課

日本のテクノロジー

練習問題

問題 1 下線(かせん)の漢字の読み方を書きなさい。音読みと訓(くん)読みに気をつけましょう。

1) この a.間、b.人間の声についてのテレビ番組(ばんぐみ)(program)を録画(ろくが)する(to videotape)つもりだったのに、c.時間を d.間違えて、e.人型ロボットの番組(ばんぐみ)を録画(ろくが)してしまった。

2) 私の a.友達は自分の子供の b.発達を c.最初から記録(きろく)した(to record)ビデオを d.最も大切にしている。特に e.初めて子供が話した時のビデオはよく見ると言っていた。

3) アメリカから長い間飛行機(ひこうき)に乗って a.来た妹は、b.首が痛いと文句(もんく)を言っていたが、東京を見て、c.将来大きな国の d.首都に住んでみたいと言った。

4) 子供の a.文法と b.発音の c.発達について書かれた本を d.注文した。

5) a.年を取った男性が b.50年ぐらい前の古いトラックを c.運転して、野菜(やさい)を d.運んでいるのを見た。

6) 私が a.生まれてから b.高校生になるまで c.生活していた町を、ボーイフレンドに見せたいので、来月ボーイフレンドを家に d.連れて行くつもりだと両親に e.連絡した。

7) 私はこの映画の中で子供が体を大きく a.動かして b.運動する c.場面が一番 d.面白いと思った。

問題 2 ［　　］の中から、1)～6)の文に合う言葉を選びなさい。漢字の読み方も書きましょう。

例食事	a.辞書	b.工場	c.理解	d.入学	e.将来	f.手術

例 たべることです。→ 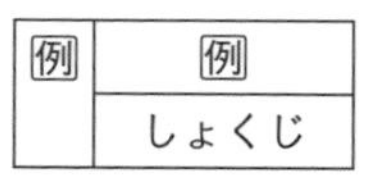

例	例
	しょくじ

1) 分かるという意味です。

2) 分からない言葉や漢字は、これで調べます。

3) 薬(くすり)で病気が治(なお)ら(to cure)ない時に、これをすることがあります。

4) 物を作る所です。

5) 10年あと、20年あとのことです。

6) 学校に入ることです。

問題 3 ＿＿に □ の言葉を選んで文を完成（かんせい）させなさい。漢字の場合は読み方、ひらがなの場合は漢字を書きましょう。

例 ア）泳い イ）島 ウ）観光し エ）自然

a.＿＿が美しい b.＿＿で c.＿＿たり、海で d.＿＿だりした。

→

a.	エ	b.	イ	c.	ウ	d.	ア
	しぜん		しま		かんこうし		およい

ア）ともだち イ）のこって ウ）たてもの

a.＿＿＿と古い b.＿＿＿が c.＿＿＿いる町を歩いた。

→

a.	ア	b.	ウ	c.	イ
	友達		建物		残って

1） ア）会場　イ）手伝って　ウ）一緒　エ）君

スミス a.＿＿＿には僕と b.＿＿＿にコンサート c.＿＿＿のそうじを d.＿＿＿ほしい。

2） ア）周り　イ）毛　ウ）集まって　エ）美しい

a.＿＿＿白い b.＿＿＿の犬の c.＿＿＿にたくさんの人が d.＿＿＿いる。

3） ア）にがて　イ）だいじ　ウ）こえ　エ）はじめ

a.＿＿＿て田中さんに会った時、人と話すのが b.＿＿＿な田中さんの c.＿＿＿が小さくて、話の d.＿＿＿な部分がよく分からなかった。

4） ア）なおし　イ）はっぴょう　ウ）ぶんぽう　エ）たすかっ

クラスで a.＿＿＿する前に、アメリカ人のクラスメートに間違っている b.＿＿＿や単語を c.＿＿＿てもらって d.＿＿＿た。

5） ア）ほか　イ）りかい　ウ）このあいだ　エ）ほんとう

a.＿＿＿の文学の授業は b.＿＿＿に難しかったので、私の c.＿＿＿にも先生の話していることが d.＿＿＿できない人がたくさんいた。

問題 4 1)～8)の＿＿＿に入るように［　　］の中の漢字を組(く)み合(あ)わせて言葉を作りなさい。漢字の読み方も書きましょう。

a. 実	b. 合	c. 術	d. 然	e. 事	f. 格	g. 技	h. 際	i. 記	j. 全

例 新しいロボットの＿＿＿が新聞に書いてある。 →

例	i.	e.
	きじ	

1) 日本のロボットなどの＿＿＿を勉強するために、アジアからたくさん留学生が来る。

2) 3年生の日本語は難しい漢字が多いので、＿＿＿覚えられない。

3) この国には海がないので、私の子供は海を＿＿＿に、まだ見たことがない。

4) このテストに＿＿＿しないと、車の免許証(めんきょしょう) (license) がもらえない。

k. 緒	l. 事	m. 内	n. 残	o. 一	p. 念	q. 案	r. 食

5) 病気で旅行に行けなくなって、とても＿＿＿だ。

6) 友達の家に遊びに行った時、友達が町を＿＿＿してくれた。

7) 休みの時は、両親とよくレストランに＿＿＿しに行く。

8) 木曜日の夜、クラスメートと＿＿＿に来週の試験の勉強をした。

問題 5 ［　　］の言葉をよく考えて、ア)～カ)の中に形を書きなさい。そして、その言葉を使って 1)～6)の文を完成(かんせい)させましょう。(注：言葉の形が変わる時もあります。)

Consider the shapes of the kanji for the words in (a) - (f); then, write each of these kanji in the appropriate box (ア) - (カ). Next, use these kanji to complete Sentences (1) - (6). (Note: Words may need to be conjugated to complete the sentence grammatically.)

例 のむ	a. たすける	b. なく	c. わらう	d. よぶ	e. あつまる	f. さい高

ア　イ　ウ　エ　オ　カ

例 のむ → イ 飲 (例)

例 コーヒーを(飲んで)から、家を出た。

1) 今晩、私の家に友達が(　　　)パーティーをすることになった。

2) お母さんがいないので、小さい子供が(　　　)います。

3) 道が分からなくて困っている人がいたので、(　　　)あげた。

4) 友達は僕を「たかし君」と(　　　)ます。

5）ブロードウェイで見たミュージカルは(　　　　)だった。

6）弟の話はいつも面白いので、話を聞いたらみんな(　　　　)と思う。

問題 6 絵を見て、ひらがなの言葉を漢字にして文を作りなさい。(文を完成するために必要な言葉があったら、自分で加えましょう。)

Look at the drawings below and use the words provided to make sentences describing them, changing *hiragana* to kanji as necessary. Add any additional words you may need to complete the sentences.

例 　よむ　しんぶん　いえ　→　家で新聞を読みました。

1）　おぼえる　にがて　たんご　→ ＿＿＿＿＿＿＿＿＿＿

2）つれていく　こども　りょうしん　→ ＿＿＿＿＿＿＿＿＿＿

3）どうぶつ　あつまる　くび　→ ＿＿＿＿＿＿＿＿＿＿

4）うごかす　だいじ(な)　てつだう　→ ＿＿＿＿＿＿＿＿＿＿

問題 7 (　　)の中のひらがなは漢字に、漢字はひらがなにしなさい。そして、質問に答えましょう。

Provide kanji for the *hiragana* or *hiragana* for the kanji in parentheses; then, answer the question that follows.

例 (a. かわ　b. たべる　c. やま　d. うみ)　→

a.	川	b.	食	べる	c.	山	d.	海

Q:「自然」じゃないのはどれですか。　→　b.

1）(a. はつおん　b. ぶんぽう　c. たんご　d. しゃかい)

Q: どの言葉が「言語」に関係があり(to be related to)ませんか。

2）(a. だいじ　b. ほんとう　c. ざんねん　d. にがて)

Q: どの言葉が「な形容詞(adjective)」じゃありませんか。

3) (a. きじ　b. がくしゅう　c. もんだい　d. しょくじ)

Q: どの言葉が「日本語の勉強」とあまり関係(かんけい)があり(to be related to)ませんか。

4) (a. 欲しい　b. 遊ぶ　c. 寝る　d. 頼む)

Q: どの言葉が「動詞(どうし)(verb)」じゃありませんか。

問題 8 同じ意味を持つ漢字を組(く)み合(あ)わせて作られた熟語(じゅくご)で、元(もと)の漢字と同じ意味を表(あらわ)す言葉があります。(例：「都＝city」+「市＝city」＝「都市＝city」)

□の中から、同じ意味の漢字で組(く)み合(あ)わされた言葉を選んで、読み方と英語の意味を書きなさい。

Some kanji compounds are made up of two kanji with the same meaning and produce a new word which retains that meaning. (Ex.「都 = city」+「市 = city」=「都市 = city」) From the box below, choose the compounds whose components each have the same meaning as the compound itself and write their *hiragana* readings and English meanings in the boxes provided.

例 | 簡単　辞書 | →

同じ意味の漢字を使っている言葉	簡単
読み方	かんたん
英語の意味	simple

学習	場所	敬語	平和	案内

問題 9 文を読んで質問に答えなさい。

私達のa.将来は今よりももっとb.技術がc.発達して、d.人間の生活はe.便利になると思います。新しい技術で生活が便利になることはいいことですが、今、世界からf.自然がなくなっています。g.実際に、色々な野生(やせい)(wild) h.動物が少なくなっています。私は、それはとてもi.残念なことだと思います。私は新しい技術の発達も大切だと思いますが、自然をj.大事にして、k.守ることもl.必要だと思います。

1) a.～l.の下線(かせん)の漢字の読み方を書きましょう。

a.将来　b.技術　c.発達　d.人間　e.便利　f.自然　g.実際に

h.動物　i.残念な　j.大事に　k.守る　l.必要

2) a.～l.の言葉をできるだけたくさん使って、「将来の技術」について文を書いてみましょう。

漢字パズル 1 （第1課～第3課の漢字）

上下、左右、ななめの (diagonal) 漢字を組み合わせて (to combine)、漢字の言葉を見つけましょう。パズルの中に一つだけ漢字の組み合わせができない漢字があります。それは、どの漢字でしょうか。

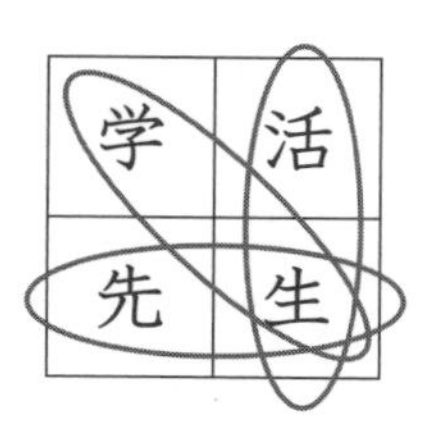

注	簡	語	地	理	行
文	単	方	食	事	解
法	動	工	面	達	発
名	物	小	場	友	音
建	説	術	合	会	議
明	高	最	初	格	社

漢字の組み合わせができない漢字は、＿＿＿＿＿です。

第4課

日本のスポーツ

RW 読み方・書き方を覚える漢字

107 現 (11)

読み	意味
ゲン	appear; present; show up; existing
あらわ(れる) あらわ(す)	王 おうへん

部首 王＝たま(ball)に関係(かんけい) EX 球、理

成り立ち 王＋見＝たまを磨(みが)く(to polish)と美しい光(ひかり)が出る→現(あらわ)れる

表現(ひょうげん)スル >>> L.2 / 現在(げんざい) >>> L.5 / 現状(げんじょう) >>> L.9 / 現象(げんしょう) >>> L.13 / 現金(げんきん) >>> L.10 / 現実(げんじつ) / 現(あらわ)れる >>> L.6

例文	読み	意味
1. 美術館(びじゅつかん)で**現代**美術(びじゅつ)についての本を買った。	**ゲンダイ**	**the present day/age**
2. スクリーンのOKをクリックすると、メッセージが**現れ**ます。	あらわ(れ)	to appear

108 組 (11)

読み	意味
ソ	assemble; put together; braid; unite; team up
くみ く(む)	糸 いとへん

音 且＝ソという音を表(あらわ)す EX 祖 443、粗、租

部首 糸 EX 緒 93

組織(そしき)スル / 組(く)み合(あ)わせ / 組(く)み立(た)てる / 組(く)む / 組(くみ) / 組合(くみあい)

例文	読み	意味
1. 今晩は面白いテレビ**番組**がない。	**バンぐみ**	**program**
2. 友達は自分でコンピュータを**組み立てた**。	く(み)た(てた)	to assemble

109 勝 (12)

読み	意味
ショウ	win; victory; excel
か(つ)	力 ちから

メモ 券(けん)(ticket)は力ではなくて、刀(かたな)が部首(ぶしゅ)

勝負(しょうぶ)スル / 決勝(けっしょう)(戦(せん)) / 優勝(ゆうしょう)スル / 勝手(かって)(な) >>> L.13 / 勝(か)ち負(ま)け

例文	読み	意味
1. ゲームが終わるまで、**勝負**は分からない。	ショウブ	victory or defeat
2. 今度のテニスの試合(しあい)に**勝ち**たいと思っている。	**か(ち)**	**to win**

110 成 (6)

読み	意味
セイ	become; turn into
な(る)	戈 ほこがまえ

音 成＝セイという音を表(あらわ)す EX 盛、誠

成功(せいこう)スル >>> L.5 / 賛成(さんせい)スル >>> L.6 / 完成(かんせい)スル >>> L.8 / 平成(へいせい) >>> L.11 / 構成(こうせい)スル >>> L.13 / 成人(せいじん) / 成績(せいせき)

例文	読み	意味
1. 来年はあの国の経済(けいざい)はもっと**成長する**だろう。	**セイチョウ(する)**	**to grow**
2. 私は山田さんの意見(いけん)に**賛成し**ます。	サンセイ(し)	to agree

111 負

負	負	(9)	フ / ま(ける)	lose; be defeated; minus	成り立ち	語彙
負	負	負 負 負 負 負 負 負 負 負	フ	lose; be defeated; minus	成り立ち ⺈(人)＋貝(お金や品物(しなもの))＝人が品物(しなもの)を背中(せなか)(back)にのせて(to carry)いる→背負(せお)う(to carry on back)	負担(ふたん)スル 勝負(しょうぶ)スル 勝(か)ち負(ま)け
			ま(ける)	貝 かい		

例文	読み	意味
1. プロのテニス選手(せんしゅ)と一度**勝負して**みたい。	ショウブ(して)	to have a match
2. サッカーの試合(しあい)に**負けて**残念(ざんねん)だ。	ま(けて)	to be defeated

112 絶

絶	絶	筆順 (12)	読み	意味・部首	成り立ち	語彙
絶	絶	絶 絶 絶 絶 絶 絶 絶 絶 絶 絶 絶 絶	ゼツ	break off; sever; cease; discontinue; exist	成り立ち 糸(string)＋刀(sward)＋巴(人)＝糸(いと)を人が刀(かたな)で切る→関係(かんけい)(relation)がなくなる	絶滅(ぜつめつ)スル 絶(た)えず
			た(える)	糸 いとへん		

例文	読み	意味
1. 明日は試験があるから、**絶対に**学校を休めない。	ぜったい(に)	absolutely; surely
2. あの人は**絶えず**誰かとおしゃべりをしている。	た(えず)	continuously; always

113 対

対	対	筆順 (7)	読み	意味・部首	画数/形	語彙
対	対	対 対 対 対 対 対 対	タイ	oppose; opposite; toward; to; against	画数/形 文→4画(かく)目はとめる 文→4画(かく)目ははらう	反対(はんたい)スル >>> L.6 ～に対(たい)して >>> L.9 対策(たいさく) >>> L.10 対(たい)する >>> L.10 対象(たいしょう) 対戦(たいせん)スル 対立(たいりつ)スル
				寸 すん		

例文	読み	意味
1. スミスさんはよく漢字が分かるから、**絶対**毎日勉強していると思う。	ゼッタイ	absolutely; surely
2. 先生に**対して**学生は敬語(けいご)を使って話しましょう。	タイ(して)	to

114 礼

礼	礼	筆順 (5)	読み	意味・部首	部首・画数/形	語彙
礼	礼	礼 礼 礼 礼 礼	レイ	courtesy; manner; gratitude; bow	部首 ネ＝神や祭(まつ)りに関係(かんけい) EX 社、神 画数/形 ネ→しめすめん 4画(かく) ネ→ころもへん 5画(かく)	お礼(れい) >>> L.9 礼儀(れいぎ) 失礼(しつれい)スル
				ネ しめすへん		

例文	読み	意味
1. 道場(どうじょう)に入る時には**礼**をしてから、入る。	レイ	bow
2. 敬語(けいご)が使える**礼儀正しい**人になりたい。	レイギただ(しい)	well-mannered

115 向

向	向	筆順 (6)	読み	意味・部首	成り立ち	語彙
向	向	向 向 向 向 向 向	コウ	turn toward; head toward; face; direct; direction; tendency; oppose; confront; for	成り立ち 宀＋口(窓(まど))＝家の窓(まど)から空気(くうき)(air)が流(なが)れる(to flow)→物が進(すす)む(to move)向(む)き(direction)	傾向(けいこう) >>> L.7 方向(ほうこう) 向(む)ける >>> L.5 (子供)向(む)け >>> L.7 向(む)かう 向(む)き 向(む)く 向(む)こう
			む(き) む(こう) む(く) む(かう) む(ける)	口 くち		

例文	読み	意味
田中さんは私とは反対(はんたい)の a. **方向** b. **に向かって**歩いていった。	a. ホウコウ b. (に)む(かって)	a. direction b. toward; for

第4課

116 育

育	育	イク	raise; bring up; rear; grow up	部首 月＝肉や体に関係	教育 >>> L.9 育児 体育 育てる >>> L.4
	(8)	そだ(つ) そだ(てる)	月／にくづき 肉／にく		

1. インターネットには**教育**によくないものもある。 — キョウイク — education
2. 私はロンドンで**育ち**ました。 — **そだ(ち)** — **to grow up**

117 能

能	能	ノウ	ability; capability; competence; Noh play	メモ 能＝元の(original)意味はクマ(bear)。クマの漢字は熊	可能性 >>> L.9 可能⇔不可能 機能 (伝統)芸能 才能
	(10)		月／にくづき 肉／にく		

1. **能力**がある人は、いい仕事を見つけられる。 — **ノウリョク** — **ability**
2. 日本に行ったら、**能**を見てみたいと思っている。 — ノウ — Noh play

118 彼

彼	彼	ヒ	he; that	音 皮＝ヒという音を表す EX 疲、被、披	彼女 >>> L.6 彼ら
	(8)	かれ かの	彳 ぎょうにんべん		

1. **彼**が好きな音楽はクラシックだ。 — **かれ** — **he; my boyfriend**
2. 毎晩**彼女**に電話をかけることにしている。 — かのジョ — her; my girlfriend

119 与

与	与	ヨ	give; present; participate	部首 一 EX 両 80	
	(3)	あた(える)	一 いち		

公園では動物に食べ物を**与え**ないで下さい。 — **あた(え)** — **to give**

120 係

係	係	ケイ	connection; tie; concern; be concerned with; be related to; person in charge	成り立ち 亻(人)＋系(つながり：relation)＝人と人の関係→一般的な関係	無関係 係
	(9)	かかり	亻 にんべん		

1. これからはアジアの国々との**関係**が大切だ。 — **カンケイ** — **relationship**
2. デパートの一階に**案内係**がいます。 — アンナイがかり — information clerk

121				
速	速 速 (10)	ソク / はや(い)	fast; quick; speed; velocity / ⻌ しんにょう	成り立ち ⻌(行く)+束(忙しい)=人が忙しく歩く→速(はや)い

1. この電車はa.時速300キロのb.速さで走る。 — a. ジソク b. はや(さ) — a. speed per hour b. speed
2. この車は日本で一番速い車だそうだ。 — はや(い) — fast

速度(そくど)、高速(こうそく)、早速(さっそく)、時速(じそく)、速(はや)さ

R 読み方を覚える漢字

122				
寄	寄 寄 (11)	キ / よ(る) よ(せる)	approach; draw near; come together; gather / 宀 うかんむり	音 奇=キという音を表(あらわ)す EX 奇、騎

1. 大学の美術館(びじゅつかん)に有名な絵(え)を寄付した人がいる。 — キフ(した) — to donate
2. お年寄りには、親切にしましょう。 — (お)としよ(り) — elderly people

寄付(きふ)スル >>> L.15、近寄(ちかよ)る、寄(よ)る

123				
種	種 種 (14)	シュ / たね	seed; kind; sort; species / 禾 のぎへん	部首 禾=穀物(こくもつ)(grain)に関係(かんけい) EX 秋

1. この店では色々な種類のケーキが買える。 — シュルイ — kind
2. ヒマワリ(sunflower)の種は食べられますよ。 — たね — seed

人種(じんしゅ) >>> L.15、職種(しょくしゅ)、種(たね)

124				
類	類 類 (18)	ルイ	kind; sort; type; class; category / 頁 おおがい	部首 頁 EX 願 65、頼 104

この種類の魚はめずらしいらしい。 — シュルイ — kind

人類(じんるい) >>> L.7、分類(ぶんるい)スル >>> L.13、書類(しょるい)

125				
健	健 健 (11)	ケン	robust; healthy; strong / 亻 にんべん	成り立ち 亻(人)+建 10 (まっすぐ立つ: to stand upright) =人がまっすぐ立つ→体が強い

健康な体を作ることは大切だ。 — ケンコウ(な) — healthy

健康的(けんこうてき)

126	康	康 康 康 康 康 康 康 康 康 康 康 (11)	コウ	healthy	部首 广 EX 府 22、席 135	健康的（けんこうてき）
				广 まだれ		
健康のためにジョギングをしている。				ケンコウ	health	

127	互	互 互 互 互 (4)		reciprocal; mutual; each other	成り立ち 二つの物が組（く）み合（あ）わさって(to be put together)いる→互（たが）い	
			たが(い)	二 に		
今週はお互いに忙しいので、来週会いましょう。				(お)たが(いに)	(to) each other; both	

128	尊	尊 尊 尊 尊 尊 尊 尊 尊 尊 尊 尊 尊 (12)	ソン	respect; honor; revere	成り立ち 酋(酒を入れたつぼ: jar)＋寸(手＝手で神に酒をささげる(to offer)→尊（とうと）ぶ(to respect)	尊重（そんちょう）スル
				寸 すん		
1. 私が尊敬している人はエジソンだ。				ソンケイ(して)	to respect (a person)	
2. あの先生は学生の意見（いけん）を尊重してくれる。				ソンチョウ(して)	to respect (an idea)	

129	含	含 含 含 含 含 含 含 (7)		include; hold; contain	成り立ち 口＋今(中に入れる意味)＝口の中に物を入れる→含（ふく）む	含（ふく）める >>> L.9
			ふく(む) ふく(める)	口 くち		
1. レモンにはビタミンCがたくさん含まれている。				ふく(まれて)	to contain	
2. 私の家族は祖母（そぼ）を含めて5人です。				(を)ふく(めて)	including	

130	精	精 精 精 精 精 精 精 精 精 精 精 精 精 精 (14)	セイ	refine; essence; spirit; energy	音 青＝セイという音を表（あらわ）す EX 晴、清、請	精神的（せいしんてき） 精密（せいみつ）(な) 精力的（せいりょくてき）
				米 こめへん		
スポーツで強い精神を育てたい。				セイシン	spirit	

131 折

折	折 折 折 折 折 折 折 (7)	セツ / お(れる) お(る)	break; fold; bend; divide / 扌 てへん	成り立ち 扌(手)+斤(おの : ax) = 木を切ったり、折ったりする	折り紙 >>> L.12 / 折角 / 折れる

1. 公園の木を**折って**はいけません。 — お(って) — to break
2. 子供の頃は、よくa.**折り紙**で鶴(crane)をb.**折った**。 — a. お(り)がみ b. お(った) — a. origami b. to fold

132 打

打	打 打 打 打 打 (5)	ダ / う(つ)	hit; beat; knock / 扌 てへん	成り立ち 扌(手)+丁(くぎ : nail) = くぎをたたく→打つ	打者 / 打ち上げる / 打ち合わせ

あのバッターはよくホームランを**打つ**。 — う(つ) — to hit

133 投

投	投 投 投 投 投 投 投 (7)	トウ / な(げる)	throw; cast; pitch / 扌 てへん	成り立ち 扌(手)+殳(ほこ : pike) = 投げる	投票 >>> L.14 / 投手

野球でボールをa.**投げる**人をb.**投手**という。 — a. な(げる) b. トウシュ — a. to throw b. pitcher

134 驚

驚	驚 … (22)	おどろ(く) おどろ(かす)	be surprised; be startled; be amazed / 馬 うま	部首 馬 = 馬に関係 EX 駅、験 / 成り立ち 馬が前の足を上げて(to raise)驚く形 / 画数/形 馬+敬 55 → 驚	驚かす / 驚き

後ろから急に名前を呼ばれて**驚いた**。 — おどろ(いた) — to be surprised

135 席

席	席 席 席 席 席 席 席 席 席 席 (10)	セキ	seat / 广 まだれ	画数/形 巾 = 布(cloth)を表す / 成り立ち 席 = 元の(original)意味は敷物(carpet; straw mat)の意味 → 席	客席 / 座席 / 出席スル ⇔欠席スル

1. この**席**に誰か座っていますか。 — セキ — seat
2. 今度の会議には**出席する**ことが出来ません。 — シュッセキ(する) — to attend

136	迷	迷迷迷迷迷迷迷迷迷 (9)	メイ	be puzzled; be perplexed; hesitate; lost; cannot decide	成り立ち ⻌(行く)+米(小さくて分かりにくい)=道が分かりにくい→迷う	迷路(めいろ)
	迷		まよ(う)	⻌ しんにょう		
1. 隣(となり)の部屋の人は大きい音で音楽を聞くので、**迷惑**だ。			メイワク	annoying		
2. 困(こま)っている人がいたら**迷わ**ず助けよう。			**まよ(わ)**	**to hesitate**		

137	般	般般般般般般般般般般 (10)	ハン	generally; sort; kind	画数/形 般の右=投 133 の右	一般(いっぱん)
	般			舟 ふねへん		
1. **一般に**日本人は魚が好きだと言われている。			イッパン(に)	generally		
2. 日本の食べ物は**一般的に**高い。			**イッパンテキ(に)**	**generally**		

138	談	談談談談談談談談談談談談談談談 (15)	ダン	talk; converse; speak; discuss	成り立ち 言(ことば)+炎(さかん: active)=さかんに話すこと	冗談(じょうだん) 対談(たいだん)
	談			言 ごんべん		
留学について両親に**相談した**。			**ソウダン(した)**	**to consult; talk**		

139	輩	輩輩輩輩輩輩輩輩輩輩輩輩輩輩輩 (15)	ハイ	fellow	部首 車=車に関係(かんけい) EX 転	
	輩			車 くるま		
このクラブは a. **先輩** と b. **後輩** の関係(かんけい)があまり厳(きび)しくない。			a. **センパイ** b. **コウハイ**	a. **one's senior** b. **one's junior**		

140	具	具具具具具具具具 (8)	グ	tool; utensil; equipment; gear	部首 八 EX 六、分	家具(かぐ) >>> L.12 具体的(ぐたいてき) >>> L.14 具合(ぐあい) 絵の具(えのぐ) 器具(きぐ)
	具			八 はち		
1. 父とキャンプの**道具**を買いに行った。			**ドウグ**	**equipment; gear**		
2. 家を買ったので、**家具**も新しいものにした。			カグ	furniture		

この課で書き方を覚える漢字

関 31 ➡ 第1課 R　例 58 ➡ 第2課 R

正 32 ➡ 第1課 R　内 103 ➡ 第3課 R

第4課 日本のスポーツ

練習問題

問題1 下線（かせん）の漢字の読み方を書きなさい。音読みと訓（くん）読みに気をつけましょう。

1) a.現代の日本の家族では父親のb.代わりに、母親の力が強くなってきているそうだ。そのことを先週、c.学校の授業でd.学んだ。

2) 友達は今日のa.午後、この建物のb.後ろにあるカフェでc.笑顔の素敵（すてき）な人とデートをするんだとd.笑いながら話してくれた。

3) オリンピックにa.選ばれたバスケットボールのb.選手はc.手が大きい。手が大きいとバスケットボールをd.上手に持てるのだろうか。

4) 日本人のa.精神を理解するためには、日本のb.神についても勉強した方がいいかもしれない。

5) 新しく入った野球a.部員が、b.部のc.部屋から外に練習のd.道具を出す時、e.道に落として壊（こわ）してしまった。

6) a.気持ちやb.気分をc.表すd.表現には、例えば「うれしい」「楽しい」「さびしい」などがある。

問題2 □の中から、1)〜6)の文に合う言葉を選びなさい。漢字の読み方も書きましょう。

例 部員　a.半年　b.健康　c.席　d.お年寄り　e.正しい　f.後輩

例「ぶ」に入っている人という意味です。→ 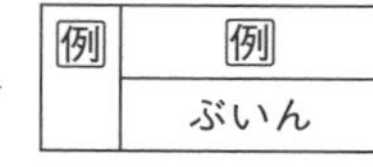

1) 間違っていないという意味です。

2) 自分より後に、学校や会社に入って来た人です。

3) 子供や若い人ではありません。

4) 病気や怪我（けが）をしていないことです。

5) 6か月という意味です。

6) 映画館や電車で人が座（すわ）る所です。

問題 3 1)～8)の＿＿に入るように □ の中の漢字を組(く)み合(あ)わせて言葉を作りなさい。そして、漢字の読み方も書きましょう。

a. 輩	b. 相	c. 神	d. 試	e. 先	f. 能	g. 合	h. カ	i. 精	j. 談

例 このテストで、学生の日本語の＿＿＿が分かります。→

例	f.	h.
	のうりょく	

1) サッカーの＿＿＿は雨が降(ふ)っても中止(ちゅうし)(cancel)にならない。

2) 困っている時は、誰に＿＿＿しますか。

3) 会社の＿＿＿から、仕事について色々と教えてもらった。

4) この映画を見ると侍(さむらい)の＿＿＿や考え方がよく分かると思う。

k. 般	l. 類	m. 成	n. 係	o. 関	p. 的	q. 種	r. 一	s. 長

5) この喫茶店(きっさてん)では色々な＿＿＿のコーヒーが飲める。

6) ＿＿＿に日本人は温泉(おんせん)が好きだと言われている。

7) ネズミは＿＿＿が早く、生まれて２ヵ月ぐらいで大人(おとな)(adult)になるそうだ。

8) 日本とアメリカは経済(けいざい)でいい＿＿＿を作ろうとしています。

問題 4 1)～5)の下線(かせん)の言葉に合うように □ の中の漢字の部分を組(く)み合(あ)わせて言葉を作りなさい。言葉の英語の意味も書きましょう。

ネ	冂	糸	カ	ム	門	月	系	ク	关	ヒ
例 大	文	例 羊	ヒ	寸	イ	し	ロ	巴		

例 富士山(ふじさん)はうつくしいと思う。　羊 ＋ 大 →

例	美	しい
	beautiful	

1) 柔道(じゅうどう)では試合を始める前に、選手はお互いにれいをする。

2) 今度日本語ののうりょく試験を受けます。

3) 日本とオーストラリアのかんけいについてリサーチをした。

4) 毎日遅くまで学校にいるので、明日はぜったいに早く家に帰りたい。

5) この道は海にむかって続いています。

問題 5

［　　］の中の言葉で、意味が反対（はんたい）の言葉のペアを見つけなさい。そして、その言葉の漢字と英語の意味を書きましょう。

Make pairs of antonyms (words with opposite meanings) from the words in the box below; then, write their kanji and English meanings, as shown in the example.

例　a. なつ　b. おおきい　c. ちいさい　d. ふゆ

漢字	b.	大	きい	c.	小	さい	a.	夏		d.	冬	
英語		big			small			summer			winter	

a. かいがい　b. きた　c. はやい　d. まける
e. こくない　f. おそい　g. みなみ　h. かつ

問題 6

［　　］の中から、1)～5)の下線（かせん）の言葉に合う漢字を選んで書きなさい。

The kanji in the box below all contain the hand radical. Rewrite each of the underlined parts in (1) - (5) using one of these kanji.

例 持　打　投　授　技　折

例 田中さんは、いいコンピュータを<u>もって</u>いる。 → 持って

1) ボールを<u>なげる</u>と、犬がボールを取りに走る。

2) 日本のロボットの<u>ぎ</u>術（じゅつ）はすごいそうだ。

3) かばんの中に入れておいた鉛筆（えんぴつ）が<u>おれて</u>しまった。

4) 風邪（かぜ）をひいてしまったので、<u>じゅ</u>業を休んだ。

5) あの人が昨日の試合でホームランを<u>うった</u>選手だ。

問題 7

a. ～ d. の中から言葉を選んで、漢字にして＿＿＿＿に書きなさい。

In the sentences below, choose the appropriate word from (a) - (d) to complete each sentence; then, write the word in kanji on the line provided.

例 (a. きおん　b. たてもの　c. きこう　d. しま)
東京の夏は、＿＿＿＿＿＿が高いので、好きじゃない。 →

例	a.	
	気	温

1) (a. はやい　b. みじかい　c. ながい　d. ただしい)
日本で一番＿＿＿＿＿＿電車は、新幹線（しんかんせん）です。

2) (a. おたがいに　b. むかって　c. たとえば　d. ただしい)
日本に行ったら、＿＿＿＿＿＿どんな所に行ってみたいですか。

3) (a. こくない　b. はんとし　c. ぜったい　d. ばんぐみ)
あのテレビの＿＿＿＿＿＿は面白（おもしろ）いので、みんな好きらしい。

4) (a. げんだい　b. せいちょう　c. ぶいん　d. かれ)

＿＿＿＿＿＿の人は、昔の人に比べると体が大きいそうだ。

5) (a. ばんぐみ　b. ぜったい　c. かよって　d. たとえば)

明日は大事なミーティングあるので、＿＿＿＿＿＿に来て下さい。

6) (a. しあい　b. かんけい　c. おおごえ　d. ひょうげん)

自分の気持ちを人の前で＿＿＿＿＿＿するのが苦手だ。

問題 8 下線(かせん)のひらがなを漢字にして、画数(かくすう)も書きなさい。

例 外国に行く時はパスポートが必ようです。 →

例	必	要
		9画

1) 友達とゲームをして、友達にかちました。

2) 犬がライオンの子供をそだてているというニュースを聞きました。

3) ロンドンに住んでいるアーティストについてのテレビの番ぐみを見た。

4) この公園(こうえん)の動物に食べ物をあたえないで下さい。

5) 敬語のただしい使い方がまだよく分かりません。

6) かれは高校生だけれど、大学でも勉強している。

問題 9 1)～4)の漢字の読み方を書きなさい。そして、絵を見て、その言葉を使って短い文を書きましょう。(文を完成(かんせい)するために必要な言葉があったら、自分で加(くわ)えましょう。)

例 部員　席　先輩　→ 読み方：ぶいん　せき　せんぱい

短い文：新入(しんにゅう)部員は、先輩に席をゆずりました。

1) 大声　驚く　絶対に　→ 読み方：＿＿＿＿＿＿

短い文：＿＿＿＿＿＿

2) 迷わず　お年寄り　困る　→ 読み方：＿＿＿＿＿＿

短い文：＿＿＿＿＿＿

3) 礼　相手　尊敬　意味　含まれる

→ 読み方：＿＿＿＿＿＿＿＿

短い文：＿＿＿＿＿＿＿＿

4) 代表的　番組　例えば → 読み方：＿＿＿＿＿＿＿＿

短い文：＿＿＿＿＿＿＿＿

問題10 文を読んで質問に答えなさい。

現代のオリンピックには、「文化や考え方の違いはあっても、a.お互いに b.尊敬し合おう。スポーツを通して、フェアプレーの c.精神で相手を d.理解して、e.平和でよい世界を作ろう」という考え方があるそうです。私も色々な国の人々が色々なスポーツの f.試合をして、よい国際(こくさい)(international) g.関係を作ることは大切だと思います。試合に h.勝つことも大切かもしれませんが、i.健康な体を作ったり、スポーツで人間として j.成長できることをオリンピックで学べればいいなあと思います。

1）a.～j.の下線(かせん)の漢字の読み方を書きましょう。

a.お互いに　b.尊敬　c.精神　d.理解　e.平和　f.試合　g.関係　h.勝つ　i.健康な　j.成長

2）a.～j.の言葉をできるだけたくさん使って、「あなたの国のスポーツ」について文を書いてみましょう。

第5課

日本の食べ物

RW 読み方・書き方を覚える漢字

141 億

漢字	音読み・訓読み	意味・部首	成り立ち	語彙
億 (15)	オク	hundred million / 亻 にんべん	成り立ち 亻+意(心にたくさんの思いをとどめて(to hold)おく)＝人の気持ちが満ち足りる(to be satisfied)→たくさんあるという意味	

この家は**一億**円で売られている。 — イチオク — one hundred million

142 続

漢字	音読み・訓読み	意味・部首	部首・成り立ち	語彙
続 (13)	ゾク / つづ(く) つづ(ける)	continue; go on / 糸 いとへん	部首 糸 EX 組 108、絶 112	連続スル、続き >>> L.5、続ける、手続き

1.「しかし」や「そして」は**接続詞**だ。 — セツゾクシ — conjunction

2. 天気予報によると明日も雨が**続く**そうです。 — つづ(く) — to continue

143 在

漢字	音読み・訓読み	意味・部首	部首・成り立ち	語彙
在 (6)	ザイ	exist; be situated; reside / 土 つち	部首 土 EX 型 94 / 成り立ち オ＝せき(dam)＋土(soil)＝土でせきを作って水を止める→止まっている→あるという意味	存在スル >>> L.6、滞在スル、在日スル

1. **現在**の日本の首都は東京だ。 — ゲンザイ — at present; now

2. 私はUFOの**存在**は信じない。 — ソンザイ — existence

144 米

漢字	音読み・訓読み	意味・部首	部首・成り立ち	語彙
米 (6)	ベイ / こめ	rice; America / 米 こめ	部首 米 EX 精 130 / 成り立ち 米の粒(grain)を表す	欧米 >>> L.7、日米、米国、北米、米 >>> L.11

1. **南米**の国にはブラジルやチリがある。 — ナンベイ — South America

2. 日本人は昔から**米**を食べている。 — こめ — rice

145 以

以	以 / 以	以以以以以 (5)	イ	more; less; earlier; later; etc. ; than	部首 4画目と5画目の部分(人)が部首	以下 >>> L.5, 以前 >>> L.9, 以外 >>> L.9, 以来 >>> L.15, 以後, 以降, 以内
				人 ひと		

例文	読み	意味
1. 私は中国に10年**以上**住んでいる。	イジョウ	more than
2. 夏**以来**、水不足(shortage)が続いている。	イライ	since

146 失

失	失 / 失	失失失失失 (5)	シツ	lose; make a mistake; mistake	成り立ち 手から物が落ちる形 →失う	失業スル, 失礼スル, 失う
			うしな(う)	ノ/はらいぼう 大/だい		

例文	読み	意味
1. 新しいプログラムのインストールに**失敗した**。	シッパイ(した)	to fail
2. けんかをして大切な友達を**失って**しまった。	うしな(って)	to lose

147 敗

敗	敗 / 敗	敗敗敗敗敗敗敗敗敗敗敗 (11)	ハイ	be defeated; lose; fail	成り立ち 貝(shell)+攵(動作:action)=貝が二つに割れる→割れる、壊れる	勝敗, 敗れる
			やぶ(れる)	攵 ぼくづくり		

例文	読み	意味
1. 明日の発表は絶対に**失敗**できない。	シッパイ	to fail
2. その国のサッカーチームはイタリアに**敗れて**オリンピックに行けなくなった。	やぶ(れて)	to be defeated

148 功

功	功 / 功	功功功功功 (5)	コウ	merit; achievement	成り立ち 工(仕事)+力(努力する: to make efforts)=一生懸命仕事をする 部首 力 EX 助 88、勝 109	
				力 りきづくり		

例文	読み	意味
あの会社は新しい薬を作ることに**成功した**。	セイコウ(した)	to succeed

149 数

数	数 / 数	数数数数数数数数数数数数数 (13)	スウ	number; count	部首 攵 EX 敬 55、敗 147	数字 >>> L.9, 日数 >>> L.12, 数学, 回数(券), 点数, 人数, 数える
			かず かぞ(える)	攵 ぼくづくり		

例文	読み	意味
1. 中学の時は**数学**が一番嫌いだった。	スウガク	mathematics
2. ここにあるケーキのa. **数**をb. **数えて**おいて下さい。	a. **かず** b. かぞ(えて)	a. **number** b. to count

150 増

増	増増増増増増増増増増増増増増 (14)	ゾウ	increase
増		ま(す) ふ(える) ふ(やす)	土 つちへん

音 曽＝ソウ/ゾウという音を表す
ソウ EX 僧、層
ゾウ EX 憎、贈

増加(ぞうか)スル
増(ふ)やす >>> L.7
増(ま)す

1. CO_2の増加で気温(きおん)が高くなった。	ぞうか	increase
2. 外国の大学に留学する人が増えている。	ふ(えて)	**to increase**

151 信

信	信信信信信信信信信 (9)	シン	believe; trust; faith; message; signal
信			亻 にんべん

成り立ち 亻(人)＋言(言葉)＝人の言葉と行動(こうどう)(action)が同じこと→信(しん)じる

信仰(しんこう)スル >>> L.6
信者(しんじゃ) >>> L.6
自信(じしん) >>> L.8
信頼(しんらい)スル >>> L.10
信号(しんごう)
信用(しんよう)スル
通信(つうしん)スル

1. 本当のことを言ったのに、誰も信じてくれなかった。	シン(じて)	**to believe**
2. たくさんの人が信号が青になるのを待っている。	シンゴウ	traffic signal

152 得

得	得得得得得得得得得得得 (11)	トク	obtain; acquire; gain
得		え(る)	彳 ぎょうにんべん

部首 彳＝道、行くこと、することに関係 EX 待
成り立ち 彳(行く)＋㝵(貝(かい)(shell)＋寸(hand))＝どこかに行って物を得(え)る

得(とく)(な)
得意(とくい)(な)
納得(なっとく)スル

1. 彼女(かのじょ)は魚料理が得意だ。	トクイ	good at
2. レポートのためのいいアイデアを雑誌(ざっし)から得た。	え(た)	**to get; obtain**

153 客

客	客客客客客客客客客 (9)	キャク	guest; customer; client
客			宀 うかんむり

成り立ち 宀(屋根(やね)：roof)＋各(滞在(たいざい)する：to stay)＝家に来て滞在(たいざい)する→客(きゃく)

客室(きゃくしつ)
客席(きゃくせき)
観客(かんきゃく)
乗客(じょうきゃく)

1. 今晩は家にお客さんが来ることになっている。	**(お)キャク(さん)**	**guest**
2. この会場(かいじょう)は、ステージと客席が近い。	キャクセキ	audience seats

154 流

流	流流流流流流流流流流 (10)	リュウ	flow; stream; current; be circulated
流		なが(れる) なが(す)	氵 さんずい

部首 氵 EX 温 5、泣 79、法 85

交流(こうりゅう)スル >>> L.11
流行(りゅうこう)スル
一流(いちりゅう)
流(なが)す
流(なが)れ
*流行(はや)る >>> L.7

1. 私の高校はロシアの高校と20年前から交流がある。	コウリュウ	exchange
2. 川で遊(あそ)んでいたら、帽子(ぼうし)が流れて来た。	**なが(れて)**	**to flow**

R 読み方を覚える漢字

155 費

漢字	音訓	意味	部首	説明	語例
費 (12)	ヒ	expense; cost; spend	貝 かい	部首 貝(shell)＝お金に関係 / 成り立ち 貝＋弗(なくなる)＝お金を使うこと	消費者(しょうひしゃ) >>> L.10、費用(ひよう)、学費(がくひ)、食費(しょくひ)

例文	読み	意味
日本人が米(こめ)を**消費する**量(りょう)が少なくなっている。	ショウヒ(する)	to consume

156 量

漢字	音訓	意味	部首	説明	語例
量 (12)	リョウ / はか(る)	quantity; amount; weight; measure	日／ひらび 里／さと	類義/反対語 量(はか)る＝重さをはかる 計(はか)る＝時間をはかる 測(はか)る＝速(はや)さ、長さをはかる	重量(じゅうりょう)、少量(しょうりょう)⇔大量(たいりょう)

例文	読み	意味
1. この店の料理は**量**が多いと思う。	リョウ	amount
2. 車の重さはどうやって**量り**ますか。	はか(り)	to measure

157 袋

漢字	音訓	意味	部首	説明	語例
袋 (11)	ふくろ	bag; sack	衣 ころも	成り立ち 衣(ぬの：cloth)＋代 43 (ふくろ)＝ぬのの袋(ふくろ)	紙袋(かみぶくろ)、手袋(てぶくろ)

例文	読み	意味
本屋で雑誌(ざっし)を買ったら、**袋**に入れてくれた。	ふくろ	bag; sack

158 湯

漢字	音訓	意味	部首	説明	語例
湯 (12)	トウ / ゆ	hot water; hot bath	氵 さんずい	成り立ち 昜＝日(sun)＋勿(高く上(のぼ)る)→太陽(たいよう)(sun)や高く上(あ)がることに関係 / 画数/形 湯の右＝場の右	熱湯(ねっとう)

例文	読み	意味
1. ここからは**熱湯**が出ますから気をつけましょう。	ネットウ	boiling water
2. カップめんはカップに**お湯**を入れるだけで食べられる。	(お)ゆ	hot water

159 値

漢字	音訓	意味	部首	説明	語例
値 (10)	チ / ね	price; value; cost	亻 にんべん	画数/形 値の右＝直 86	価値(かち)、値上(ねあ)がりスル、値上(ねあ)げスル⇔値下(ねさ)げスル

例文	読み	意味
1. この絵(え)はとても**価値**があるらしい。	カチ	value
2. 東京では果物(くだもの)の**値段**が高いので驚(おどろ)いた。	ねダン	price

160 段

段 (9)

- 音読み: ダン
- 意味: step; level; break; rank; means
- 部首: 殳 ほこづくり
- 画数/形: 段の右＝投 133、般 137 の右
- 語彙: 階段（かいだん）>>> L.7、手段（しゅだん）>>> L.13、段（だん）、段階（だんかい）、段落（だんらく）、普段（ふだん）

例文	読み	意味
1. このTシャツの**値段**は2800円です。	ねダン	price
2. あの人は柔道（じゅうどう）の**三段**を持っている。	サンダン	third degree

161 暮

暮 (14)

- 訓読み: く(れる)、く(らす)
- 意味: get dark; come to an end; live
- 部首: 日 ひ
- 成り立ち: 艹（草（くさ）: grass）＋日（sun）＝日（ひ）が草（くさ）で見えなくなる→暮（く）れる
- 語彙: 暮（く）らす >>> L.3、暮（く）らし >>> L.3、暮（く）れる

例文	読み	意味
1. 冬になると日が**暮れる**のが早い。	く(れる)	to get dark
2. 大学に入ってから**一人暮らし**を始めた。	ひとりぐ(らし)	living alone

162 戦

戦 (13)

- 音読み: セン
- 訓読み: たたか(う)
- 意味: war; fight; battle; match; game
- 部首: 戈 ほこがまえ
- 部首: 戈＝武器（ぶき）(weapon) や戦争（せんそう）(war) に関係　EX 成 110
- 語彙: 戦争（せんそう）>>> L.1、第二次世界（だいにじせかい）、大戦（たいせん）>>> L.7、挑戦（ちょうせん）スル >>> L.9、戦前（せんぜん）、作戦（さくせん）、戦（たたか）う >>> L.11、戦（たたか）い

例文	読み	意味
1. **戦後**の日本は食べることさえ難しかった。	センゴ	postwar
2. 昔ここでフランスとドイツが**戦った**。	たたか(った)	to fight

163 列

列 (6)

- 音読み: レツ
- 意味: row; line; queue
- 部首: 刂 りっとう
- 成り立ち: 歹（骨（ほね）: bone）＋刂（刀（かたな）: sword）＝骨（ほね）を刀（かたな）で切って並（なら）べる (to line up)
- 語彙: 列車（れっしゃ）、行列（ぎょうれつ）

例文	読み	意味
あの店は安くておいしいので、いつもお客さんの**列**ができている。	レツ	line; queue

164 歳

歳 (13)

- 音読み: サイ
- 意味: age; year; year(s) old
- 部首: 止 とめる
- メモ: 年齢（ねんれい）(age) を表す時には、「歳（さい）」の代わりに「才（さい）」を使うこともある
- 語彙: *二十歳（はたち）

例文	読み	意味
日本ではたいてい18**歳**で大学に入る。	サイ	years old

165 商

商 商

商商商商商商商商商商商 (11)

読み	意味
ショウ	trade; commerce; business; sales; sell
	口 くち

メモ この漢字はもともと(originally)中国にあった町の名前を表す

商業(しょうぎょう)
商店(しょうてん)
商売(しょうばい)スル

例文	読み	意味
この会社では子供のための**商品**を売っている。	ショウヒン	commercial product; merchandise

166 品

品 品

品品品品品品品品品 (9)

読み	意味
ヒン	article; goods; commodity; grace; elegance
しな	口 くち

成り立ち 口(四角い(しかく) :square 物)が三つ＝色々な物→品物(しなもの)

作品(さくひん) >>> L.7
食品(しょくひん) >>> L.10
食料品(しょくりょうひん) >>> L.10
生活用品(せいかつようひん) >>> L.10
製品(せいひん) >>> L.12
部品(ぶひん)
品物(しなもの)

例文	読み	意味
1. 今一番人気がある**商品**はこれです。	ショウヒン	commercial product; merchandise
2. この店は**品物**の種類(しゅるい)が多い。	しなもの	goods

167 競

競 競

競競競競競競競競競競競競競競競競競競競競 (20)

読み	意味
キョウ	compete; contend
きそ(う)	立 たつ

成り立ち 二人が言い争(あらそ)う(to quarrel)形→競(きそ)う

競技(きょうぎ)スル
競(きそ)う

例文	読み	意味
1. 父の会社は外国の会社と**競争して**いる。	キョウソウ(して)	to compete
2. このスーパーと駅の前のスーパーはいつも安さを**競って**いる。	きそ(って)	to compete

168 争

争 争

争争争争争争 (6)

読み	意味
ソウ	contend; compete; fight; quarrel; dispute; argue
あらそ(う)	ク く

部首 ク EX 負 111

戦争(せんそう) >>> L.1
争(あらそ)い
争(あらそ)う

例文	読み	意味
1. 米国(べいこく)ではホットドックを早くたくさん食べる**競争**がある。	キョウソウ	competition
2. 今朝(けさ)、電車の中で高校生達が**言い争って**いた。	い(い)あらそ(って)	to quarrel

169 境

境 境

境境境境境境境境境境境境境境 (14)

読み	意味
キョウ	boundary; border; situation
さかい	土 つちへん

画数/形 境の右＝竟 億 141 の右＝意

環境(かんきょう) >>> L.9
境(さかい)

例文	読み	意味
1. **国境**を通る(とお)(to pass)時にパスポートを見せなければならない。	コッキョウ	a nation's border
2. この町と隣(となり)の町の**境**には川が流(なが)れている。	さかい	boundary

170	慣
字形	慣 慣
筆順	慣 慣 慣 慣 慣 慣 慣 慣 慣 慣 慣 慣 慣 慣 (14)
音読み	カン
訓読み	な(れる)
意味	get used; get accustomed; become experienced
部首	忄 りっしんべん
説明	音 貫＝カンという音を表す
関連語	慣(な)れる >>> L.2

例文	読み	意味
1. この町には古い**習慣**がたくさん残(のこ)っている。	シュウカン	custom
2. 最近少し仕事に**慣れて**きた。	な(れて)	to get used to

171	統
字形	統 統
筆順	統 統 統 統 統 統 統 統 統 統 統 統 (12)
音読み	トウ
訓読み	
意味	unite; unity; connect; govern; rule
部首	糸 いとへん
説明	成り立ち 糸＋充(たくさん)＝たくさんの糸(いと)を一つにする→まとめる(to gather)
関連語	伝統的(でんとうてき) >>> L.1 統計(とうけい) >>> L.9 統一(とういつ)スル >>> L.11 大統領(だいとうりょう)

例文	読み	意味
伝統を守(まも)ることは大切だ。	デントウ	tradition

172	混
字形	混 混
筆順	混 混 混 混 混 混 混 混 混 混 混 (11)
音読み	コン
訓読み	こ(む) ま(ざる) ま(ぜる)
意味	mix; blend; mingle; confused
部首	氵 さんずい
説明	音 昆＝コンという音を表す
関連語	混雑(こんざつ)スル 混乱(こんらん)スル 混(ま)ざる >>> L.12 混(ま)ぜる

例文	読み	意味
1. デパートはクリスマスの頃(ころ)になると**混雑する**。	コンザツ(する)	to get crowded
2. この駅はいつも**混んで**いる。	こ(んで)	to get crowded

173	座
字形	座 座
筆順	座 座 座 座 座 座 座 座 座 座 (10)
音読み	ザ
訓読み	すわ(る)
意味	seat; sit
部首	广 まだれ
説明	成り立ち 广(家)＋二人が土間(どま)(dirt floor)でひざまづいて(to kneel)いる形＝座(すわ)る
関連語	座席(ざせき) (銀行(ぎんこう))口座(こうざ)

例文	読み	意味
1. この電車の**座席**はあまりきれいじゃない。	ザセキ	seat
2. ここに**座って**もいいでしょうか。	すわ(って)	to sit

174	皿
字形	皿 皿
筆順	皿 皿 皿 皿 皿 (5)
音読み	
訓読み	さら
意味	plate; dish
部首	皿 さら
説明	成り立ち 皿(さら)をひっくり返(かえ)した形
関連語	灰皿(はいざら)

例文	読み	意味
この紙の**皿**はリサイクルできます。	さら	plate

175						
紹	紹 紹	紹紹紹紹紹紹紹紹紹紹紹 (11)	ショウ	introduce / 糸 いとへん	音 召＝ショウという音を表す EX 招、昭	自己紹介スル
先生にいい辞書を紹介してもらった。			ショウカイ(して)	to introduce		

176						
介	介 介	介介介介 (4)	カイ	mediate; go between / 𠆢 ひとがしら	部首 𠆢 EX 今、会、合 52	自己紹介スル
友達の紹介で、会話パートナーが見つかった。			ショウカイ	introduction		

漢字ミニノート mini note 3

漢字の種類

漢字にはいくつかの種類があります。

◉象形：物の形からできた漢字

例）⇨ 山　⇨ 日

◉指示：物事の性質を記号のように表した漢字
Kanji derived from symbols that graphically represent an abstract concept.

例）⇨ 上　⇨ 二（2）

◉会意：二つ以上の漢字を組み合わせてできた漢字
Kanji that is created by combining two or more simpler kanji to suggest a new meaning.

例）亻(人)が木の横で休む ⇨ 休
木がたくさんある所 ⇨ 森

◉形声：意味を表す部分(部首)と音読みの音を表す部分でできている漢字
Kanji that is created by combining a meaning symbol (radical) and sound symbol.

例）扌（意味＝手）＋ 寺（音＝ジ）⇨ 持（音読み：ジ）
（訓読み：も - つ）

氵（意味＝水）＋ 先（音＝セン）⇨ 洗（音読み：セン）
（訓読み：あら - う）

第5課

日本の食べ物

練習問題

問題 1 下線(かせん)の漢字の読み方を書きなさい。音読みと訓(くん)読みに気をつけましょう。

1) カスピ海(かい)(Caspian Sea)はロシアやイランなど、5つの a.国の b.国境にあるので、c.国際的な争(あらそ)い(dispute)があるらしい。

2) a.南米や b.東南アジアなど外国から日本に来た人達の子供が行く学校が町の c.南にある。

3) 両親から a.伝統的な b.習慣や料理を c.習って、子供に d.伝えたいと思っている。

4) a.明るい青色の LED(light emitting diode)を b.発明した日本人についての c.物語を d.英語で読んだ。

問題 2 1)～8)の___の言葉に合うように［　　］の中の漢字を組(く)み合(あ)わせて漢字にしなさい。漢字の読み方も書きましょう。

a. 競	b. 値	c. 絡	d. 品	e. 戦	f. 争	g. 段	h. 後	i. 連	j. 商

例　先生から明日クラスが休みになるという______があった。→

例	i.	c.
	れんらく	

1) すてきなシャツがあったが、______が高いので買えなかった。

2) 子供の時、弟とどちらが速く走れるかよく______した。

3) あの店では服やネックレスなど色々な______が売られている。

4) ______、日本の経済(けいざい)はよくなかったが、1955年頃(ごろ)からよくなり始めたと言われている。

k. 介	l. 在	m. 消	n. 功	o. 費	p. 紹	q. 現	r. 成

5) アメリカ人は1年間に一人40キロの牛肉を______するらしい。

6) 昔、姉はアメリカの大学に留学していたが、______はイギリスの大学院で研究をしている。

7) ビジネスが______したら、大きな家を買いたいと思う。

8) 大学のクラスメートが、友達を私に______してくれた。

問題3 □ の漢字の部分と部首(ぶしゅ)を組み合(く あ)わせて漢字を作りなさい。そして、その漢字の読み方も書きましょう。

Combine one of the kanji from the box with the given radical to create a new kanji; then write the reading for that kanji in *hiragana*.

例 右	曽	売	寻	言	各	ム

例 くさかんむり 若 ⇒ わか(い)

1) いとへん 糸□

2) ぎょうにんべん 彳□

3) にんべん 亻□

4) つちへん 土□

5) うかんむり 宀□

6) まだれ 广□

問題4 1)～6)の英語の言葉は、ある漢字の中心(ちゅうしん)となる意味です。a. と b. の□にはその同じ意味の漢字が入ります。□の中に同じ漢字を入れなさい。そして、読み方も書きましょう。

In each exercise in (1) - (6) below, provide one kanji that completes both compound words in (a) and (b) . The English word or phrase above the compound provides the kanji's meaning. Then, write the readings of the words in *hiragana*.

例 city

a. □市　b. 京□ →

a.	都	市	b.	京	都
	とし			きょうと	

1) to appear; present

a. □代 ＿＿＿＿　b. □在 ＿＿＿＿

2) to turn round; revolve

a. □る ＿＿＿＿　b. □転する ＿＿＿＿

3) whole; entire

a. □世界 ＿＿＿＿　b. □国 ＿＿＿＿

4) to start; emit

a. □表する ＿＿＿＿　b. □明 する ＿＿＿＿

5) to become; turn into

a. □功 ＿＿＿＿　b. □長 ＿＿＿＿

6) than; more

a. □上 ＿＿＿＿　b. □下 ＿＿＿＿

問題 5 a. ～ d. の中から適当(てきとう)な言葉を選び、漢字にして＿＿＿に書きなさい。

Choose the appropriate word to complete the sentences below; then, write the word in kanji on the line provided.

例 (a. きおん　b. たてもの　c. きこう　d. しま)
東京の夏は、＿＿＿＿が高いので、好きじゃない。 →

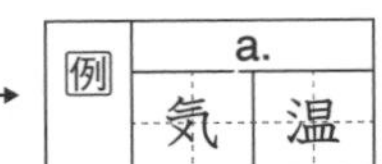

1) (a. さい　b. おく　c. りょう　d. やく)
日本には、一＿＿＿＿二千万人ぐらいの人が住んでいます。

2) (a. はつめい　b. せいこう　c. しっぱい　d. ざんねん)
料理の本を見ながらケーキを作ったけれど、＿＿＿＿してしまった。

3) (a. ふえた　b. しんじた　c. つづいた　d. えた)
アルバイトをして貯金(ちょきん)(savings)が＿＿＿＿ので、そのお金で旅行に行くつもりだ。

4) (a. ゆ　b. しょく　c. かず　d. きゃく)
このタイプの車は＿＿＿＿が少ないので、古くても高く売れるらしい。

5) (a. げんざい　b. ぜんこく　c. じだい　d. やく)
＿＿＿＿、私の大学には日本からの留学生が50人ぐらいいるそうだ。

問題 6 a. ～ c. の中から適当(てきとう)な言葉を選び、その漢字の読み方を書きなさい。

Choose the appropriate word to complete the sentences below; then, write the reading in *hiragana*.

例 外国に行く時はパスポートが (a. 必要　b. 便利　c. 精神) です。→ | 例 | a. | ひつよう |

1) このレストランの料理は (a. 数　b. 量　c. 袋) が多いので学生に人気がある。

2) 弟は来月の誕生(たんじょう)日で18 (a. 年　b. 的　c. 歳) になる。

3) この (a. 皿　b. 四　c. 列) は古いので、新しいのが買いたい。

4) この食堂(しょくどう)では毎日5キロのお米(こめ)(rice) が (a. 消費　b. 値段　c. 商品) されている。

5) 富士山(ふじさん)の高さは (a. 全　b. 例　c. 約) 3800メートルだそうです。

6) 日本のマンガが外国で映画 (a. 的　b. 達　c. 化) されることになった。

問題 7 1)～6)の漢字にはそれぞれ間違いが２つあります。間違っているところに○をしなさい。そして、正しい漢字を書いて、読み方も書きましょう。

There are two mistakes in each of the kanji in (1) - (6). Circle these mistake; then, write the kanji correctly and provide the reading in *hiragana*.

例 対 → 正しい漢字：対 読み方：たい

1) 億　2) 流　3) 数　4) 得　5) 向　6) 続

問題 8 1)～5)の漢字の読み方を書きなさい。そして、絵を見て、その言葉を使って短い文を書きましょう。（文を完成（かんせい）するために必要な言葉があったら、自分で加（くわ）えましょう。）

Provide readings in *hiragana* for the words in (1) - (5); then write a sentences that uses both words.

例 

本　泣く → 読み方：ほん　なく

短い文：泣きながら本を読んでいる。

1) 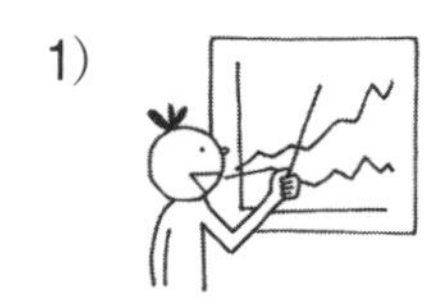

消費　牛肉 → 読み方：＿＿＿＿＿＿

短い文：＿＿＿＿＿＿

2) 

列　客 → 読み方：＿＿＿＿＿＿

短い文：＿＿＿＿＿＿

3) 

袋　流れる → 読み方：＿＿＿＿＿＿

短い文：＿＿＿＿＿＿

4) 

座る　友人 → 読み方：＿＿＿＿＿＿

短い文：＿＿＿＿＿＿

5) 

混む　若者 → 読み方：＿＿＿＿＿＿

短い文：＿＿＿＿＿＿

問題 9 文を読んで、質問に答えなさい。

日本には寿司(すし)や天ぷらなどの a. 伝統的な食べ物がたくさんあるが、日本人はインスタントラーメンも好きで、よく食べる。このラーメンは b. お湯を入れるだけで食べられるし、c. 値段も安いので、d. 一人暮らしの e. 若者に人気がある。f. 現在、インスタントラーメンには色々な g. 商品があり、h. 競争がとても激(はげ)しくなってきている。そして、i. 東南アジアでも人気があるようだ。

1) a.～i. の下線(かせん)の漢字の読み方を書きましょう。

a. 伝統的　b. お湯　c. 値段　d. 一人暮らし　e. 若者　f. 現在　g. 商品

h. 競争　i. 東南

2) a. ～ i. の言葉をできるだけたくさん使って、「あなたの国の食べ物」について文を書いてみましょう。

第6課

日本人と宗教(しゅうきょう)

RW 読み方・書き方を覚える漢字

177 置

置	置 置 置 置 置 置 置 置 置 置 置 置 置 (13)	チ / お(く)	put; place; set / 罒 あみがしら	成り立ち 罒(鳥などを取る網(あみ): net) + 直 86 (立てる: to stand) = 網(あみ)を置(お)く	位置(いち) 装置(そうち) 物置(ものお)き

例文	読み	意味
1. この携帯(けいたい)電話にはGPSがついているので、持っている人の**位置**が分かる。	イチ	position
2. 机(つくえ)の上に家族の写真(しゃしん)が**置いて**あります。	お(いて)	to put

178 式

式	式 式 式 式 式 式 (6)	シキ	style; type; way; method; ceremony; ritual / 弋 しきがまえ	メモ 名詞(めいし)の後ろについて式典(しきてん)(ceremony)という意味で使うこともある EX 結婚式、卒業式	(お)葬式(そうしき) >>> L.6 形式(けいしき) >>> L.13 洋式(ようしき)⇔和式(わしき) 公式(こうしき) 正式(せいしき)

例文	読み	意味
1. 結婚する時には、**式**は教会(きょうかい)でしたいと思う。	シキ	ceremony
2. 日本に行った時、**和式**のトイレの使い方が分からなくて困(こま)った。	ワシキ	Japanese style

179 石

石	石 石 石 石 石 (5)	セキ / いし	stone; pebble / 石 いし	部首 石 = 岩石(がんせき)(rock)や鉱物(こうぶつ)(mineral)に関係	石炭(せきたん) 石油(せきゆ) 石けん(せっけん)(石鹸) 宝石(ほうせき)

例文	読み	意味
1. タンカーというのは**石油**を運(はこ)ぶ船(ふね)のことだ。	セキユ	petroleum
2. ヨーロッパには**石**でできた古い家がたくさん残(のこ)っている。	いし	stone

180 査

査	査 査 査 査 査 査 査 査 査 (9)	サ	investigate; examine; check / 木 き	成り立ち 木 + 且(ななめ: diagonal) = 木をななめに切って調べる	検査(けんさ)スル

例文	読み	意味
留学生の生活について**調査した**。	チョウサ(した)	to investigate; examine

181 熱

熱 熱

(15)

音読み	ネツ	hot; heat; fever; enthusiasm
訓読み	あつ(い)	灬 れんが

部首 灬＝火に関係

類義/反対語 熱い＝物が熱い　暑い＝気温が高い

熱　熱する　熱中スル　加熱スル　熱い

例文	読み	意味
1. 熱心に勉強する学生はよく質問をします。	ネッシン(に)	enthusiastically; earnestly
2. このコーヒーは熱いので注意して下さい。	あつ(い)	hot

182 民

民 民

(5)

音読み	ミン	people; citizen
訓読み		氏 うじ

類義/反対語 人＝ひと　民＝一般の人達(people)の意味

民主主義 >>> L.14　住民 >>> L.15　民間　民族　市民

例文	読み	意味
近い将来日本の国民の四人に一人がお年寄りになるらしい。	コクミン	the people of a country; citizens

183 急

急 急

(9)

音読み	キュウ	hurry; hasten; urgent; sudden
訓読み	いそ(ぐ)	心 こころ

部首 心 EX 念 83

成り立ち 刍(追いつく: to catch up)＋心＝追いつこうと心が急ぐこと

急行　急速(な)　急用　特急　急ぐ

例文	読み	意味
1. 急な用事で会議に出られなくなった。	キュウ(な)	urgent
2. この宿題を急いで先生に出さなければいけない。	いそ(いで)	in a hurry

184 紀

紀 紀

(9)

音読み	キ	era; inscribe; annals; period
訓読み		糸 いとへん

音 己＝キという音を表す EX 忌、記、起

部首 糸 EX 続 142、統 171、紹 175

紀元前　世紀末

例文	読み	意味
21世紀が終わるまでには月に旅行できるかもしれない。	セイキ	century

185 倍

倍 倍

(10)

音読み	バイ	double; times
訓読み		亻 にんべん

音 咅＝バイという音を表す EX 培、陪、賠

注意：部→音読みはブ

例文	読み	意味
雨が多かったので、今月の野菜の値段は先月の二倍になっている。	バイ	times

186 参

参	参 (stroke order, 8)	サン / まい(る)	participate; join; visit (a holy place); consult / ム む	成り立ち 厶(かんざし: ornamental hairpin) + 彡(模様: pattern) = かんざしの たくさんの模様→たくさんの物が混じる(to mix) こと	参考 >>> L.13 参議院 持参スル 参る

1. 週末のピクニックに**参加し**ましょう。 — サンカ(し) — to participate
2. お正月は神社に**お参り**に行くことにしている。 — (お)まい(り) — to visit

187 加

加	加 (stroke order, 5)	カ / くわ(わる) くわ(える)	add; join / カ ちから	部首 カ EX 助 88、勝 109、功 148 / 音 加=カという音を表す EX 架、迦	加速スル 加熱スル 増加スル 追加スル 加える >>> L.11 加わる

1. グループ旅行に**参加して**、ヨーロッパに行った。 — サンカ(して) — to participate
2. このサラダにはレモンを**加える**ともっとおいしくなります。 — くわ(える) — to add

188 個

個	個 (stroke order, 10)	コ	individual; (counter for small objects) / イ にんべん	音 古=コという音を表す EX 固、故、枯	個人 >>> L.6 (一)個 >>> L.12

1. 授業の後に先生に**個人的な**質問をした。 — コジンテキ(な) — personal
2. 昼ご飯に、おいしいおにぎりを**二個**食べた。 — ニコ — two

189 反

反	反 (stroke order, 4)	ハン	counter; oppose; go against; reverse / 厂/がんだれ 又/また	音 反=ハンという音を表す EX 飯、版 227、板 459	反省スル 反応スル

母は私が留学することに**反対して**いる。 — ハンタイ(して) — to oppose; be against

190 賛

賛	賛 (stroke order, 15)	サン	approve; support; assist; praise / 貝 かい	部首 貝 EX 貴 155 / 成り立ち 兟(差し出す: to hand) + 貝(品物) = 儀式(ritual)で品物を差し出す人→助ける	

クラスのみんなが僕の意見に**賛成して**くれた。 — サンセイ(して) — to agree

191 果

果	果	カ	fruit; outcome; result; effect; carry out; accomplish	成り立ち 木の上で実(fruit)ができる形＝果物→果物は最後にできるので結末(conclusion)という意味	効果 >>> L.3 / 効果的 / 結果的 / 成果 / *果物(果実)
果	(8)		木 き		
先生にテストの**結果**を教えてもらった。		ケッカ	result		

R 読み方を覚える漢字

192 宗

宗	宗	シュウ	religious; sect; denomination; ancestor	画数/形 示 EX 示 419	(禅)宗
宗	(8)		宀 うかんむり		
大学の授業で**宗教**の歴史について学んだ。		シュウキョウ	religion		

193 仏

仏	仏	ブツ	Buddha; the dead	メモ 仏＝仏陀(ほとけ: Buddha)を表す EX 仏話(仏の話) 仏＝フランス(仏蘭西)を表す EX 仏語(フランス語)	仏像 / 仏壇
仏	(4)	ほとけ	亻 にんべん		
1. 日本には6世紀頃に**仏教**が伝わった(to be introduced)。		ブッキョウ	Buddhism		
2. 子供の頃、祖母から**仏**様の話をよく聞いた。		ほとけ	Buddha		

194 祈

祈	祈		pray	成り立ち ネ(神)＋斤(求める: to seek)＝神に祈る 画数/形 祈の右＝折 131 の右	(お)祈り >>> L.6
祈	(8)	いの(る)	ネ しめすへん		
世界の平和を**祈る**イベントがあった。		いの(る)	to pray		

195 幸

幸	幸	コウ	fortune; happiness	部首 干 EX 平 2	幸福(な) >>> L.6 / 幸運(な) / 幸せ(な) >>> L.9
幸	(8)	さいわ(い) しあわ(せ)	干 かん		
1. 世界には戦争で家族をなくした**不幸な**人達が多くいる。		フコウ(な)	unhappy		
2. 宮崎駿の映画を見ると、**幸せな**気持ちになる。		しあわ(せな)	happy		

196					
福	福 福 福 福 福 福 福 福 福 福 福 福 福 (13)	フク	happiness; good luck; fortune	音 畐=フクという音を表す EX 副、幅	祝福スル
			ネ しめすへん	画数/形 福→部首はネでネではない	
6月に結婚すると**幸福**になると言われている。		コウフク	happy		

197					
交	交 交 交 交 交 交 (6)	コウ	interchange; exchange; intersect; mix	音 交=コウという音を表す EX 校、郊	交流する >>> L.11 交通 >>> L.13 交差点 交番 外交
		ま(じる) ま じ(わる) ま(ぜる)	亠 なべぶた	類義/反対語 ・交じる=二つ以上の物が形が変わらずに一つになる ・混じる=二つ以上の物が形が変わって一つになる	
1. ビジネスの場面では、よく名刺(business card)を**交換する**。		コウカン(する)	to exchange		
2. 去年の授業には大学生に**交じって**高校生がいた。		ま(じって)	to mix		

198					
換	換 換 換 換 換 換 換 換 換 換 換 換 (12)	カン	exchange	類義/反対語 ・代える=物が置きかわる(to replace) ・変える=形や質(nature; character)が変わる ・換える=物を交換する(to exchange)	変換スル 乗り換える
		か(わる) か(える)	扌 てへん		
1. **交換**留学で日本の大学に行くことが決まった。		コウカン	exchange		
2. いらなくなった物を売って、お金に**換え**たい。		か(え)	to exchange		

199					
祝	祝 祝 祝 祝 祝 祝 祝 祝 祝 (9)	シュク	celebrate; commemorate; congratulate	成り立ち ネ(祭壇:altar)+兄(人がひざまづく:to kneel)=神の前で祈る→祝う	祝日 祝福スル (お)祝い >>> L.3
		いわ(う)	ネ しめすへん		
1. 一月一日は日本でも中国でも**祝日**だ。		シュクジツ	(public) holiday		
2. 家族で父の誕生日を**祝った**。		いわ(った)	to celebrate		

200					
存	存 存 存 存 存 存 (6)	ソン ゾン	exist; be; keep; think; know	文法 知る→尊敬語(honorific expression)=ごぞんじ(ご存じ) 謙譲語(humble expression)=ぞんずる(存ずる)	生存スル 保存スル
			子 こ		
UFOは本当に**存在する**のだろうか。		ソンザイ(する)	to exist		

201	歴	
音読み	レキ	
訓読み		
意味	pass; history	
部首	止 とめる	
画数	(14)	
音	厤＝レキという音を表す EX 暦	
語	学歴(がくれき) >>> L.9 履歴書(りれきしょ)	
例文	日本の**歴史**について調べてレポートを書いた。	レキシ / history

202	史	
音読み	シ	
訓読み		
意味	chronicle; record; history	
部首	口 くち	
画数	(5)	
メモ	国の名前＋史(し)＝その国の歴史(れきし) EX 日本史(日本の歴史)、中国史(中国の歴史)、イタリア史(イタリアの歴史)	
語	史上(しじょう)(初(はじ)めて) >>> L.14 歴史的(れきしてき)	
例文	リンカーンはアメリカの**歴史**の中で大切な人だ。	レキシ / history

203	怒	
音読み	ド	
訓読み	いか(る) おこ(る)	
意味	get angry	
部首	心 こころ	
画数	(9)	
音	奴＝ドという音を表す EX 努	
語	怒鳴(どな)る 怒(いか)り	
例文	先生は宿題を全然(ぜんぜん)しない学生に**怒って**いる。	おこ(って) / to get angry

204	恋	
音読み	レン	
訓読み	こい こい(しい)	
意味	love; romance	
部首	心 こころ	
画数	(10)	
画数/形	恋→心(こころ) 変わる→夂(なつあし) EX 恋人(こいびと)(boyfriend/girlfriend) 変人(へんじん)(eccentric person)	
語	恋愛(れんあい)スル >>> L.11 失恋(しつれん)スル 恋(こい)	
例文	1. 僕が**失恋した**時に、友達は色々なアドバイスをしてくれた。	シツレン(した) / to get disappointed in love
	2. 毎日、**恋人**と電話で話している。	こいびと / sweetheart; boyfriend/girlfriend

205	識	
音読み	シキ	
訓読み		
意味	recognize; discriminate; know; sign	
部首	言 ごんべん	
画数	(19)	
画数/形	識の右＝職の右	
語	常識(じょうしき) >>> L.9 知識(ちしき)	
例文	外国に住んで、自分の国のよさを**意識する**ようになった。	イシキ(する) / to be conscious; be aware

206 殺

殺	画数	読み	意味	備考	語彙
殺	(10)	サツ / ころ(す)	kill / 殳 ほこづくり	部首 殳 EX 段160	自殺スル(じさつ) >>> L.9、殺人(さつじん)

1. 最近**自殺する**若い人が増(ふ)えているらしい。 — ジサツ(する) — to commit suicide
2. 飼(か)っていた小鳥(ことり)を猫(ねこ)が**殺して**しまった。 — ころ(して) — to kill

207 岩

岩	画数	読み	意味	備考	語彙
岩	(8)	いわ	rock / 山 やま	成り立ち 山＋石＝山にある大きい石(いし)	

オーストラリアに世界で一番大きい**岩**がある。 — いわ — rock

208 真

真	画数	読み	意味	備考	語彙
真	(10)	シン / ま	true; real; genuine / 目／め 十／じゅう	文法 色の名前の前について混(ま)じりけがない(pure)色を表す EX 真っ白(まっしろ)、真っ黒(まっくろ)、真っ赤(まっか)	写真(しゃしん) >>> L.8、真剣(しんけん)(な) >>> L.14、真実(しんじつ)、真似(まね)スル >>> L.11、真ん中(まんなか) >>> L.12、真上(まうえ)、真面目(まじめ)、真っすぐ(ま)、真夏(まなつ)

1. 旅行に行って、たくさん**写真**を撮(と)った。 — シャシン — photograph
2. 電気が消えて、部屋が**真っ暗**になった。 — ま(っ)くら — totally dark

209 戻

戻	画数	読み	意味	備考	語彙
戻	(7)	もど(る) もど(す)	return; go back / 戸 とだれ	部首 戸＝扉(とびら)(door)や家に関係 EX 所	取(と)り戻(もど)す >>> L.15、戻(もど)す

昼ご飯を食べたら、研究室に**戻り**ます。 — もど(り) — to return

210 構

構	画数	読み	意味	備考	語彙
構	(14)	コウ / かま(う)	construction; frame; posture; enclosure; care about; meddle in / 木 きへん	音 冓＝コウという音を表す EX 講264、購	構成(こうせい)スル >>> L.13、構造(こうぞう)

1. アパートの近くには**結構**いいレストランが多い。 — ケッコウ — fairly; quite
2. すぐ帰りますから、どうぞ**お構い**なく。 — (お)かま(い) — to care for; entertain

211					
許	許 / 許	許 許 許 許 許 許 許 許 許 許 許 (11)	キョ	allow; permit; approve	画数/形 右は午で牛ではない
			ゆる(す)	言 ごんべん	
1. 日本では18歳(さい)になったら車の**免許**が取れる。			メンキョ	license	(運転(うんてん))免許(めんきょ) >>> L.3
2. 両親に一人暮(ひとりぐ)らしを**許して**もらった。			ゆる(して)	**to allow; permit**	許可(きょか)スル

212					
割	割 / 割	割 割 割 割 割 割 割 割 割 割 割 割 (12)		ratio; proportion; divide; split; break	部首 刂 EX 列 17、列 163
			わり わ(る) わ(れる)	刂 りっとう	
日本では高校に行く人の**割合**は90%以上だ。			わりあい	**ratio; percentage**	割(わ)る >>> L.8 (一(いち))割(わり) >>> L.10 割(わ)れる 割引(わりびき)スル 役割(やくわり)

漢字ミニノート 4 mini note

漢字の中の音の記号(きごう)(sound symbol)

漢字の 70 ～ 80%以上が形声(けいせい)文字(部首(ぶしゅ)[意味]と漢字の音[音読み]を表す部分でできている文字)だと言われています(p.75)。そのため、音の読み方を知っていれば、同じ音の形を持つ漢字の読み方が分かることも多いです。

例） 古 ⇨「コ」という音を表す　枯、固 ⇨ 音読みは「コ」

中 ⇨「チュウ」という音を表す　忠、仲 ⇨ 音読みは「チュウ」

東 ⇨「トウ」という音を表す　凍、棟 ⇨ 音読みは「トウ」

青 ⇨「セイ」という音を表す　静、晴 ⇨ 音読みは「セイ」

基本情報(きほんじょうほう)の特記(とっき)には音の情報(じょうほう)があります。漢字を覚える時に形と音を一緒に覚えるようにしましょう。

第6課
日本人と宗教

練習問題

問題 1 下線(かせん)の漢字の読み方を書きなさい。音読みと訓(くん)読みに気をつけましょう。

1) この a.神社の b.神様は c.神話の中で活躍(かつやく)した須佐之男命(すさのおのみこと)だ。

2) 旅行が好きな a.彼女は、b.彼と一緒に京都のお寺を c.お参りするツアーに d.参加した。

3) 日本の大学について a.調べていたら、b.受験した学生を全(すべ)て c.受け入れている大学があった。みんなこの d.調査結果にとても驚いていた。

4) a.現在のチベット b.仏教では、ダライ・ラマは c.仏の教え(teachings)を伝えるために観音(かんのん)(the Goddess of Mercy)が姿(すがた)(figure)を変えて d.現れたと信じられている。

5) 来週の a.土曜日は家族で、祖父(そふ)が買った b.土地に c.建てている d.建物を見に行く。

問題 2 漢字の組(く)み合(あ)わせと同じ英語の組(く)み合(あ)わせを探(さが)し、その言葉の英語の意味を推測(すいそく)し(to guess)なさい。例えば、「国内」という言葉は、漢字の組(く)み合(あ)わせは「国＋内」、英語の組(く)み合(あ)わせは(country + inside)で、英語の意味は(domestic)です。1)～8)の言葉に合う英語の組(く)み合(あ)わせを a.～h. の中から選びなさい。そして、漢字の読み方を書いて、同じ英語の意味と線(せん)で結(むす)びましょう。

例 country + inside	a. generation + era	b. love + person
c. cross + exchange	d. exist + exist	e. non + happiness
f. history + chronicle	g. true + no light	h. country + people

		読み方		英語の意味
例	国内	こくない	・ →	・century
1) (　　)	国民	＿＿＿＿	・	・boyfriend/girlfriend
2) (　　)	交換	＿＿＿＿	・	・totally dark
3) (　　)	存在	＿＿＿＿	・	・exist
4) (　　)	真っ暗	＿＿＿＿	・	・domestic ←
5) (　　)	歴史	＿＿＿＿	・	・unhappiness
6) (　　)	恋人	＿＿＿＿	・	・exchange
7) (　　)	世紀	＿＿＿＿	・	・history
8) (　　)	不幸	＿＿＿＿	・	・citizens

問題 3 ＿＿に ［　］ の言葉を選んで文を完成(かんせい)させなさい。漢字の場合は読み方、ひらがなの場合は漢字を書きましょう。

例 ［ア）泳い　イ）島　ウ）観光し　エ）自然］ a.＿が美しい b.＿で c.＿たり、海で d.＿だりした。

→

a.	エ	b.	イ	c.	ウ	d.	ア
	しぜん		しま		かんこうし		およい

例 ［ア）ともだち　イ）のこって　ウ）たてもの］ a.＿と一緒に古い b.＿が c.＿いる町を歩いた。

→

a.	ア	b.	ウ	c.	イ
	友達		建物		残って

1) ［ア）岩　イ）神社　ウ）不思議な　エ）お参り］
家族がよく a.＿＿＿に行く b.＿＿＿には大きくて c.＿＿＿形の d.＿＿＿がある。

2) ［ア）殺して　イ）怒って　ウ）幸福な］
a.＿＿＿生活をしていたのに、ある時、悪口を言われて b.＿＿＿、人を c.＿＿＿しまった人がいる。

3) ［ア）意識　イ）割合　ウ）苦しい　エ）受験］
高校で勉強をしている学生に a.＿＿＿について、b.＿＿＿調査をした。
その結果この高校では c.＿＿＿と思っている人の d.＿＿＿が 80%と高かった。

4) ［ア）しんわ　イ）たてられた　ウ）せいき］
コンサートホールは 19 a.＿＿＿に b.＿＿＿もので、ギリシャ c.＿＿＿の物語が壁(かべ)に描(か)かれている。

5) ［ア）きゅうに　イ）じんこう　ウ）ず　エ）ばい］
125 ページの a.＿＿＿③のグラフを見ると、世界の b.＿＿＿が 200 年の間に
7 c.＿＿＿になり、特に 1960 年頃(ごろ)から d.＿＿＿増えてきたことが分かる。

6) ［ア）はんたい　イ）かのじょ　ウ）しき　エ）さんせい］
教会で結婚 a.＿＿＿を挙(あ)げることについて、私の家族は b.＿＿＿してくれたが、
c.＿＿＿の家族は仏教を信じているので d.＿＿＿されてしまった。

7) ［ア）ちょうさ　イ）ねっしんに　ウ）いし］
あの人は大学の研究室で a.＿＿＿岩や b.＿＿＿の c.＿＿＿をしている。

問題 4 a.～d.の漢字を読みなさい。そして、a.～d.の中から____に合う言葉を選びましょう。

例 (a. 気温 b. 建物 c. 都市 d. 島)

東京の夏は、______が高いので、好きじゃない。

→

a.（○）	きおん	b.	たてもの	c.	とし	d.	しま

1) (a. 宗教 b. 幸福 c. 一部 d. 個人)

信じている__________はないと答える日本人は多い。

2) (a. 割合 b. 賛成 c. 存在 d. 意識)

日本語の先生の男女の__________は、男性より女性の方が高い。

3) (a. 怒って b. 祈って c. 戻って d. 置いて)

田中さんは今コーヒーを買いに行ったけれど、すぐに研究室に__________来ると思いますよ。

4) (a. 祈る b. 殺す c. 祝う d. 願う)

日本で新しい年を__________言葉は「あけましておめでとう」だ。

5) (a. 置いて b. 許して c. 戻って d. 参って)

高校生の時、海外に留学したかったが、両親は__________くれなかった。

6) (a. 現れた b. 許した c. 生きた d. 祈った)

神社で来年大学に合格できるように__________。

問題 5 下線(かせん)のひらがなを漢字にして、画数(かくすう)も書きなさい。

例 平わはとても大切だ。→

例	平	和
		8画

1) 私はみんなの意見もこ人の意見も大切だと思う。

2) 風邪(かぜ)をひいて、明日のテニスの試合にさんかできなくなった。

3) きれいな花が部屋においてある。

4) この本には日本の国みんの特徴(とくちょう)が書かれている。

5) 先週の試験の結かを先生に聞きに行こうと思う。

問題 6 1）～5)の読み方を書きなさい。そして、その言葉を使って短い文を書きましょう。

例 信じる　成功　商品 → 読み方：しんじる　せいこう　しょうひん

短い文：この商品を使えば絶対にダイエットに成功できると信じている。

1）人口　図　調査 → 読み方：＿＿＿＿＿＿
短い文：＿＿＿＿＿＿

2）表れる　結果　意見 → 読み方：＿＿＿＿＿＿
短い文：＿＿＿＿＿＿

3）賛成　両方　結構 → 読み方：＿＿＿＿＿＿
短い文：＿＿＿＿＿＿

4）神社　6世紀　建てる → 読み方：＿＿＿＿＿＿
短い文：＿＿＿＿＿＿

5）信者　熱心　教会 → 読み方：＿＿＿＿＿＿
短い文：＿＿＿＿＿＿

問題 7 質問に答えなさい。

Ｉ）次の「見」の漢字にはどんな意味がありますか。

A. 田中さんと映画を見た。

B. みんなの意見で、パーティーは土曜日になった。

A. の「見た」の「見」の漢字には「見る = to watch; to look」という意味がありますが、B. の「意見」の「見」には、「見る = to watch; to look」という意味があるでしょうか。いいえ、B. の「意見」の「見」は「考え方」という意味で使われています。だから、「意見」という言葉は opinion という意味になるのです。

Ⅱ）次の「見」を使った言葉は「見る」「考え方」のどちらの意味があるでしょうか。

1）子供の時、車を作る工場を見学した。

2）受験の問題についての私見(しけん)を少し話した。

1)の「見学」の「見」は(a. 見る　b. 考え方)の意味があります。

2)の「私見」の「見」は(a. 見る　b. 考え方)の意味があります。

Ⅲ）次の「熱」の漢字にはどんな意味がありますか。

A. このコーヒーはとても熱いので、気をつけて下さい。

B. 田中さんは毎日勉強する熱心な学生だ。

A. の「熱い」の「熱」の漢字には「あつい = hot」という意味がありますが、B. の「熱心」の「熱」には、「あつい = hot」という意味があるでしょうか。いいえ、B. の「熱心」の「熱」は「激(はげ)しい」という意味で使われています。だから、「熱心」という言葉は enthusiastic という意味になるのです。

Ⅳ）次の「熱」を使った言葉は「熱い」「激(はげ)しい」のどちらの意味があるでしょうか。

3）日本とアメリカのサッカーの熱戦(ねっせん)を見ていたら、僕もサッカーがしたくなった。

4）風邪(かぜ)の症状(しょうじょう)(symptom)には、発熱(はつねつ)やせきなどがある。

3）の「熱戦」の「熱」は（a. 熱い　b. 激(はげ)しい）の意味があります。

4）の「発熱」の「熱」は（a. 熱い　b. 激(はげ)しい）の意味があります。

問題 8　文を読んで質問に答えなさい。

日本には、a.神道やb.仏教、キリスト教などのc.宗教があるが、日本人の中には宗教をあまり強くd.意識していない人がe.結構多い。だから、キリスト教のf.信者ではないのに、結婚g.式をh.教会でする人もいる。一神教(いっしんきょう)を信じる外国人の考え方では、これはとてもi.不思議なことかもしれない。

1）a. ～ i. の下線(かせん)の漢字の読み方を書きましょう。

a.神道　b.仏教　c.宗教　d.意識　e.結構　f.信者　g.式　h.教会　i.不思議な

2）a. ～ i. の言葉をできるだけたくさん使って、「あなたの国の宗教」について文を書いてみましょう。

第7課

日本のポップカルチャー

RW 読み方・書き方を覚える漢字

213

済	済 / 済	済 済 済 済 済 済 済 済 済 済 済 (11)	サイ	be settled; end; finish	音 斉＝サイ／ザイという音を表す サイ EX 斉 ザイ EX 剤	経済的（けいざいてき）
			す(む) す(ます)	氵 さんずい		済ませる（す） 済む（す）

例文	読み	意味
1. 戦後（せんご）、日本の**経済**は大きく成長（せいちょう）した。	ケイザイ	economy
2. 仕事が**済んだ**ら、食事に行きませんか。	す(んだ)	to be done

214

虫	虫 / 虫	虫 虫 虫 虫 虫 虫 (6)	チュウ	bug; insect; worm	部首 虫＝虫（むし）や爬虫（はちゅう）類（るい）(the reptiles)や貝（かい）(shell)に関係	昆虫（こんちゅう）
			むし	虫 むし		虫歯（むしば）

例文	読み	意味
1. この動物園（えん）ではめずらしい**昆虫**が見られる。	コンチュウ	insect
2. 私は**虫**が嫌（きら）いだ。	**むし**	**bug; insect**

215

丸	丸 / 丸	丸 丸 丸 (3)		circular; round; circle; ball	類義/反対語 円（えん）＝平面的（へいめん）な丸（まる）(two-dimensional) 丸（まる）＝立体的（りったい）な丸（まる）(three-dimensional)	丸（まる）
			まる まる(い)	丶 てん		丸顔（まるがお）

例文	読み	意味
ハローキティは**丸い**顔をしている。	**まる(い)**	**circular; round**

216

命	命 / 命	命 命 命 命 命 命 命 命 (8)	メイ ミョウ	life; fate; order; command	成り立ち 亼(集める)＋口＋卩(人がひざまづいている: to kneel)＝王（おう）(king)がひざまづいた人に話す→命令（めいれい）	一生懸命（いっしょうけんめい） >>> L.6 寿命（じゅみょう） >>> L.15 命じる（めい）
			いのち	口 くち		命令（めいれい）スル 人命（じんめい） 生命（せいめい）

例文	読み	意味
1.「食べろ」「飲め」は**命令**の形だ。	メイレイ	command
2. この映画には**命**の大切さというメッセージがある。	**いのち**	**life**

217 未

未	未 未 (5)	ミ	not yet; still; un-	画数/形 ・未＝下の横の線(せん)(line)が長い ・末＝上の横の線(せん)が長い EX 週末	未成年(みせいねん) 未満(みまん)
			木 き		

例文	読み	意味
未来の子供達のために、今何ができるだろう。	ミライ	future [a more distant future than 将来(しょうらい)]

218 深

深	深 深 (11)	シン	deep; profound	部首 氵 EX 湯 158、混 172 類義/反対語 深(ふか)い⇔浅(あさ)い	深夜(しんや) >>> L.10 深刻(しんこく)(な) 深(ふか)まる 深(ふか)める
		ふか(い) ふか(まる) ふか(める)	氵 さんずい		

例文	読み	意味
1. 深夜になるとタクシーの値段(ねだん)が高くなる。	シンヤ	midnight
2. この湖(みずうみ)(lake)は日本で一番深いと言われている。	ふか(い)	**deep**

219 閉

閉	閉 閉 (11)	ヘイ	close	部首 門 EX 間、開、関 31 類義/反対語 閉(し)まる⇔開(あ)く 閉(し)める⇔開(あ)ける	閉会(へいかい)⇔開会(かいかい) 閉店(へいてん)スル ⇔開店(かいてん)スル 閉(と)じる >>> L.12 閉(し)める
		し(まる) し(める) と(じる)	門 もんがまえ		

例文	読み	意味
1. 電車のドアが閉まる時にベルが鳴(な)ります。	し(まる)	**to close**
2. 小テストをしますから、教科書(きょうかしょ)を閉じて下さい。	と(じて)	to close

220 号

号	号 号 (5)	ゴウ	No.; issue; signal	メモ ・部屋の番号(ばんごう) EX 1号室(ごうしつ)、302号室(ごうしつ) ・月刊誌(げっかんし)(monthly journal) EX 一月号(ごう)、八月号(ごう) ・電車の車両(しゃりょう)(car) EX 1号車(ごうしゃ)(car #1)	記号(きごう) 信号(しんごう)
			口 くち		

例文	読み	意味
1. 田中先生の研究室の電話番号を教えてもらった。	バンゴウ	**number**
2. あの信号を曲(ま)がって、右に行って下さい。	シンゴウ	traffic signal

221 悲

悲	悲 悲 (12)	ヒ	sad; sorrowful; grieve	成り立ち 心＋非(そむく: to disobey)＝自分の気持ちが心と離(はな)れて(to separate)しまう→悲(かな)しい気持ち	悲劇(ひげき) >>> L.8 悲(かな)しむ
		かな(しい) かな(しむ)	心 こころ		

例文	読み	意味
1. ハムレット(Hamlet)は世界的に有名な悲劇だ。	ひげき	tragedy
2. 悲しい映画を見て泣(な)いてしまった。	かな(しい)	**sad**

222	静	静 (14)	セイ / しず(か)	quiet; silent; still; calm / 青 あお	成り立ち 争(あらそい: quarrel) ＋青(すむ: to become clear) ＝争いがなくなる→静かになる	冷静(な)
この喫茶店は**静かな**ので、よく勉強しに来る。			しず(かな)	quiet		

223	払	払 (5)	はら(う)	pay; clear away; brush off / 扌 てへん	画数/形 ム EX 仏 193	支払う >>> L.11 支払い 払い戻す
この食堂は食べる前にお金を**払う**ことになっている。			はら(う)	to pay		

R 読み方を覚える漢字

224	影	影 (15)	エイ / かげ	shadow; silhouette; image / 彡 さんづくり	成り立ち 景(太陽の光: sunlight)＋彡(模様: pattern) ＝太陽の影 部首 彡 EX 形 11	撮影スル >>> L.1 影響力 影
台風の**影響**で、電車が遅れている。			エイキョウ	influence		

225	響	響 (20)	キョウ / ひび(く)	resound; echo; sound; affect / 音 おと	部首 音＝音に関係 音 郷＝キョウという音を表す	影響力 響き 響く
1. 音楽は子供の成長に**影響する**のだろうか。			エイキョウ(する)	to influence		
2. このコンサートホールは音がよく**響く**。			ひび(く)	to resound		

226	欧	欧 (8)	オウ	Europe / 欠 あくび	メモ 欧羅巴(ヨーロッパ)→欧が西洋(the West)を表す EX 東欧(Eastern Europe) 部首 欠 EX 次、欲 97	欧米人 >>> L.7 欧州 北欧 南欧
欧米でも簡単に寿司が食べられるようになった。			オウベイ	Europe and the U.S.A.		

227 版

版	版 版 版 版 版 版 版 版 (8)	ハン	printing block; printing; publishing; edition	音 反 189 = ハンという音を表す EX 飯、板 459	版画(はんが) (英語)版(ばん)
版			片 かたへん		

例文	読み	意味
1. この会社は漫画(まんが)も辞書(じしょ)も**出版して**いる。	シュッパン(して)	to publish
2. この漫画(まんが)は**英語版**も出ている。	エイゴバン	English edition

228 第

第	第 第 第 第 第 第 第 第 第 第 第 (11)	ダイ	order; prefix for numbers	画数/形 第→⺮ 弟→丷	第一(だいいち) >>> L.12 〜次第(しだい) >>> L.14
第			⺮ たけかんむり		

例文	読み	意味
第二次世界大戦は1945年に終わった。	ダイニジセカイタイセン	World War II

229 亡

亡	亡 亡 亡 (3)	ボウ	die; perish; cease to exist	音 亡＝ボウという音を表す EX 忘、忙 46、望 302	死亡(しぼう)スル 亡(な)くす
亡		な(くなる)	亠 なべぶた		

例文	読み	意味
1. 日本人に一番多い**死亡**原因(げんいん)(cause)はがん(cancer)です。	シボウ	death
2. アフリカでは病気で**亡くなる**子供がまだたくさんいる。	な(くなる)	to die

230 頃

頃	頃 頃 頃 頃 頃 頃 頃 頃 頃 頃 頃 (11)		time; around; about	部首 頁 EX 願 65、類 124	この頃(ごろ) 近頃(ちかごろ)
頃		ころ	頁 おおがい		

例文	読み	意味
子供の**頃**はよく友達とゲームをした。	ころ	when; time

231 鼻

鼻	鼻 鼻 鼻 鼻 鼻 鼻 鼻 鼻 鼻 鼻 鼻 鼻 鼻 鼻 (14)		nose	部首 鼻という字全体が部首(ぶしゅ)	鼻血(はなぢ) 鼻水(はなみず)
鼻		はな	鼻 はな		

例文	読み	意味
象(ぞう)(elephant)は**鼻**が長い。	はな	nose; trunk

232 躍

躍 躍 — stroke order (21)

ヤク — leap; jump

⻊ あしへん

部首 ⻊＝足に関係
画数/形 躍の右＝曜の右

世界のプロスポーツで日本人選手(せんしゅ)がたくさん**活躍して**いる。 | カツヤク(して) | to be active; take an active part

233 放

放 放 — stroke order (8)

ホウ — release; set free; leave; liberate; emit

はな(す)

攵 ぼくづくり

部首 攵 EX 敗 147、数 149
音 方＝ホウという音を表す EX 訪 319、芳

放火(ほうか)スル
放置(ほうち)スル
解放(かいほう)スル
放(はな)す

1. アメリカにはニュースだけを**放送して**いるチャンネルがある。 | ホウソウ(して) | to broadcast
2. 取った魚をまた川に**放して**あげた。 | はな(して) | to release

234 芸

芸 芸 — stroke order (7)

ゲイ — art; craft; performance

艹 くさかんむり

部首 艹 EX 落 59、苦 87

芸術家(げいじゅつか)
(伝統(でんとう))芸能(げいのう)
園芸(えんげい)
(伝統(でんとう))工芸(こうげい)

日本の伝統的(でんとうてき)な**芸術**が海外に紹介(しょうかい)されている。 | ゲイジュツ | art

235 愛

愛 愛 — stroke order (13)

アイ — love; affection

夂／なつあし
心／こころ

部首 夂 EX 夏、変

恋愛(れんあい)スル >>> L.11
愛(あい)
愛(あい)する
*可愛(かわい)い
*可愛(かわい)がる

1. 子供は親の**愛情**を受けて大きくなる。 | アイジョウ | love; affection
2. ロミオとジュリエットは**愛する**二人が死んでしまう物語(ものがたり)だ。 | アイ(する) | to love

236 情

情 情 — stroke order (11)

ジョウ — feeling; emotion; sympathy; state; situation

忄 りっしんべん

成り立ち 忄(心)＋青(きれい)＝美しい心

情報(じょうほう) >>> L.10
感情(かんじょう)
苦情(くじょう)
事情(じじょう)
同情(どうじょう)スル
表情(ひょうじょう)
友情(ゆうじょう)

ペットは**愛情**を持って飼(か)って下さい。 | アイジョウ | love; affection

237 超

画数	(12)
音読み	チョウ
訓読み	こ(える) こ(す)
意味	surpass; exceed; excel; be above; super-; ultra-
部首	走 そうにょう
部首	走 EX 起
類義/反対語	・超える＝物や量(quantity)が超える ・越える＝山や高い所を通る
語彙	超大型(ちょうおおがた) 超過(ちょうか)スル 超人(ちょうじん) 超(こ)す

パーティーには100人を**超える**人が集まった。 ｜ こ(える) ｜ to exceed

238 降

画数	(10)
音読み	コウ
訓読み	お(りる) お(ろす) ふ(る)
意味	fall; descend; unload; get off
部首	阝 こざとへん
成り立ち	阝(丘(おか): hill)＋夅(くだる: to descend)＝丘(おか)からくだる→降(お)りる
語彙	以降(いこう) 降(お)りる 降(お)ろす

1. 12時**以降**この出口(でぐち)(exit)は使えなくなります。 ｜ イコウ ｜ after

2. 電車から a. **降りた**ら、雨が b. **降って**いた。 ｜ a. お(りた) b. ふ(って) ｜ a. to get off b. to fall

239 鳴

画数	(14)
音読み	
訓読み	な(く) な(る) な(らす)
意味	chirp; cry; bark; sound; ring
部首	ロ くちへん
成り立ち	ロ＋鳥＝鳥が鳴(な)く
類義/反対語	泣(な)く＝人が泣(な)く 鳴(な)く＝動物や鳥が鳴(な)く
語彙	鳴(な)く >>> L.7 鳴(な)き声(ごえ) 鳴(な)らす

ドアのチャイムが**鳴って**も、すぐにドアを開けない方がいい。 ｜ な(って) ｜ to ring

240 傾

画数	(13)
音読み	ケイ
訓読み	かたむ(く) かたむ(ける)
意味	lean; incline; tilt
部首	亻 にんべん
画数/形	亻＋頃 230 ＝傾
語彙	傾(かたむ)く

最近の若い人は本を読まない**傾向**が見られる。 ｜ ケイコウ ｜ tendency

241 挙

画数	(10)
音読み	キョ
訓読み	あ(げる)
意味	nominate; raise; cite
部首	手 て
成り立ち	四本の手で何かを上にあげる形を表す (手→挙)
語彙	選挙(せんきょ) >>> L.14 選挙権(せんきょけん) >>> L.14

1. アメリカの大統領(だいとうりょう)(president)の**選挙**は４年に一度ある。 ｜ センキョ ｜ election

2. 先生は例を**挙げて**分かりやすく説明してくれた。 ｜ あ(げて) ｜ to give (an example)

242 機

機 機 — 機機機機機機機機機機機機機機機 (16)

キ

machine; mechanism; opportunity; occasion

木 きへん

文法 機＝飛行機を数える時に使う EX 一機、二機

自動販売機 >>> L.10
機械 >>> L.10
機能
飛行機

1. 機会があったら、また日本に行きたい。	キカイ	chance; opportunity
2. 東京からホノルルまで飛行機で7時間ぐらいだ。	ヒコウキ	airplane

243 適

適 適 — 適適適適適適適適適適適適適適 (14)

テキ

suitable; fit; proper; appropriate

辶 しんにょう

音 啇＝テキという音を表す EX 敵、摘、滴

適量
最適(な)

(　)の中に適当な言葉を入れて下さい。	テキトウ(な)	appropriate; suitable

244 状

状 状 — 状状状状状状状 (7)

ジョウ

appearance; conditions; state; circumstances; letter; card

犬 いぬ

成り立ち 犬＋丬(姿:posture)＝犬の姿を表す→姿や様子(appearance)

現状 >>> L.9
状態 >>> L.12
症状
賞状
年賀状

1. 父は毎日、世界経済の状況を伝えるニュースを見ている。	ジョウキョウ	situation
2. 風邪の症状がよくなってきたので、薬を飲むのをやめた。	ショウジョウ	symptom

245 況

況 況 — 況況況況況況況況 (8)

キョウ

condition; situation

氵 さんずい

画数/形 兄 EX 祝 199

不況

状況が分からないので、いいアドバイスができない。	ジョウキョウ	situation

246 血

血 血 — 血血血血血血 (6)

ケツ

blood

ち

血 ち

成り立ち 皿 174 の上に血(blood)のかたまりがある

皿→血

血圧
出血スル
輸血スル
血

1. ナイフで手を切ってしまい、血が止まらない。	ち	blood
2. 僕の血液型はB型です。	ケツエキがた	blood type

247					
液	液 液 (11)	エキ	fluid; liquid / 氵 さんずい	画数/形 液の右 ＝夜	液体
人間の血液の量は体重(weight)の７％から８％だ。		ケツエキ	blood		

この課で書き方を覚える漢字

- 格 98 ➡ 第3課 R
- 戦 162 ➡ 第5課 R
- 品 166 ➡ 第5課 R
- 争 168 ➡ 第5課 R

漢字ミニノート 5 mini note

漢字＋じる／する／ずる

漢字に「じる」、「する／ずる」をつけると動詞になる言葉があります。その時は、漢字の読み方はたいてい音読みです。

例）1）漢字＋じる　感じる、信じる、演じる、禁じる

2）漢字＋する　関する、達する

3）漢字＋ずる　存ずる、命ずる

第7課
日本のポップカルチャー

練 習 問 題

問題 1 下線(かせん)の漢字の読み方を書きなさい。音読みと訓(くん)読みに気をつけましょう。

1) a.世の中には音楽を習っているb.少年少女が多いが、c.世界で活躍できる音楽家になれる人は、本当にd.少ないと思う。

2) これはa.子供が公園(こうえん)で遊ぶb.様々なc.様子やd.動作を観察(かんさつ)してe.作った芸術f.作品だ。

3) アメリカで人気がa.出た本はすぐに日本b.向けに翻訳(ほんやく)されて、日本でもc.出版されるd.傾向がある。

4) 第一次世界大戦が終わってからa.次のb.大きいc.戦争であるd.第二次世界e.大戦が始まるまでは約20年しかなかった。

5) この間日本でa.放送されたテレビ番組を友達がDVDにしてb.送ってくれた。

6) 今日、家に遊びにa.来た友達から、b.未来の世界を描(か)いて有名になった漫画(まんが)c.家が来週私達の大学に話をしにd.来ると聞いた。

7) マンガがa.元になっているテレビドラマの中に、b.元気になるc.食べ物であるうなぎ(eel)を一週間に一度食べているd.人物がいた。

問題 2 □の漢字の部分と部首(ぶしゅ)を組(く)み合(あ)わせて漢字を作りなさい。そして、その漢字の読み方も書きましょう。

例右	オ	ム	罙	非	争	云

例 くさかんむり 若 → わか(い)

1) さんずい 氵□

2) こころ □心

3) てへん 扌□

4) あお 青□

5) もんがまえ 門□

6) にんべん 亻□

問題3 1)～8)の＿＿に入るように［　］の中の漢字を組(く)み合(あ)わせて言葉を作りなさい。そして、漢字の読み方も書きましょう。

a. 愛　b. 影　c. 当　d. 況　e. 響　f. 信　g. 者　h. 状　i. 適　j. 情

例 日本にはキリスト教の＿＿＿＿は少ないらしい。→

例	f.	g.
	しんじゃ	

1) ペットは＿＿＿＿を持って育てて下さい。

2) 大雪の＿＿＿＿で、電車が止まってしまった。

3) フォーマルなパーティーに着て行く、＿＿＿＿な服が見つからない。

4) 一人暮らしのお年寄りの＿＿＿＿を調べることになった。

k. 階　l. 機　m. 活　n. 会　o. 躍　p. 段　q. 術　r. 芸

5) エレベーターが壊(こわ)れているので、＿＿＿＿を使って下さい。

6) 浮世絵(うきよえ)は日本の伝統的な＿＿＿＿の一つだ。

7) ミケランジェロ(Michelangelo)は16世紀に＿＿＿＿した人物だ。

8) 日本の歴史を勉強したかったが、アメリカの高校では勉強する＿＿＿＿はなかった。

問題4 ［　］の中から、1)～7)の文に合う言葉を選びなさい。漢字の読み方も書きましょう。

a. 亡くなる　b. 血液　c. 鳴く　d. 丸い　e. 鼻　f. 未来　g. 食事　h. 人類

例 たべることです。→

例	g.
	しょくじ

1) 月や太陽(たいよう)は、この形をしています。

2) チンパンジーは、これに最も近い動物だと言われています。

3) 人間の目と口の間に、これがあります。

4) 「死ぬ」の丁寧(ていねい)な言い方です。

5) 100年後、200年後のことです。

6) 人が声を出すことは「話す」です。ねこや鳥が声を出すことを何と言いますか。

7) A型、B型、O型、AB型があります。

問題 5 下線のひらがなを漢字にして、画数も書きなさい。

例 平わはとても大切だ。→

例	平	和
		8画

1）20世紀には大きなせん そうが二つもあった。

2）人のいのちはとても大切だと思う。

3）友達から電話番ごうを教えてもらった。

4）経ざいがよくなって、仕事が簡単に見つかるようになった。

5）私の弟は、やさしい性かくだと思う。

問題 6 ＿＿に □ の言葉を選んで文を完成させなさい。漢字の場合は読み方、ひらがなの場合は漢字を書きましょう。

例 ア）泳い　イ）島　ウ）観光し　エ）自然 → a.＿が美しいb.＿でc.＿たり、海でd.＿だりした。

a.	エ	b.	イ	c.	ウ	d.	ア
	しぜん		しま		かんこうし		およい

例 ア）ともだち　イ）のこって　ウ）たてもの → a.＿＿と一緒に古いb.＿＿がc.＿＿いる町を歩いた。

a.	ア	b.	ウ	c.	イ
	友達		建物		残って

1） ア）超える　イ）頃　ウ）降り

昼から雪がa.＿＿＿始めて、6時b.＿＿＿までには、10センチをc.＿＿＿雪になるらしい。

2） ア）世の中　イ）挙げて　ウ）読者

この本はa.＿＿＿にb.＿＿＿の問題を分かりやすく例をc.＿＿＿説明している。

3） ア）むし　イ）まるい　ウ）よなか

a.＿＿＿に急に窓からとても大きくてb.＿＿＿形をしたc.＿＿＿が部屋に入って来て、驚いた。

4） ア）さくひん　イ）さまざまな　ウ）かなしい

シェークスピアのa.＿＿＿には、b.＿＿＿物語やコメディーなどc.＿＿＿ものがあります。

5) | ア)ほうほう イ)みらい ウ)いがく |

a.______の世界では今よりも発達したb.______の技術を使って、色々なc.______で病気を治せる(to cure)ようになるだろう。

問題 7 日本語の動詞(verb)には、よく似ている(to be similar)自動詞(intransitive verb)と他動詞(transitive verb)があります。次のア)とイ)の____の言葉はどちらが自動詞で、どちらが他動詞ですか。

ア)ドアを開けました。　(自動詞　他動詞)

イ)ドアが開きました。　(自動詞　他動詞)

ア)の「開ける」の文には助詞の「を」がありますから他動詞、イ)の「開く」は自動詞です。自動詞と他動詞に気をつけながら 1)～6)のひらがなを、文に合うようにして(　　)に漢字にして書きなさい。

例 かえる　かわる

a. 今日は、ヘアスタイルを(　　　　)てみました。

b. 急に予定が(　　　　)て、友達に会えなくなってしまった。

→ | a. 変 | え | b. 変 | わっ |

1) しめる　しまる

a. あの図書館は午後5時には(　　　　)ので、ちょっと不便だ。

b. 窓を(　　　　)のを忘れて寝たので、風邪をひいてしまった。

2) ふえる　ふやす

a. 私の大学は、毎年外国から来る留学生が(　　　　)ている。

b. アニメクラブのメンバーを(　　　　)たいと思っている。

3) つたわる　つたえる

a. この手紙を読むと、彼が好きだという気持ちがよく(　　　　)てくる。

b. 田中さんにこのメッセージを(　　　　)てくれませんか。

4) ひろまる　ひろげる

a. リサイクルを世界に(　　　　)運動(movement)をしている。

b. インスタントラーメンは短い間に世界に(　　　　)た。

5) きめる　　きまる

a. 来週の予定(よてい)が(　　　　)た。

b. 友達は留学する場所を(　　　　)た。

6) いれる　　はいる

a. 毎晩お風呂(ふろ)に(　　　　)てから、11時頃に寝る。

b. 試験をしますから、ノートや教科書(きょうかしょ)をかばんの中に(　　　　)て下さい。

問題 8 文を読んで質問に答えなさい。

日本の現代のポップカルチャーの一つにマンガがある。世界的に有名な漫画(まんが) a. 家や b. 作品も多い。マンガには c. 少年 d. 少女 e. 向けのものが多いが、大人もよくマンガを読む。日本の文化は f. 第二次世界大戦の後に、g. 欧米の h. 影響を強く受けたが、最近では反対に欧米の文化が日本のポップカルチャーやマンガの影響を受けているようだ。

1) a. ～ h. の下線(かせん)の漢字の読み方を書きましょう。

a. 家　b. 作品　c. 少年　d. 少女　e. 向け　f. 第　g. 欧米　h. 影響

2) a. ～ h. の言葉をできるだけたくさん使って、「あなたの国のポップカルチャー」について文を書いてみましょう。

しりとり（第１課～第６課の漢字）

漢字で「しりとり」をしましょう。最後に使う漢字はどれですか？

例

六　日曜日　色　一人　国

最後の言葉

スタート▶ 先生 ⇨＿＿＿＿⇨＿＿＿＿⇨＿＿＿＿⇨＿＿＿＿⇨＿＿＿＿

答え：
先生 せんせい ⇨ 色 いろ ⇨ 六 ろく ⇨ 国 くに ⇨ 日曜日 にちようび ⇨ 一人 ひとり

＊最後の音が「〃」の時は、「〃」がない音から始めてもいいです。

レベル１

打つ　地理　土地　以下　理解
続く　人々　気持ち　会場　首

スタート▶ 世紀 ⇨＿＿＿＿⇨＿＿＿＿⇨＿＿＿＿⇨＿＿＿＿⇨＿＿＿＿⇨＿＿＿＿⇨

最後の言葉

＿＿＿＿⇨＿＿＿＿⇨＿＿＿＿⇨＿＿＿＿

レベル２

暮らす　岩　理由　動く　文字　苦しい
島　周り　時代　能力　石　若者

スタート▶ 子供 ⇨＿＿＿＿⇨＿＿＿＿⇨＿＿＿＿⇨＿＿＿＿⇨＿＿＿＿⇨＿＿＿＿⇨

最後の言葉

＿＿＿＿⇨＿＿＿＿⇨＿＿＿＿⇨＿＿＿＿⇨＿＿＿＿⇨＿＿＿＿

第8課

日本の伝統芸能

でんとうげいのう

RW 読み方・書き方を覚える漢字

248	効	コウ / き(く)	effect; efficacy; be effective	部首 力 EX 功148、加187 / 音 交＝コウという音を表す EX 校、郊、絞	効率 >>> L.11 / 効果的 / 逆効果 / 有効 / 効く
	(8)		力 りきづくり		
	1. この新しい薬はがん(cancer)に**効果**がある。	コウカ	effect		
	2. ビタミンCは風邪に**効く**らしい。	き(く)	to be effective		

249	科	カ	subject of study; department (of an institution)	成り立ち 禾(穀物：grain)＋斗(ます：measure)＝穀物をますで分ける→区分(section)の意味 / メモ 大学、病院などの科(department) EX 内科、外科	科学者 >>> L.8 / 科学的 >>> L.8 / 教科書 >>> L.9 / 科目 / 日本語学科
	(9)		禾 のぎへん		
	現代の**科学**でも、分からないことがたくさんある。	カガク	science		

250	減	ゲン / へ(る) へ(らす)	decrease; diminish	画数/形 減の右＝感44の上 / 類義/反対語 減る⇔増える150 減らす⇔増やす	減少スル / ⇔増加スル / 減らす >>> L.9
	(12)		氵 さんずい		
	1. フロン(freon)のためにオゾンがどんどん**減少して**いる。	ゲンショウ(して)	to decrease		
	2. 最近、本を読む若い人が**減って**いる。	へ(って)	to decrease		
	3. リサイクルをしてもっとごみを**減らし**たいと思う。	へ(らし)	to reduce		

251	完	カン	complete; perfect; full	成り立ち 宀(家)＋元(垣根：fence)＝家の周りを一周している垣根→完全(perfect) →完	完全(な) / 完了スル
	(7)		宀 うかんむり		
	新しい寮が**完成した**ので引っ越すことになった。	カンセイ(した)	to complete; be completed		

252 登

登 登

登 (12)

トウ / のぼ(る)

climb; attend; appear; register; record

癶 はつがしら

部首 癶 EX 発 73

音 豆＝トウという音を表す EX 頭、痘、燈

登校(とうこう)スル
登山(とざん)
登録(とうろく)スル
登(のぼ)る
山登(やまのぼ)り

1. スタジアムに選手(せんしゅ)が**登場して**、試合(しあい)が始まった。 — トウジョウ(して) — to appear
2. 夏になったら、富士山(ふじさん)に**登り**たい。 — のぼ(り) — to climb

253 公

公 公

公 (4)

コウ

public; formal; official; government; fair

八 はちがしら

類義/反対語 公(こう)(公共(こうきょう): public) ⇔私(し)(private)

EX 公立(こうりつ)(public institution) 私立(しりつ)(private institution)

公立(こうりつ) >>> L.9
公園(こうえん)
公共(こうきょう)
公式(こうしき)
公務員(こうむいん)
公平(こうへい)(な)⇔不公平(ふこうへい)(な)

1. 映画の中の**主人公**の気持ちがよく分かった。 — シュジンコウ — main character
2. **公園**で子供達が遊(あそ)んでいる。 — コウエン — park

254 逆

逆 逆

逆 (9)

ギャク / さか(らう)

reverse; backward; counter; adverse; opposite; go against; disobey

辶 しんにょう

部首 辶 EX 速 121、迷 136、適 243

逆効果(ぎゃくこうか)
逆転(ぎゃくてん)スル
逆(さか)らう

1. 今日は雨が降(ふ)ると思ったら、**逆に**いい天気になった。 — ギャク(に) — on the contrary
2. 私は親の意見に**逆らった**ことがない。 — さか(らった) — to disobey

255 低

低 低

低 (7)

テイ / ひく(い)

low; short

亻 にんべん

音 氐＝テイという音を表す EX 底、抵、邸

低下(ていか)スル >>> L.9
低温(ていおん)
最低(さいてい)(の)

1. 何歳ぐらいから、覚える能力(のうりょく)が**低下し**ますか。 — テイカ(し) — to decline
2. 明日は今日より気温(きおん)が**低く**なるようだ。 — ひく(く) — low
3. 田中さんは山田さんより少し背(せ)が**低い**。 — ひく(い) — short

256 点

点 点

点 (9)

テン

dot; spot; point; score; mark

灬 れんが

部首 灬 EX 然 35、無 72、熱 181

問題点(もんだいてん) >>> L.9
点数(てんすう)
点線(てんせん)
交差点(こうさてん)
弱点(じゃくてん)
重点(じゅうてん)
満点(まんてん)

1. この町のいい**点**は自然(しぜん)が多いことだ。 — テン — point
2. 先週のテストの**点**がよかったので嬉(うれ)しい。 — テン — score

257	常	常 常 常 常 常 常 常 常 常 常 常 (11)	ジョウ	usual; ordinary; normal; regular; habitual	部首 巾 EX 市 14 成り立ち 尚(長い)+巾(ぬの: cloth)=長いぬの→長く変わらない	常識(じょうしき) >>> L.9 常識的(じょうしきてき) >>> L.9 非常(ひじょう)(な) >>> L.11 異常(いじょう)(な) ⇔正常(せいじょう)(な) 非常口(ひじょうぐち) 常に(つね)
	常		つね	巾 はば		
1. 簡単(かんたん)な**日常**会話を覚えてから、外国旅行に行った方がいい。			ニチジョウ	daily; everyday		
2. 財布(さいふ)の中に**常に**家族の写真(しゃしん)を入れています。			つね(に)	always		

258	写	写 写 写 写 写 (5)	シャ	copy; reproduce; ditto; take a photograph	画数/形 写の下=与 119	写真家(しゃしんか) 写す(うつ) 写る(うつ)
	写		うつ(る) うつ(す)	冖 わかんむり		
1. このa.**写真**の一番右にb.**写って**いるのが母です。			a. シャシン b. うつ(って)	a. photograph b. to appear (in a photo)		
2. 友達の宿題を**写して**はいけません。			うつ(して)	to copy		

259	確	確 確 確 確 確 確 確 確 確 確 確 確 確 確 確 (15)	カク	certain; sure; firm; ascertain; confirm	成り立ち 石+隺(かたい: hard; firm)=かたい石(いし)→かたくてはっきりしている(to become clear)→確か(たし)	確実(かくじつ)(な) 確認(かくにん)スル 正確(せいかく)(な) 確かめる(たし)
	確		たし(か) たし(かめる)	石 いしへん		
1. 時計がないので、**正確な**時間が分からない。			セイカク(な)	accurate		
2. 次の会議(かいぎ)は**確か**来週の木曜日にあるはずだ。			たし(か)	if I remember correctly		
3. 友達が言うように東京は**確かに**人が多かった。			たし(かに)	certainly		

260	村	村 村 村 村 村 村 村 (7)	ソン	village	画数/形 村の右=対 113 の右	村長(そんちょう) 市町村(しちょうそん) 農村(のうそん) 村人(むらびと) >>> L.8
	村		むら	木 きへん		
ここは小さい**村**なので、病院も学校もない。			むら	village		

R 読み方を覚える漢字

261	恥	恥 恥 恥 恥 恥 恥 恥 恥 恥 恥 (10)		shame; disgrace; humiliation; dishonor	画数/形 耳 EX 聞、職、取	恥(はじ) 恥(は)ずかしがりや
	恥		はじ は(ずかしい)	心 こころ		
簡単(かんたん)な漢字が読めなくて、**恥ずかし**かった。			は(ずかし)	to be ashamed		

262	証	ショウ	evidence; proof; certificate	画数/形 言＋正 32＝証	証拠（しょうこ） 保証スル（ほしょう） 身分証明書（みぶんしょうめいしょ）
(12)			言 ごんべん		
身分（みぶん）(status)を**証明する**ものを見せて下さい。		ショウメイ(する)	to prove		

263	患	カン	affected by disease; fall ill	成り立ち 心＋串(つらぬく: to pierce)＝心をつき通す（とお）(to pierce)ように苦（くる）しいこと→病気の意味	
(11)			心 こころ		
この病院には毎日千人ぐらい**患者**が来る。		カンジャ	patient		

264	講	コウ	lecture	音 冓＝コウという音を表す EX 構 210、購、溝	講演（こうえん） 講師（こうし） 休講（きゅうこう）
(17)			言 ごんべん		
経済学（けいざい）の**講義**は毎週火曜日にある。		コウギ	lecture		

265	義	ギ	justice; righteousness; duty; obligation; meaning; significance	部首 羊 EX 美 音 義＝ギという音を表す EX 議 70、儀、犠	義務（ぎむ） >>> L.9 民主主義（みんしゅしゅぎ） >>> L.14 意義（いぎ） (社会)主義（しゃかいしゅぎ）
(13)			羊 ひつじ		
この**講義**は面白いので、遅く来ると座（すわ）れない。		コウギ	lecture		

266	均	キン	even; uniform; level; average	部首 扌 EX 在 143、増 150、境 169	
(7)			扌 つちへん		
田中さんは日本人の**平均**より少し背（せ）が高い。		ヘイキン	average		

267	踊			dance	部首 𧾷 EX 躍 232 画数/形 甬 EX 通、痛	
	踊	(14)	おど(り) おど(る)	𧾷 あしへん		

1. 日本の伝統的な踊りを習いたいと思っている。	おど(り)	dance
2. 昨日、夜中の2時までクラブで踊った。	おど(った)	to dance

268	劇		ゲキ	play; drama	成り立ち 豦＝虎(tiger)＋豕(イノシシ：wild boar)＝虎とイノシシが激しく戦う→激しくすること→劇	喜劇 >>> L.8 劇場 演劇
	劇	(15)		刂 りっとう		

1. 週末に家族で面白い劇を見た。	ゲキ	play
2. 戦争ではいつも悲劇が起こる。	ヒゲキ	tragedy

269	普		フ	universal; general; widespread; common	成り立ち 並(横に広がる)＋日(太陽：sun)＝光が広がる→広がる	普及スル >>> L.10 普段
	普	(12)		日 ひ		

スミスさんは普通の日本人より、日本人らしい。	フツウ	ordinary

270	途		ト	road; way; route	部首 ⻌ EX 適 243、逆 254	途上国
	途	(10)		⻌ しんにょう		

試合の途中で雨が降ってきた。	トチュウ(で)	halfway

271	偉		イ	great; remarkable; admirable	成り立ち 亻＋韋(普通ではない)＝普通の人より大きい→立派なこと 音 韋＝イという音を表す EX 違、緯	偉大(な) 偉そう(な) >>> L.8
	偉	(12)	えら(い)	亻 にんべん		

1. インスタントラーメンは偉大な発明だと思う。	イダイ(な)	great
2. エジソン(Edison)を偉い人だと思う人は多い。	えら(い)	great

272 派

派 派 (9)

音読み: ハ
訓読み:

group; sect; faction; party; school

部首: 氵 さんずい

成り立ち: 氵(水)+𠂢=川から支流(しりゅう)(tributary)が流(なが)れる形→あるものから分かれる

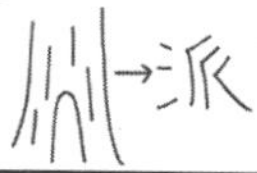

派手(はで)(な)

1. 戦争反対(せんそうはんたい)派のグループが公園(こうえん)に集まっている。 | ハ | group
2. この大学には立派な図書館がある。 | リッパ(な) | **splendid; fine**

273 毒

毒 毒 (8)

音読み: ドク
訓読み:

poison

部首: 母 なかれ

部首: 毋 EX 母、毎
画数/形
・毋→中は線(せん)(line)ではなくて、2つの点(てん)
・毒、毎→中は線(せん)(line)

消毒(しょうどく)スル
(食)中毒(しょくちゅうどく)

このきのこには毒があるので、食べないで下さい。 | ドク | **poison**

274 甘

甘 甘 (5)

音読み:
訓読み: あま(い)、あま(える)

sweet; indulgent; pamper

部首: 甘 かん

成り立ち: 口の中に食べ物がある様子(ようす)→おいしいや甘(あま)い

甘(あま)える

僕の彼女は甘い食べ物が大好きです。 | あま(い) | **sweet**

275 謝

謝 謝 (17)

音読み: シャ
訓読み: あやま(る)

apologize; gratitude; thank

部首: 言 ごんべん

音: 射=シャという音を表す

感謝(かんしゃ)スル >>> L.4

1. ホームステイをさせてくれた日本の家族に感謝している。 | カンシャ(して) | to be thankful
2. ミーティングに遅れたので、謝った。 | あやま(った) | **to apologize**

276 破

破 破 (10)

音読み: ハ
訓読み: やぶ(れる)、やぶ(る)

break; tear; rip; breach; violate

部首: 石 いしへん

部首: 石 EX 石 179
画数/形: 皮 EX 彼 118
メモ: 皮=もとの意味は皮(かわ)(skin; leather)

破(やぶ)れる >>> L.12
破壊(はかい)スル

1. いらない書類(しょるい)(document)は破ってから捨(す)てて下さい。 | やぶ(って) | **to tear**
2. 父との約束(やくそく)を破って怒(おこ)られた。 | やぶ(って) | to break

277 喜

漢字	読み	意味	部首	説明	語彙
喜 (12)	キ よろこ(ぶ)	be happy; be pleased; be delighted; rejoice	口 くち	成り立ち 壴(食べ物が入った器(うつわ): container)+口=食べ物を食べて喜(よろこ)ぶ	喜(よろこ)ぶ >>> L.9 喜(よろこ)び

例文	読み	意味
1. シェークスピア(Shakespeare)は**喜劇**も書いている。	キゲキ	comedy
2. 誕生日(たんじょうび)にプレゼントをあげたら、友達が**喜んで**くれた。	よろこ(んで)	to be delighted

278 追

漢字	読み	意味	部首	説明	語彙
追 (9)	ツイ お(う)	chase; run after; add	辶 しんにょう	部首 辶 EX 逆 254、途 270	追加(ついか)スル 追(お)い越(こ)す 追(お)いつく 追(お)う

例文	読み	意味
1. **追加して**注文(ちゅうもん)した食べ物がなかなか来ない。	ついか(して)	to add
2. 犬がボールを**追いかけて**取って来た。	お(いかけて)	to run after

279 逃

漢字	読み	意味	部首	説明	語彙
逃 (9)	に(げる) に(がす)	escape; run away; flee	辶 しんにょう	成り立ち 辶(行く)+兆(割(わ)れ目(め): crack)=割(わ)れ目(め)が右と左に離(はな)れて(to separate)進(すす)んで行く→逃(に)げる	逃(に)がす

例文	読み	意味
飼(か)っていた猫(ねこ)が**逃げて**しまった。	に(げて)	to run away

280 探

漢字	読み	意味	部首	説明	語彙
探 (11)	さが(す) さぐ(る)	probe; look for; search; explore	扌 てへん	画数/形 探の右=深 218 の右 類義/反対語 ・探(さが)す=欲(ほ)しい物を見つける ・捜(さが)す=見えなくなった物、なくなったものを見つける	

例文	読み	意味
本屋で読みたい本を**探した**が見つからなかった。	さが(した)	to look for

281 突

漢字	読み	意味	部首	説明	語彙
突 (8)	トツ つ(く)	thrust; protrude; stab; pierce; suddenly	穴 あなかんむり	部首 穴=あな(hole)に関係 成り立ち 穴+大(犬)=穴(あな)から犬が急(きゅう)に出て来る→突然(とつぜん)	煙突(えんとつ) 衝突(しょうとつ)スル 突(つ)く

例文	読み	意味
突然、友達が家に遊(あそ)びに来たので驚(おどろ)いた。	トツゼン	suddenly

282						
抜	抜 / 抜	抜抜抜抜抜抜抜 (7)	ぬ(ける) ぬ(く)	pull out; extract; remove 扌 てへん	部首 扌 EX 換198、払223、探280	抜(ぬ)ける
虫歯(むしば)(decayed tooth)を一本抜くことになった。			ぬ(く)	to pull out		

283						
怖	怖 / 怖	怖怖怖怖怖怖怖怖 (8)	フ こわ(い)	frightening; dreadful; fearful 忄 りっしんべん	音 布＝フという音を表す 部首 忄 EX 性41、慣170、情236	恐怖(きょうふ)
1. 高い所に恐怖を感じる人がいます。			キョウフ	fear		
2. 怖い映画は見たくない。			こわ(い)	scary		

この課で書き方を覚える漢字

真 208 ➡ 第6課 R

漢字ミニノート 6 mini note

読み方が小さい「っ」に変わる！

漢字を組(く)み合(あ)わせてできた(音読みの)言葉の中には、後ろの言葉によって前の言葉の音が小さい「っ」に変わるものがありますから、注意して覚えましょう。後ろの言葉が五十音表の「か行(ぎょう)、さ行、た行、は行」で始まる時、前の言葉の「□く」「□ち」「□つ」が「□っ」になることが多いです。

例) 1) 国内 こくない ⇨ 国境 こっきょう
2) 日曜 にちよう ⇨ 日記 にっき
3) 特別 とくべつ ⇨ 特急 とっきゅう
4) 雑(な) ざつ ⇨ 雑誌 ざっし

第8課

日本の伝統芸能

練習問題

問題 1 下線(かせん)の漢字の読み方を書きなさい。音読みと訓(くん)読みに気をつけましょう。

1) 私の a.留学生の友達は b.普通、土曜日の午後にはアパートにいるので、いつも c.通りに、遊びに行ったら d.留守でいなかった。

2) ニューヨークに a.観光に行った。ブロードウェイで b.悲劇を c.観て、d.悲しい気持ちになってしまったので、次の日は e.喜劇を観に行くことにした。

3) a.先生によると、ここに b.生えているきのこは太陽(たいよう)の光(ひかり)(light)がなくても c.生きられるそうだ。

4) フラッシュがついているので、a.真っ暗な中でもきれいに b.写真が撮(と)れます。

5) あの人は上の a.立場にいる人だが、自分が間違った時でもすぐに謝れる、とても b.立派な人だ。

問題 2 [　　] の言葉をよく考えて、ア)～カ)の中に形をよく考えて書きなさい。そして、その言葉を使って 1)～6)の文を完成させましょう。

例 のむ	a. ひくい	b. むら	c. てん	d. ぎゃく	e. とり入れる	f. 日じょう

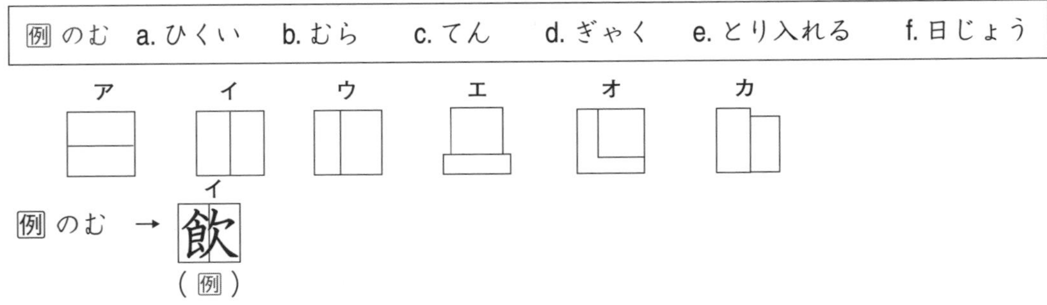

例 のむ → イ 飲 (例)

例 コーヒーを(飲んで)から、家を出た。

1) アラスカは夏でも気温が(　　　)らしいので、セーターを持って行った方がいい。

2) 日本は外国の文化を日本の文化に(　　　　)のが、上手だと言われている。

3) このゲームは家族みんなで遊べる(　　　)がとてもいいと思う。

4) ヨーロッパの小さい(　　　)の出身なので、東京の大きさに驚いた。

5) リラックスするために散歩(さんぽ)をしたら、(　　　)に疲(つか)れてしまった。

6) 日本では(　　　)生活の中で英語の言葉がたくさん使われている。

問題 3 1)～7)の文の＿＿＿に入る言葉を［　　］から選び、適当な形にして書きなさい。そして、その漢字の読み方も書きましょう。

a. 降る	b. 踊る	c. 謝る	d. 破る	e. 逃げる	f. 追いかける	g. 割る	h. 探す

例 雨が＿＿＿てハイキングに行けなくなってしまった。→ 例 a. ふっ

1) おいしいレストランを＿＿＿ているんですが、どこか知りませんか。

2) 約束(やくそく)の時間に遅れてしまったので、友達に何度も＿＿＿た。

3) ガラスのコップを落として＿＿＿てしまった。

4) 間違えて大切な手紙を＿＿＿て捨(す)ててしまった。

5) 飼(か)っていた猫(ねこ)が＿＿＿てしまい、とても悲しいです。

6) あの歌手は歌うのも上手だが、＿＿＿たり、ギターを演奏(えんそう)したりするのも上手だと思う。

7) 窓(まど)から犬が猫(ねこ)を＿＿＿ているのが見えました。

問題 4 a.～d.の漢字を□の中に入れて、言葉を作りなさい。そして、読み方も書きましょう。a.～d.の中で一つだけ言葉を作れない漢字がありますが、それはどれですか。

例 □術　(a. 技　b. 確　c. 手　d. 芸)

→ a. 技術（ぎじゅつ）　c. 手術（しゅじゅつ）　d. 芸術（げいじゅつ）

使えない漢字は(　b.　)です。

1) □然　(a. 自　b. 突　c. 普　d. 全)
使えない漢字は(　　)です。

2) □明　(a. 発　b. 変　c. 証　d. 説)
使えない漢字は(　　)です。

3) □験　(a. 義　b. 実　c. 試　d. 経)
使えない漢字は(　　)です。

4) □場　(a. 会　b. 立　c. 登　d. 完)
使えない漢字は(　　)です。

5) □中　(a. 夜　b. 様　c. 途　d. 世の)
使えない漢字は(　　)です。

6) □者　(a. 患　b. 医　c. 科学　d. 専)
使えない漢字は(　　)です。

7) □い　(a. 怖　b. 甘　c. 確　d. 偉)
使えない漢字は(　　)です。

問題 5 ＿＿に □ の言葉を選んで文を完成させなさい。漢字の場合は読み方、ひらがなの場合は漢字を書きましょう。

例 ア)泳い　イ)島　ウ)観光し　エ)自然 → a.＿が美しい b.＿で c.＿たり、海で d.＿だりした。

→

a.	エ	b.	イ	c.	ウ	d.	ア
	しぜん		しま		かんこうし		およい

例 ア)ともだち　イ)のこって　ウ)たてもの → a.＿＿と一緒に古い b.＿＿が c.＿＿いる町を歩いた。

→

a.	ア	b.	ウ	c.	イ
	友達		建物		残って

1) ア)恥ずかしい　イ)低い　ウ)平均
英語の試験で a.＿＿＿より b.＿＿＿点を取ってしまって c.＿＿＿。

2) ア)途中　イ)毒　ウ)抜いている
ハイキングの a.＿＿＿で、b.＿＿＿きのこを c.＿＿＿人を見たので、「そのきのこは食べてはいけませんよ。」と教えてあげた。

3) ア)かんせい　イ)かがく　ウ)じっけん
a.＿＿＿の b.＿＿＿で使った道具を洗ってから、レポートを c.＿＿＿させようと思っている。

4) ア)しゅじんこう　イ)とうじょう　ウ)たしか　エ)しゃしん
この a.＿＿＿の背(せ)が高い人は、b.＿＿＿新しい映画に医者として c.＿＿＿していた d.＿＿＿の男の人だと思う。

5) ア)こうか　イ)へり　ウ)むら
a.＿＿＿のみんなでリサイクルを始めた b.＿＿＿が現れて、ゴミが c.＿＿＿始めた。

6) ア)ちゅうしん　イ)みなおし　ウ)ほう
現在の食事を a.＿＿＿て、野菜(やさい)を b.＿＿＿とした食事をし、一日に2リットルの水を飲むという健康 c.＿＿＿を始めた。

問題 6 1)～5)の漢字の読み方を書きなさい。そして、絵を見て、その言葉を使って短い文を書きましょう。(文を完成するために必要な言葉があったら、自分で加(くわ)えましょう。)

例　本　泣く　→　読み方：<u>ほん　なく</u>
　　　　　　　　　短い文：<u>泣きながら本を読んでいる。</u>

1) 

偉い　自信　→　読み方：＿＿＿＿＿＿

短い文：＿＿＿＿＿＿

2) 

逃げる　近づく　→　読み方：＿＿＿＿＿＿

短い文：＿＿＿＿＿＿

3) 

講義　謝る　→　読み方：＿＿＿＿＿＿

短い文：＿＿＿＿＿＿

4) 

探す　科学　→　読み方：＿＿＿＿＿＿

短い文：＿＿＿＿＿＿

5) 

主人公　悲劇　→　読み方：＿＿＿＿＿＿

短い文：＿＿＿＿＿＿

問題 7 質問に答えなさい。

Ⅰ) 次の「者」と「表」の漢字は、どんな読み方をしますか。

A. 将来は<u>医者</u>になりたいと思っている。

B. この病院はいつも<u>患者</u>達で混んでいる。

C. <u>表</u>を使って説明すると、分かりやすい。

D. 来週のクラスで、プロジェクトの<u>発表</u>をしなければいけない。

A. の「医者(いしゃ)」は「しゃ」と読み、B. の「患者(かんじゃ)」は「じゃ」と読みます。C. の「表(ひょう)」は「ひょう」で、D. の「発表(はっぴょう)」は「ぴょう」という読み方になります。「者」と「表」のもともとの音読みは「シャ」と「ヒョウ」です。しかし、言葉によっては「シャ」→「ジャ」のように「゛」がついたり、「ヒョウ」→「ピョウ」のように読み方が変わることがあります。言葉を覚える時に注意して下さい。

Ⅱ）a. ～ h. の「者」と「分」を音読み訓(くん)読みに注意して読んでみましょう。

a. 日本には仏教の信者もキリスト教の信者もいます。

b. このページには読者からの意見が書いてある。

c. アメリカの音楽は日本の若者にも人気がある。

d. ニュートン(Newton)は、17 世紀に活躍した科学者だ。

e. 映画は五時三十分から始まります。

f. 南米について勉強したことがないので、南米の歴史はよく分からない。

g. 読み物の最初の部分が一番難しかったと思う。

h. この店では他の店の２分の１の値段で服が買えるらしい。

問題 8 文を読んで質問に答えなさい。

日本には色々な伝統芸能(げいのう)があって、その中の一つに歌舞伎(かぶき)があります。歌舞伎(かぶき)は a. 劇ですが、音楽や b. 踊りも c. 取り入れられていて、現代のミュージカルのようなパフォーマンスです。歌舞伎(かぶき)は d. 確か 17 世紀の初めに e. 登場し、今のスタイルが f. 完成したのは、1650 年頃だったと思います。江戸(えど)時代には歌舞伎(かぶき)は g. 身近な芸能(げいのう)で、江戸(えど)の人々はよく歌舞伎(かぶき)を h. 観ていたようです。

1）a. ～ h. の下線(かせん)の漢字の読み方を書きましょう。

a. 劇　b. 踊り　c. 取り入れ　d. 確か　e. 登場　f. 完成　g. 身近な　h. 観て

2）a. ～ h. の言葉をできるだけたくさん使って、「あなたの国の伝統芸能(げいのう)」について文を書いてみましょう。

第9課

日本の教育

RW 読み方・書き方を覚える漢字

284 制

漢字	読み方	意味	部首	成り立ち	語
制 (8)	セイ	system; control; rule; regulate	刂 りっとう	成り立ち 𠂉(木の枝:twig)+刂(かたな:sward)=木を切って、整える(to trim)→作る、治める(to rule)	規制スル >>> L.10、制限スル、制作スル、制服

例文	読み方	意味
1. 奨学金の**制度**がある学校に入りたい。	セイド	system
2. 高校を卒業したら、4年**制**の大学に行きたいと思う。	セイ	-system

285 満

漢字	読み方	意味	部首	成り立ち	語
満 (12)	マン み(ちる) み(たす)	full; whole; perfect; satisfied	氵 さんずい	成り立ち 氵(水)+㒼(いっぱいになる)=満ちる(to become full)	満員、満月、満点、不満、(18歳)未満、満たす >>> L.15

例文	読み方	意味
1. 皆、テストの結果に**満足して**いるようだ。	マンゾク(して)	to be satisfied
2. 彼の希望を**満たす**アパートを見つけるのは難しい。	み(たす)	to meet

286 進

漢字	読み方	意味	部首	成り立ち	語
進 (11)	シン すす(む) すす(める)	advance; move forward; proceed; progress	辶 しんにょう	成り立ち 辶(行く)+隹(鳥)=鳥が飛ぶように速く行く→進む 画数/形 隹 EX 誰 69	進歩スル、先進国、前進スル、進める >>> L.14

例文	読み方	意味
1. この高校からは東京大学に**進学する**人が多い。	シンガク(する)	to go on
2. このテストの結果がよかったら、上のレベルに**進んで**もいいそうだ。	すす(んで)	to go on

287 協

漢字	読み方	意味	部首	成り立ち	語
協 (8)	キョウ	cooperation	十 じゅう	成り立ち 十(集める)+力が三つ=たくさんの人が力を合わせる(to work together)	協会

例文	読み方	意味
みんなで**協力して**プロジェクトを完成させた。	キョウリョク(して)	to cooperate

288				
位	位位位位位位位 (7)	イ / くらい	position; rank; about / 亻 にんべん	成り立ち 亻(人)+立(たつ)=人が立つ所→位置(いち) (position)

1. 社会的**地位**が高くなれば、給料(きゅうりょう)も高くなるはずだ。 — チイ — position; status
2. スピーチコンテストで**一位**になった。 — イチイ — the first place

単位(たんい) >>> L.6 / (一)位(いちい) >>> L.10 / 位置(いち) / 順位(じゅんい) / 上位(じょうい)⇔下位(かい)

289				
可	可可可可可 (5)	カ	possible; can; approve; permit / 口 くち	音 可＝カという音を表す EX 何、荷、河

私達のチームが勝(か)つ**可能性**は、まだあると思う。 — カノウセイ — possibility

不可欠(ふかけつ)(な) >>> L.12 / 可能(かのう)(な) ⇔不可能(ふかのう)(な) / 許可(きょか)スル / *可愛(かわい)い

290				
原	原原原原原原原原原原 (10)	ゲン / はら	cause; reason; origin; factor / 厂 がんだれ	成り立ち 厂(がけ: cliff)+泉(いずみ: spring)＝水の出る所→初め、もと (origin)

1. 車が動かなくなったので、**原因**を調べてもらった。 — ゲンイン — cause
2. 去年(きょねん)まで**原っぱ**だった所にたくさん家が建(た)った。 — はら(っぱ) — field

原料(げんりょう) >>> L.12 / 原爆(げんばく) / 原稿(げんこう) / 原作(げんさく) / 原子力(げんしりょく) / 原っぱ(はら)

291				
因	因因因因因因 (6)	イン	base; due to; origin; depend on / 囗 くにがまえ	部首 囗 EX 回、図、国、困 64

ストレスは、色々な病気の**原因**になる。 — ゲンイン — cause

死因(しいん)

292				
求	求求求求求求求 (7)	キュウ / もと(める)	seek; wish; desire; want; request; demand / 氺 したみず	音 求＝キュウという音を表す EX 球、救

1. 社員達は給料(きゅうりょう)を上(あ)げるように会社に**要求して**いる。 — ヨウキュウ(して) — to demand
2. 困(こま)った時はいつも友達に助けを**求める**。 — もと(める) — to seek

請求(せいきゅう)スル / 要求(ようきゅう)スル

293 容

容	容	ヨウ	contain; appearance	画数/形 容の下＝欲 97 の左	容易(な)、容器、美容院
	(10)		宀 うかんむり		

1. 国際関係の授業の**内容**は、いつも面白い。 — ナイヨウ — content
2. 「熱い」は**形容詞**です。 — ケイヨウシ — adjective

294 算

算	算	サン	calculate; count	成り立ち ⺮(たけ: bamboo)＋具(そろえる: to arrange)＝竹の棒(stick)を使って数える(to count)こと	算数、予算
	(14)		⺮ たけかんむり		

一か月にいくらお金を使ったか**計算して**みた。 — ケイサン(して) — to calculate

295 等

等	等	トウ ひと(しい)	equal; same; class; rank; etc.; and so on	部首 ⺮ EX 第 228、算 294 画数/形 ⺮＋寺＝等	平等 >>> L.9、⇔不平等、(一)等、上等、等しい
	(12)		⺮ たけかんむり		

1. この会社は男性と女性が**平等に**仕事ができる。 — ビョウドウ(に) — equally
2. 「＝」は**等しい**時に使う。 — ひと(しい) — equal

296 去

去	去	キョ コ さ(る)	go away; depart; leave; go by; remove	類義/反対語 去年＝一年前 昨年＝一年前(フォーマルな場面で使う)	過去 >>> L.11、死去、去る
	(5)		ム む		

1. **去年**、友達とイギリスを二週間旅行した。 — キョネン — last year
2. 台風が**去って**、いい天気になった。 — さ(って) — to leave

297 洋

洋	洋	ヨウ	ocean; western style	メモ 洋＝欧米 類義/反対語 洋⇔和(日本) EX 和食(日本の食べ物／洋食(欧米の食べ物)、和室(たたみの部屋)／洋室(欧米スタイルの部屋)	洋食 >>> L.10、西洋 >>> L.11、洋風 >>> L.11、太平洋 >>> L.15、洋室、東洋
	(9)		氵 さんずい		

セールだったので、**洋服**が安く買えた。 — ヨウフク — (Western) clothes

298 務

務	務 (11)	ム	duty; task; business; affairs	類義/反対語 ・勤める＝仕事をする ・務める＝役(role)や任務(duty; assignment)をする	外務省 公務員 事務 事務所 務める >>> L.14
		つと(める)	力 ちから		

1. 国民は国に税金(tax)を払う**義務**がある。 — ギム — obligation; duty
2. 田中さんは、ラグビーチームのコーチを**務めて**いる。 — つと(めて) — to serve

299 率

率	率 (11)	リツ	rate; ratio; head; lead	部首 十 EX 協 287 メモ 卒→卒業	効率 >>> L.11 効率よく >>> L.11 確率 倍率
			十 じゅう		

この手術の**成功率**は、まだ低いそうだ。 — セイコウリツ — success rate

300 徒

徒	徒 (10)	ト	follower; disciple; pupil; fellow; walk	成り立ち 彳(行く)＋⻌(止：足の形)＋土＝土の上を歩いて進む(to go forward)	徒歩
			彳 ぎょうにんべん		

中学校の**生徒**達が、ボランティアで町の掃除をしていた。 — セイト — pupil; student

301 希

希	希 (7)	キ	hope; desire	部首 巾 EX 常 257 画数/形 希の下＝怖 283 の右	
			巾 はば		

希望の大学に入れて、とても嬉しい。 — キボウ — hope

302 望

望	望 (11)	ボウ	hope; expect; desire; wish; view	部首 ・月→つき＝時間に関係 EX 朝、期 449 ・月→にくづき＝体に関係 EX 育 116、能 117	願望 失望スル 望み 望む
		のぞ(む)	月 つき		

1. ここの学生は、銀行に就職を**希望する**人が多いらしい。 — キボウ(する) — to desire
2. みんなが世界の平和を**望んで**いる。 — のぞ(んで) — to wish

303						
指	指 指	指指指指指指指指指 (9)	シ / ゆび さ(す)	finger; point (to); refer; indicate direct / 扌 てへん	音 旨＝シという音を表す EX 脂	指定席(していせき) 指導(しどう)スル 指(ゆび) 目指す(めざす) >>> L.11
1. 夏休みの電車は混(こ)んでいるので、**指定席**にした方がいいですよ。			シテイセキ	reserved seat		
2. 元旦(がんたん)は一月一日を**指す**言葉です。			さ(す)	**to point; indicate**		
3. ナイフで**指**を切ってしまった。			ゆび	finger		

304						
厳	厳 厳	厳厳厳厳厳厳厳厳厳厳厳厳厳厳厳厳厳 (17)	ゲン / きび(しい)	severe; strict; rigid / ⺍ つ	部首 ⺍ EX 単 67	厳重(げんじゅう)(な)
国際(こくさい)関係学の先生はとても**厳し**かった。			きび(し)	**strict**		

305						
庭	庭 庭	庭庭庭庭庭庭庭庭庭庭 (10)	テイ / にわ	garden; yard; court / 广 まだれ	音 廷＝テイという音を表す EX 艇	校庭(こうてい) 庭(にわ)
1. カレーライスは日本の**家庭**料理の一つだ。			カテイ	**home**		
2. 隣(となり)の家の**庭**にきれいな花が咲(さ)いている。			にわ	garden		

306						
環	環 環	環環環環環環環環環環環環環環環環環 (17)	カン	ring; circle; surround; encircle / 王 おうへん	音 睘＝カンという音を表す EX 還	悪循環(あくじゅんかん) 循環(じゅんかん)スル
環境のために、リサイクルは必要だ。			カンキョウ	**environment**		

307						
就	就 就	就就就就就就就就就就就就 (12)	シュウ	take up; enter; set about; settle oneself / 尢／まげあし 亠／なべぶた	画数/形 就の左＝京	就任(しゅうにん)スル
大学を卒業したら、大きな会社に**就職し**たい。			シュウショク(し)	**to take a job; to be employed**		

308 給

給	給	キュウ	supply; provide; pay; salary; wage	画数/形 糸＋合 52＝給	給食 (きゅうしょく) 供給スル (きょうきゅう) 月給 (げっきゅう) 時給 (じきゅう)
給	(12)		糸 いとへん		

来月の**給料**で新しいコンピュータを買うつもりだ。 | キュウリョウ | salary

309 認

認	認	ニン	recognize; acknowledge; approve; admit; accept	音 忍＝ニンという音を表す	確認スル (かくにん)
認	(14)	みと(める)	言 ごんべん		

日本では20歳になると、大人(おとな)として**認め**られる。 | みと(め) | to acknowledge

310 判

判	判	ハン バン	judge; distinguish	成り立ち 刂(刀：sword)＋半(二つに分ける：to divide)＝ものを二つに分(わ)けて、どちらかに決める →判断(はんだん)する	批判スル (ひはん) >>> L.10 裁判 (さいばん) 裁判所 (さいばんしょ) 評判 (ひょうばん)
判	(7)		刂 りっとう		

1. 一度会っただけで、人を**判断し**ない方がいい。 | ハンダン(し) | to judge
2. あの選手(せんしゅ)はコーチを**批判して**、チームをやめてしまった。 | ヒハン(して) | to criticize

311 断

断	断	ダン	cut off; sever; disconnect; decide; conclude; judge; refuse; obtain consent	部首 斤＝おの(ax)や切ることに関係 画数/形 断の右→折 131 の右	横断歩道 (おうだんほどう) 決断スル (けつだん) 健康診断 (けんこうしんだん) 中断スル (ちゅうだん) 断り (ことわ) >>> L.2 断る (ことわ) >>> L.2
断	(11)	ことわ(る)	斤 おのづくり		

1. データが少ないので、確(たし)かな**判断**ができません。 | ハンダン | judgment
2. 頭(あたま)が痛いから、今晩のデートは**断る**ことにした。 | ことわ(る) | to decline

312 述

述	述	ジュツ	state; mention; express	音 朮＝ジュツという音を表す EX 術 91	記述スル (きじゅつ)
述	(8)	の(べる)	辶 しんにょう		

みんなの前で意見を**述べる**のは苦手(にがて)だ。 | の(べる) | to state; express

313 限

限	画数 (9)	音読み	意味	部首	語彙
限	(9)	ゲン	limit; restrict	部首 阝 EX 際 92、降 238	限界（げんかい）、限度（げんど）、期限（きげん）、制限（せいげん）スル、無限（むげん）(の)、〜とは限ら（かぎ）ない >>> L.14、限る（かぎ）
		かぎ(る) かぎ(り)	阝 こざとへん		

例文	読み	意味
1. 自分の可能性（かのうせい）の**限界**を感じることがある。	ゲンカイ	limitations
2. 私が知っている**限り**、この近くには仏教（ぶっきょう）のお寺はない。	かぎ(り)	as far as

314 基

基	画数	音読み	意味	成り立ち	語彙
基	(11)	キ	base; basis; foundation	成り立ち 土＋其（台：stand）＝物を置（お）く台（だい）→土台（どだい）(foundation)の意味	基本（きほん） >>> L.9、基準（きじゅん）、基礎（きそ）、基地（きち）
		もと	土 つち		

例文	読み	意味
1. 姉はフランス語の**基本的な**日常（にちじょう）会話ができる。	キホンテキ(な)	basic
2. キリスト教（きょう）の考え**に基づいて**教育をする学校がある。	(に)もと(づいて)	based on; according to

315 堂

堂	画数	音読み	意味	成り立ち	語彙
堂	(11)	ドウ	hall; public building; meeting place	成り立ち 土＋尚（高い、広い）＝土台（どだい）(foundation)の上の大きい建物（たてもの）	講堂（こうどう）、国会議事堂（こっかいぎじどう）
			土 つち		

例文	読み	意味
僕の大学の**食堂**は安くておいしい。	ショクドウ	cafeteria

316 似

似	画数	音読み	意味	画数/形	語彙
似	(7)		resemble; be alike; be similar	画数/形 似の右＝以 145	似る（に） >>> L.11、似顔絵（にがおえ）、*真似（まね）スル >>> L.11
		に(る)	亻 にんべん		

例文	読み	意味
1. 田中さんは、顔が彼のお母さんによく**似て**いると思う。	に(て)	to resemble
2. 姉は赤い洋服（ようふく）がよく**似合う**と思う。	にあ(う)	to become

317 否

否	画数	音読み	意味	成り立ち	語彙
否	(7)	ヒ	negate; deny; refuse; decline	成り立ち 不（そうでない）＋口＝〜ではない	
			口 くち		

例文	読み	意味
あの人はいつも他の人の意見を**否定して**ばかりいる。	ヒテイ(して)	to deny

318 定	定 / 定	定定定定定定定定 (8)	テイ	fix; set; determine; decide / 宀 うかんむり	成り立ち 宀(家)＋疋(正しい)＝家の中にいて動かない(決まって動かないもの)→決める	定員(ていいん) 定休日(ていきゅうび) 安定(あんてい)スル ⇔不安定(ふあんてい)(な) 決定(けってい)スル 指定席(していせき) 予定(よてい)
1.「いいえ」は否定の時に使う言葉です。				ヒテイ	denial	
2. 夏の予定(よてい)をまだ決定していない。				ケッテイ(して)	to decide	
3. あの店は、毎週火曜日が定休日だ。				テイキュウビ	regular holiday	

この課で書き方を覚える漢字

落 59 ➡ 第2課 R

幸 195 ➡ 第6課 R

喜 277 ➡ 第8課 R

漢字ミニノート 7 mini note

たくさんある音読み

下の例のように音読みが二つ以上ある漢字があります。それは、なぜでしょうか。中国は長い歴史があり、時代によって言葉の読み方が変わりました。日本人は色々な時代の中国の読み方を取(と)り入(い)れたために、一つの漢字をいくつかの音読みで読むようになったのです。

例) 人　音読み　ジン・ニン　⇨　日本人(にほんじん)、三人(さんにん)

月　音読み　ゲツ・ガツ　⇨　先月(せんげつ)、一月(いちがつ)

行　音読み　コウ・ギョウ・アン　⇨　旅行(りょこう)、行事(ぎょうじ)、行灯(あんどん)

第9課
日本の教育

練習問題

問題 1 下線の漢字の読み方を書きなさい。音読みと訓読みに気をつけましょう。

1) この劇の a. 主人公と b. 主な登場人物は、始めはあまり c. 幸せではなかったが、最後にはみんな d. 幸福になって、終わる。

2) この a. 公立高校を卒業した人には b. 立派な人が多い。それで、この高校に c. 進む人が多かったが、最近は生徒の学力が d. 低下し、大学への e. 進学率が f. 下がってしまった。

3) そのマラソンの選手は a. 足をけがしてしまったが、リハビリ(rehabilitation)をすれば、また b. 満足できる成績(せいせき)を取れるようになると言っていた。

4) a. 殺されたり、b. 自殺したりする人の c. 数が去年より増えた。この d. 数字を見て、とても残念だと思う。

5) 環境問題は世界の国々の考えが a. 決まらなければ、b. 決して c. 解決できないと思う。

問題 2 英語の意味に合うように、1)～6)の□の中に同じ漢字を入れなさい。そして、読み方も書きましょう。

例 a. action; movement　動□ →
b. (a piece of) work　□品 →

a.	動	作	b.	作	品
	どうさ			さくひん	

1) a. duty; obligation　□務 →
b. lecture　講□ →

2) a. cafeteria; dining hall　□堂 →
b. meal　□事 →

3) a. salary　給□ →
b. cooking; dish　□理 →

4) a. student (at junior/senior high school)　□徒 →
b. one's life　人□ →

5) a. equality; impartiality □等 →

b. peace □和 →

6) a. position; status □位 →

b. geography □理 →

問題 3 1)～8)の____に入るように□の中の漢字を組み合わせて言葉を作りなさい。そして、漢字の読み方も書きましょう。

a. 職	b. 者	c. 就	d. 家	e. 希	f. 信	g. 望	h. 庭	i. 因	j. 原

例 日本にはキリスト教の________は少ないらしい。→

例	f.	b.
	しんじゃ	

1) 大学を卒業したら、日本の会社に________したいと思っている。

2) 結婚したら、温(あたた)かい________を作りたい。

3) 子供達の________で、夏の家族旅行は海に行くことにした。

4) ストレスは、色々な病気の________になると言われている。

k. 否	l. 境	m. 基	n. 定	o. 判	p. 本	q. 断	r. 環

5) UFOの存在を________する人の方が多いと思う。

6) 日本では、血液型で性格を________することがあるそうだ。

7) 地球(ちきゅう)(the earth)の________をよくするために、リサイクルは大切だ。

8) どんなスポーツでも________が大事だと言われている。

問題 4 ア)〜ウ)の部首(ぶしゅ)と［　］の漢字の部分を組(く)み合(あ)わせて漢字を作りなさい。そして、その漢字を 1)〜 6)の文に合うように□の中に入れて、英語の意味を選びましょう。

部首(ぶしゅ)：ア)くさかんむり 艹　　イ)うかんむり 宀　　ウ)たけかんむり ⺮

谷	例各	子	洛	古	寺	昇

例 このラーメン屋はおいしいので、いつも□が多い。

(a. person　b. customer　c. young people)

→ イ) 宀 ＋ 各 → | 例 | イ | 客 | b. |

1) 子供の頃から、計□が苦手だ。

(a. calculation　b. study　c. plan)

2) 今度の試験に□ちたら、大学を卒業できなくなる。

(a. to forget　b. to fail　c. to include)

3) 今日の授業の内□は難しくて分からなかった。

(a. talk　b. inside　c. content)

4) 100年前の日本では男性と女性の地位は平□ではなかった。

(a. equal　b. peace　c. important)

5) 世界には、戦争で□しんでいる人がたくさんいる。

(a. to suffer　b. to die　c. to regret)

6) Sudoku は 1 から 9 の数□を 9 × 9 のマス目(め) (grid) に入れるパズルだ。

(a. calculation　b. learning　c. number)

問題 5 ＿＿に □ の言葉を選んで文を完成させなさい。ひらがなは漢字で書きましょう。

例 ア）ともだち　イ）のこって　ウ）たてもの

a.＿＿と一緒に古い b.＿＿が c.＿＿いる町を歩いた。

→

a.	ア		b.	ウ		c.	イ		
	友	達		建	物		残	っ	て

1) ア）しんがく　イ）しあわせ　ウ）くるしん

受験で a.＿＿＿だが、希望の大学に b.＿＿＿できて、今は c.＿＿＿だ。

2) ア）ていか　イ）きょうりょく　ウ）げんいん

最近、生徒達の学力が a.＿＿＿している b.＿＿＿を高校と中学が c.＿＿＿して調べている。

3) ア）かのうせい　イ）きょねん　ウ）へんじ

a.＿＿＿の夏に有名なスポーツ選手に手紙を出したが、春になっても b.＿＿＿がないので、手紙が来る c.＿＿＿は、もうないと思う。

4) ア）よろこんで　イ）たにん　ウ）ようふく

リサイクルショップと呼ばれる a.＿＿＿が着ていた b.＿＿＿を売っている店で、若者達が c.＿＿＿＿、買い物をしていた。

5) ア）せいど　イ）まんぞく　ウ）けっして

日本の受験中心の教育 a.＿＿＿が少し変わって、以前よりはよくなったが、親も子供達も b.＿＿＿、c.＿＿＿しているわけではない。

6) ア）もとめた　イ）ちい　ウ）びょうどう

1960年頃に広がったウーマンリブ(Women's Liberation)という運動(movement)は女性達が男性との a.＿＿＿な社会的 b.＿＿＿を c.＿＿＿運動だ。

問題 6 a.～d.の漢字を読みなさい。そして、a.～d.の中から＿＿に合う言葉を選びましょう。

例（a.気温　b.建物　c.都市　d.島）

東京の夏は、＿＿＿が高いので、好きじゃない。

→

(a.)	きおん	b.	たてもの	c.	とし	d.	しま

1)（a.指して　b.述べて　c.進んで　d.苦しんで）

この文の中の「そこ」は、東京を＿＿＿います。

2)（a.上げる　b.計算する　c.希望する　d.似合う）

彼にはピンク色のシャツがよく＿＿＿＿と思う。

3) (a. 以外　b. 限り　c. 一方　d. 仕方)
日本に行かない＿＿＿＿、このお菓子(かし)は買えません。

4) (a. 主な　b. 決して　c. 厳しい　d. 自由な)
私の父は＿＿＿＿ので、子供の頃、勉強しないといつも怒られた。

5) (a. 述べて　b. 減らして　c. 頼って　d. 出来て)
ある有名な科学者は「私は天才(てんさい)(genius)ではありません。一つのことを長く続けてきただけです。」と本の中で＿＿＿＿いる。

6) (a. 求められた　b. 上げられた　c. 認められた　d. 下げられた)
ゴッホ(Vincent van Gogh)が世の中に＿＿＿＿のは、彼が亡くなってからだった。

7) (a. 含める　b. 似合う　c. 用意する　d. 生む)
大学院生を＿＿＿＿と、この大学の学生の数は１万人ぐらいだ。

8) (a. 現状　b. 常識　c. 統計　d. 私立)
日本では家に入る時に靴(くつ)を脱(ぬ)ぐのが＿＿＿＿です。

問題 7 質問に答えなさい。

Ⅰ)「生」には、次の４つの大きい意味があります。

a. 生まれる(to be born)
b. 生きる(to live)
c. 命 (life) ／命のある間・時間
d. 本を読んでいる人／勉強している人

「学生」は「学校で勉強している人」で、「生」は d. の意味で使われています。「人生」は「人の命のある間・時間」で「生」は c. の意味で使われています。

Ⅱ) 1)～5)の下線(かせん)の言葉は、まだ勉強していない言葉ですが、「生」は a.～d. のどの意味で使われていますか。(　)の中に a.～d. を選んで入れて、その言葉の意味を書きましょう。

例 この町にゲーテ(Goethe)の生家(せいか)がある。→ 生まれた家　(a.)

1) 誕生日(たんじょうび)にチューリップなどの生花(せいか)を贈(おく)ると喜ばれる。

2) 私の生年月日(せいねんがっぴ)は、1985 年 4 月 20 日です。

3) あの人は新入生(しんにゅうせい)なので、まだ学校のことがよく分からないらしい。

4) あの人は自分の半生(はんせい)を本に書いて出版した。

5) 海に出たボートが戻らず、乗っている人の生死(せいし)も分からない。

問題 8 文を読んで質問に答えなさい。

日本のa.教育制度は、6・3・3・4制と呼ばれていて、小学校の6年間と中学校の3年間はb.義務教育になっている。日本の社会はc.学歴社会で、いい大学を卒業しないと、よい会社にd.就職できないと言われている。そのため、皆が有名な大学にe.進学したがり、f.厳しい入学試験に合格するために、g.生徒達は高校の授業が終わった後も塾（じゅく）などでh.必死に勉強する。

1）a.～h.の下線（かせん）の漢字の読み方を書きましょう。

a.教育制度　b.義務　c.学歴　d.就職　e.進学　f.厳しい　g.生徒　h.必死に

2）a.～h.の言葉をできるだけたくさん使って、「あなたの国の教育制度」について文を書いてみましょう。

第10課
日本の便利な店

RW 読み方・書き方を覚える漢字

319 訪

漢字	書き順	読み方	意味	メモ	語彙
訪	訪 訪 訪 訪 訪 訪 訪 訪 訪 訪 訪 (11)	ホウ おとず(れる) たず(ねる)	visit; call on 言 ごんべん	音 方＝ホウという音を表す EX 放233、芳、倣 メモ 訪＋国を表す漢字でその国を訪(おとず)れるという意味 EX 訪日(ほうにち)、訪米(ほうべい)	訪問(ほうもん)スル 訪(たず)ねる

例文	読み方	意味
1. 日本の家を**訪問する**時の特別なマナーがありますか。	ホウモン(する)	to visit
2. 毎年、たくさんの人が京都を**訪れる**。	**おとず(れる)**	**to visit**

320 景

漢字	書き順	読み方	意味	メモ	語彙
景	景 景 景 景 景 景 景 景 景 景 景 景 (12)	ケイ	scene; scenery; view 日 ひ	音 京＝キョウ／ケイという音を表す この漢字ではケイという音を表す	景気(けいき) 光景(こうけい) 夜景(やけい) *景色(けしき) >>> L.1

例文	読み方	意味
1. これは九州(きゅうしゅう)のお祭(まつ)りの**風景**を描(か)いた絵(え)です。	**フウケイ**	**scenery**
2. 山の上から見える**景色**はすばらしかった。	ケシキ	view; scene

321 冷

漢字	書き順	読み方	意味	メモ	語彙
冷	冷 冷 冷 冷 冷 冷 冷 (7)	レイ つめ(たい) ひ(える) ひ(やす) さ(める) さ(ます)	cold; chilly; cool 冫 にすい	部首 冫＝氷(こおり)(ice)や寒さに関係 EX 凍334 音 令＝レイという音を表す EX 齢487、令、零	冷静(れいせい)(な) 冷蔵庫(れいぞうこ) 冷房(れいぼう) 冷(ひ)やす >>> L.10 冷(さ)ます 冷(さ)める 冷(ひ)える

例文	読み方	意味
1. 料理をする時間がないので、今晩は**冷凍**のピザにしよう。	**レイトウ**	**frozen**
2. 夏の暑い日には、よく a. **冷えた** b. **冷たい** 飲み物が欲(ほ)しくなる。	a. ひ(えた) b. **つめ(たい)**	a. to get cold b. **cold**

322 区

漢字	書き順	読み方	意味	メモ	語彙
区	区 区 区 区 (4)	ク	district; ward; zone; section; division 匚 かくしがまえ	部首 匚＝区切(くぎ)る(to divide)ことに関係 EX 医	区(く) 区域(くいき) 区切(くぎ)る 区別(くべつ)スル

例文	読み方	意味
オーストラリアのこの**地区**のワインは、とてもおいしい。	**チク**	**district; area**

323 危

危 危 (6)

音 / 訓	意味 / 部首	成り立ち	語
キ	dangerous; risky; perilous	成り立ち ⺈(人)＋厂(がけ: cliff)＋㔾(人がひざまづいている: to kneel) →危ない(あぶない) →危	危機(きき)
あぶ(ない)	卩(㔾) ふしづくり		危ない(あぶない)

例文	読み	意味
1. この川は**危険な**ので泳(およ)がないで下さい。	**キケン(な)**	**dangerous**
2. **危ない**ので、車が多い道では遊(あそ)ばない方がいい。	あぶ(ない)	dangerous

324 険

険 険 (11)

音 / 訓	意味 / 部首	成り立ち	語
ケン	danger; risk; steep; precipitous	音 㑒＝ケンという音を表す EX 験、剣 466、検	冒険(ぼうけん)
けわ(しい)	阝 こざとへん		保険(ほけん) 険しい(けわしい)

例文	読み	意味
運転をしながら電話をするのは**危険**だ。	**キケン**	**dangerous**

325 役

役 役 (7)

音 / 訓	意味 / 部首	成り立ち	語
ヤク	service; public service; duty; post; role; part; usefulness	画数/形 殳 EX 投 133、段 160、殺 206	役者(やくしゃ) (市/区)役所(し/く やくしょ) 役人(やくにん) 役立つ(やくだつ) 役割(やくわり) 主役(しゅやく)
	彳 ぎょうにんべん		

例文	読み	意味
1. 友達は**市役所**で働いている。	シヤクショ	city hall
2. 漢字の勉強に**役に立つ**コンピュータのソフトを買った。	**ヤク(に)た(つ)**	**to be useful**

326 省

省 省 (9)

音 / 訓	意味 / 部首	成り立ち	語
ショウ セイ	omit; exclude; save; reflect on oneself; ministry	成り立ち 目＋少(小さくする)＝目を小さく(細(ほそ)く)して見る→少なくする 音 少＝ショウという音を表す EX 抄	省略スル(しょうりゃく) (文部科学)省(もんぶかがくしょう) 反省スル(はんせい)
はぶ(く)	目 め		省く(はぶく)

例文	読み	意味
1. 新しくテレビを買うなら、**省エネ**型(がた)を買った方がいい。	**ショウ(エネ)**	**energy saving**
2. 説明(せつめい)を**省いた**ら、よく分からないと言われてしまった。	はぶ(いた)	to omit

327 報

報 報 (12)

音 / 訓	意味 / 部首	成り立ち	語
ホウ	report; inform; notify; repay; return	部首 土 EX 基 314、堂 315 画数/形 報の左＝幸 195	報道スル(ほうどう) >>> L.14 報告スル(ほうこく) 通報スル(つうほう) 天気予報(てんきよほう) 電報(でんぽう)
	土 つち		

例文	読み	意味
1. インドに旅行に行く前に色々な**情報**を集めた。	**ジョウホウ**	**information**
2. 何か問題があったら、すぐに**報告して**下さい。	ホウコク(して)	to report

328 独

独	独 / 独	(9)	ドク / ひと(り)	single; alone	類義/反対語 ・一人＝人を数える時 ・独り＝他に人がいないという意味 EX 独り言 (talking to oneself) メモ 独＝ドイツ(独逸)を表す EX 独語(ドイツ語)、独文(ドイツ文学)	独自(の) >>> L.11 / 独特(の) >>> L.11 / 独学スル / 独立スル / 独り言
部首				犭 けものへん		

1. 結婚していると思ったら、あの人はまだ**独身**だったんですね。 | ドクシン | single
2. 私の兄はよく**独り言**を言う。 | ひと(り)ごと | talking to oneself

329 遠

遠	遠 / 遠	(13)	エン / とお(い)	far; distant	成り立ち ⻌(行く)＋袁(長い)＝長い間道を歩く→遠い 類義/反対語 遠い⇔近い	遠足 / 遠慮スル / 永遠
部首				⻌ しんにょう		

1. **遠慮し**ないで食べて下さい。 | エンリョ(し) | to hesitate
2. ブラジルは日本からとても**遠い**と思う。 | とお(い) | far away

330 並

並	並 / 並	(8)	ヘイ / なみ / なら(ぶ) / なら(べる)	line up; stand side by side in a row; arrange; ordinary; average	成り立ち 二人の人が横に並んで立つ形＝並ぶ	並列 / 並(の) / 並ぶ / ～と並んで >>> L.11
部首				ソ そ		

1. テーブルの上にお皿を**並べて**下さい。 | なら(べて) | to place; set up
2. メニューの特上、上、**並**の中から、並のお寿司を注文した。 | なみ | regular; standard

R 読み方を覚える漢字

331 販

販	販 / 販	(11)	ハン	sell; trade	音 反189＝ハンという音を表す EX 飯、板459、坂	販売スル >>> L.10
部首				貝 かいへん		

駅の**自動販売機**でジュースを買った。 | ジドウハンバイキ | vending machine

332 街

街	街 / 街	(12)	ガイ / まち	town; district; street	類義/反対語 ・町＝人が住んでいる家が集まっている所 ・街＝店などが道に沿って(along)ある所	住宅街 / 商店街
部首				行 ぎょうがまえ		

1. ニューヨークにもロンドンにも**中華街**がある。 | チュウカガイ | China town
2. シドニーの**街**には和食が食べられるレストランが多い。 | まち | town; city

333 及

及	及 及 及 (3)	キュウ	reach; extend over; exert; cause	音 及＝キュウという音を表す EX 級 406、吸	普及(ふきゅう)スル >>> L.10 追及(ついきゅう)スル 及(およ)ぶ 及(およ)ぼす
及		およ(び) およ(ぶ) およ(ぼす)	ノ／はらいぼう 又／また		

例文	読み	意味
1. 日本の携帯(けいたい)電話の**普及率**はとても高い。	フキュウリツ	diffusion ratio
2. 政治(せいじ)のクラスで50ページに**及ぶ**レポートを読まされた。	およ(ぶ)	to reach; as long as

334 凍

凍	凍 凍 凍 凍 凍 凍 凍 凍 凍 凍 (10)	トウ	freeze; ice	部首 冫 EX 次、冷 321 音 東＝トウという音を表す EX 棟	解凍(かいとう)スル 凍(こお)る
凍		こお(る)	冫 にすい		

例文	読み	意味
1. **冷凍**食品(しょくひん)は便利だから、よく売れるらしい。	レイトウ	frozen
2. この地方(ちほう)はとても寒くて、冬には川さえ**凍る**ことがある。	こお(る)	to freeze

335 犯

犯	犯 犯 犯 犯 犯 (5)	ハン	crime; offence; offend; violate	部首 犭＝犬や動物に関係 成り立ち 犭(犬)＋㔾(害(がい)る: to harm)＝犬が人を害(がい)する→犯(おか)す (to offend)	犯行(はんこう) 犯人(はんにん) 防犯(ぼうはん) 犯(おか)す
犯		おか(す)	犭 けものへん		

例文	読み	意味
1. **犯罪**が少ない街(まち)を作るためにみんなで協力(きょうりょく)しよう。	ハンザイ	crime
2. 犯罪をa. **犯した**人をb. **犯人**という。	a. おか(した) b. ハンニン	a. to commit b. criminal

336 罪

罪	罪 罪 罪 罪 罪 罪 罪 罪 罪 罪 罪 罪 罪 (13)	ザイ	crime; offence; sin; guilt	部首 罒 EX 置 177	有罪(ゆうざい)⇔無罪(むざい) 罪(つみ)
罪		つみ	罒 あみがしら		

例文	読み	意味
1. シンガポールでは、街(まち)にごみを捨(す)てると**犯罪**になります。	ハンザイ	crime
2. 人のことを悪く言うと**罪**になることがあります。	つみ	crime

337 盗

盗	盗 盗 盗 盗 盗 盗 盗 盗 盗 盗 盗 (11)	トウ	steal; rob; plagiarize	部首 皿 EX 皿 174	盗難(とうなん) 強盗(ごうとう) 盗(ぬす)み
盗		ぬす(む)	皿 さら		

例文	読み	意味
1. 最近、自転車の**盗難**が増(ふ)えているようだ。	トウナン	theft
2. 人の物を**盗む**のは犯罪(はんざい)だ。	**ぬす(む)**	**to steal**

338	壊	カイ / こわ(れる) こわ(す)	break (down); destroy; smash / 土 つちへん	音 褱=カイという音を表す EX 懐	破壊スル >>> L.15 / 壊れる >>> L.10
(16)					

1. MP3のファイルを**破壊する**ウィルスがあるらしい。 — ハカイ(する) — to destroy
2. デジカメを落として**壊して**しまった。 — こわ(して) — to break

339	著	チョ	author; write; publish; conspicuous; prominent / 艹 くさかんむり	類義/反対語 ・著者=本を書いた人 ・作者=文章や詩などの作品を書いた人、芸術作品をつくった人	著作権 / 著書 / 著名(な)
(11)					

この本の**著者**が来年私の大学で教えることになった。 — チョシャ — author

340	氏	シ	family; surname; Mr.; Ms.; Mrs. / 氏 うじ	文法 ・氏→尊敬や親しみの気持ちを持たないで丁寧さを表す ・さん→丁寧な言い方で親しみも表す。普通は直接(directly)相手に向かってさんの代わりに氏を使うことはない	氏名
(4)					

ニュースでビル・ゲイツ**氏**のインタビューが放送された。 — シ — Mr.

341	製	セイ	manufacture; make; produce; made in- ; made of~ / 衣 ころも	成り立ち 衣(ぬの : cloth)+制 284 (切る)=ぬのを切って服を作る→作る	製品 >>> L.12 / 製作スル / 製造スル / ガラス製
(14)					

1. テレビを買うなら日本**製**のテレビがいいですよ。 — セイ — –made; made in~
2. 「となりのトトロ」を**製作した**人は、宮崎駿だ。 — セイサク(した) — to produce

342	械	カイ	machinery; device; instrument / 木 きへん	音 戒=カイという音を表す	機械化スル
(11)					

今は**機械**で、寿司も作れるようになった。 — キカイ — machine

343

宣

宣 宣

宣 宣 宣 宣
宣 宣 宣 宣
宣 (9)

セン

declare; announce; publicize; proclaim

宀
うかんむり

成り立ち 宀(家)＋亘(めぐる：to circle)＝家の周(まわ)りの垣根(かきね)(fence)→周(まわ)りに行(い)き渡(わた)る(to spread)

宣言(せんげん)スル

例文	読み	意味
雑誌(ざっし)で**宣伝して**いたジュースを買った。	センデン(して)	to publicize; advertise

344

徴

徴 徴

徴 徴 徴 徴
徴 徴 徴 徴
徴 徴 徴 徴
徴 徴 (14)

チョウ

sign; indication; symptom

彳
ぎょうにんべん

類義/反対語
・特徴(とくちょう)＝他のものと比べて目立(めだ)って(to stand out)いるところ
・特長(とくちょう)＝他のものと比べていいところ

象徴(しょうちょう)

例文	読み	意味
日本語は母音(ぼいん)(vowel)が少ないという**特徴**がある。	トクチョウ	special feature; characteristic

345

批

批 批

批 批 批 批
批 批 批 (7)

ヒ

criticism; critique

扌
てへん

成り立ち 扌(手)＋比 42 (くらべる)＝ものを並(なら)べて、いいことか悪いことかをはっきりさせる

批判的(ひはんてき)

例文	読み	意味
日本のマンガ文化を**批判する**人達がいる。	ヒハン(する)	to criticize

346

策

策 策

策 策 策 策
策 策 策 策
策 策 策 策 (12)

サク

plan; scheme; measure

⺮
たけかんむり

部首 ⺮ EX 第 228、算 294、等 295

政策(せいさく) >>> L.14
解決策(かいけつさく)

例文	読み	意味
国は環境(かんきょう)をもっとよくする**対策**を考えるべきだ。	タイサク	countermeasure

347

缶

缶 缶

缶 缶 缶 缶
缶 缶 (6)

カン

can; canister; tin

缶
かん／ほとぎ

文法 缶(かん)を数(かぞ)える時に使う EX 一缶(ひとかん)、二缶(ふたかん・にかん)、三缶(さんかん)

缶入(かんい)り >>> L.10
缶切(かんき)り
缶詰(かんづめ)
空(あ)き缶(かん)

例文	読み	意味
缶のジュースと瓶(びん)(bottle)のジュースとどちらの方がいいですか。	カン	can

348

導

導 導

導 導 導 導
導 導 導 導
導 導 導 導
導 導 導 (15)

ドウ
みちび(く)

guide; lead; teach; conduct

寸
すん

成り立ち 道＋寸(手)＝道を手を引(ひ)いて(to lead someone by the hand)歩く→導(みちび)く(to lead)

指導(しどう)スル
指導者(しどうしゃ)

例文	読み	意味
この会社ではフレックスタイム(flextime)制(せい)を**導入する**そうだ。	ドウニュウ(する)	to introduce

349						
規	規 / 規	規 規 規 規 規 規 規 規 規 規 規 (11)	キ	regulation; rule; standard / 見 みる	部首 見 EX 親、覚 19、観 26	規則(きそく) >>> L.13 / 不規則(ふきそく)(な)
あの会社は工場から出るCO_2の量(りょう)を**規制して**いる。				キセイ(して)	**to regulate**	

350						
替	替 / 替	替 替 替 替 替 替 替 替 替 替 替 替 (12)	か(わる) / か(える)	exchange; replace; substitute / 日 ひ	類義/反対語 替(か)える／替(か)わる =新しい物にかえる／かわる(to change)時 EX 円(えん)をドルに替える	着替(きが)える / 取(と)り替(か)える / 両替(りょうがえ)スル
1. これ、少し小さいので、もう少し大きいのに**替えて**下さい。				か(えて)	**to exchange**	
2. 成田(なりた)空港でドルを円に**両替する**つもりだ。				リョウがえ(する)	to exchange	

この課で書き方を覚える漢字

身 34 ➡ 第1課 R

将 101 ➡ 第3課 R

情 236 ➡ 第7課 R

漢字ミニノート 8 mini note

間違えやすい漢字(同音異義語(どうおんいぎご))

漢字には読み方が同じでも、意味が違う言葉がたくさんあります。特にコンピュータを使う時などは、漢字の意味をよく考えて、注意して選びましょう。

例) れい ＝例：example　礼：bow

どうし＝動詞：verb　同士：each other

いと ＝糸：string　意図：intention

きかい＝機会：chance　機械：machine

第10課
日本の便利な店

練習問題

問題 1 下線(かせん)の漢字の読み方を書きなさい。音読みと訓(くん)読みに気をつけましょう。

1) この自動 a.販売機で b.売られているジュースは、去年日本で一番の c.売り上げだった。

2) バナナを1時間ぐらい a.冷凍して、b.冷やしてから食べるとシャーベット(sherbet; sorbet)のようで、c.冷たくてとてもおいしい。

3) このレストランは他の店と比べて値段は a.安くないが、オーガニック(organic)の b.安全な野菜(やさい)を使っているので、c.安心して食べられる。

4) 外国人が a.好む b.和食は天ぷらだと聞いたが、私の外国人の友人は天ぷらは c.好きじゃないし、d.食べないそうだ。

5) a.子供が寒いと言う日には、b.電子レンジで牛乳(ぎゅうにゅう)を c.温めて飲ませたり、スープなどの d.温かい食べ物を食べさせてあげましょう。

6) a.夕方、友達に会った時、日本語の勉強の b.仕方がよく分からないと話したら、単語を覚えるいい c.方法を教えてくれた。

問題 2 a.～d.の漢字を読みなさい。そして、a.～d.の中から____に合う言葉を選びましょう。

例 (a. 気温　b. 建物　c. 都市　d. 島)
東京の夏は、_____が高いので、好きじゃない。

→

ⓐ	きおん	b.	たてもの	c.	とし	d.	しま

1) (a. 冷やして　b. 壊して　c. 通って　d. 並べて)
お客さん達が来る前に、このコップをテーブルの上に_____おいて下さい。

2) (a. 売れる　b. 盗む　c. 替える　d. 好む)
環境のために、今のテレビを省エネ型のテレビに_____つもりだ。

3) (a. 区　b. 氏　c. 位　d. 製)
アメリカの副大統領(ふくだいとうりょう)(vice-president)だったアル・ゴア_____は環境問題についての映画を作った。

4) (a. 信頼　b. 近所　c. 導入　d. 事実)
来年から、その国ではICチップの入った新しいパスポートが_____されるそうだ。

5)（a. 現金　b. 変化　c. 味方　d. 対策）
インターネットを使った犯罪が増えたので、国は何か＿＿＿を考えなければいけない。

6)（a. 頃　b. 製　c. 氏　d. 割）
イタリア＿＿＿の鞄（かばん）は値段が高いが、日本でもとても人気がある。

問題 3 1)～8)の＿＿に入るように［　］の中の漢字を組（く）み合（あ）わせて言葉を作りなさい。そして、漢字の読み方も書きましょう。

a. 普	b. 制	c. 罪	d. 単	e. 批	f. 犯	g. 規	h. 判	i. 簡	j. 及

例 昨日の試験はとても＿＿＿＿だった。→

例	i.	d.
	かんたん	

1) CO_2の量を＿＿＿＿してオゾン層（そう）(ozone layer)を守らなければならない。

2) 日本でテレビが一般的に＿＿＿＿したのは、1960年頃だ。

3) ＿＿＿＿のない安全で住みやすい社会を作りたいと思う。

4) 学歴社会はよくないと＿＿＿＿する人は多いが、問題はなかなか解決されない。

k. 徴	l. 凍	m. 著	n. 特	o. 冷	p. 者	q. 機	r. 械

5) ご飯がたくさん残ったので＿＿＿＿しておくことにした。

6) この本屋では有名な小説の＿＿＿＿のサインが入った本が買える。

7) このノートパソコンの＿＿＿＿は、小さくて軽（かる）いということだ。

8) 現在では人じゃなくて＿＿＿＿でも、おいしい寿司（すし）が作れるようになった。

問題 4 左の[A. B. C.]と右の[ア. イ. ウ.]の漢字の部分を組(く)み合(あ)わせて、文の□の中に入れる漢字を作りなさい。漢字の読み方も書きましょう。

例 最近の子供は外で遊ばないので、運動□力が下がっているらしい。

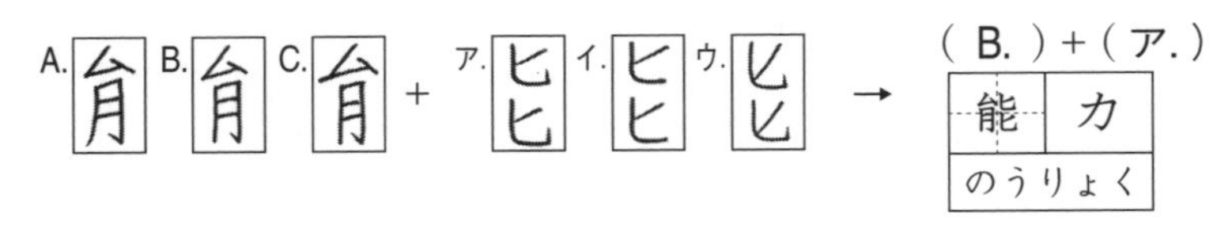

1）アパートから駅までは□いので、毎日バスを使っている。

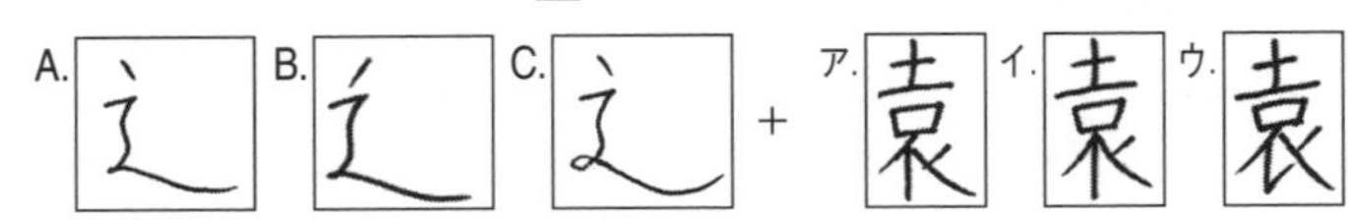

2）□身の時はよく旅行をしたが、結婚してからあまり行かなくなった。

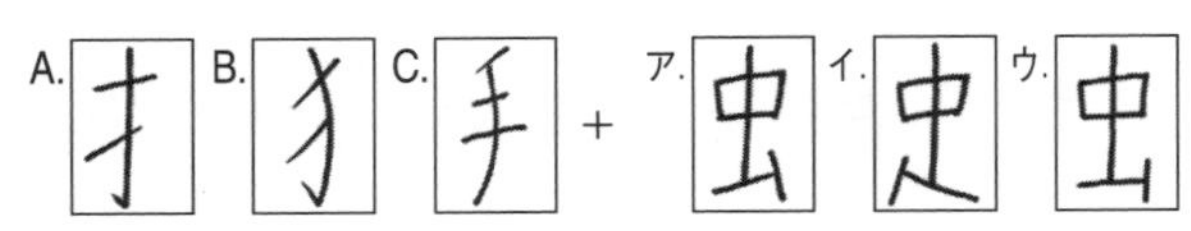

3）大学に入る前に、大学について色々な情□を集めた方がいい。

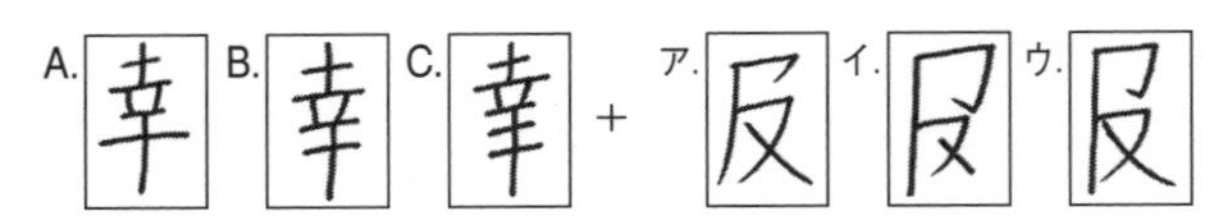

4）□来、コンピュータはもっと小さくなって便利になるだろう。

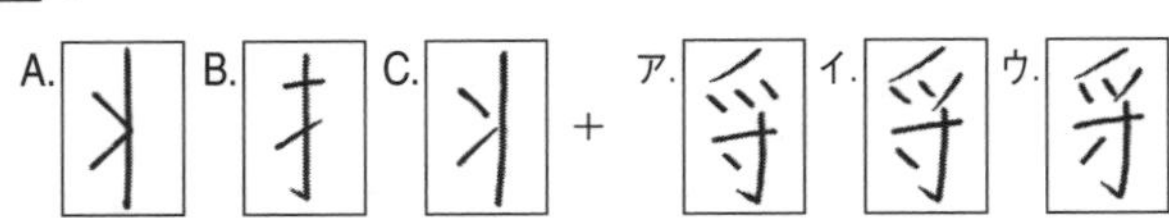

5）台風(たいふう)が来ている時にサーフィンをするのは、危□だと思う。

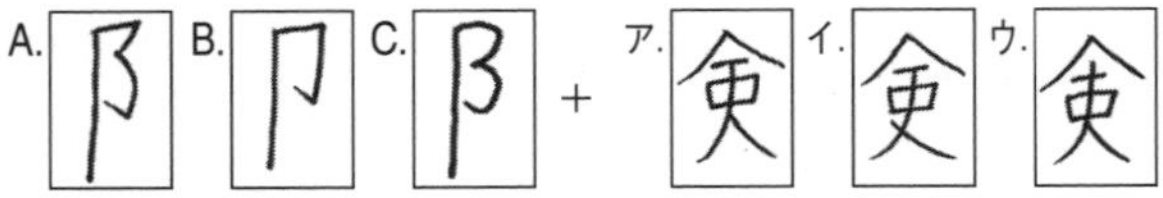

6）暑い日は□たい飲み物が飲みたくなる。

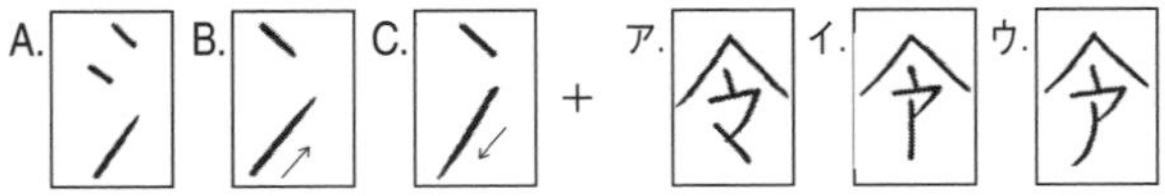

問題 5 ＿＿に［　　］の言葉を選んで文を完成させなさい。ひらがなは漢字で書きましょう。

例 ［ア）ともだち　イ）のこって　ウ）たてもの］　a.＿と一緒に古い b.＿が c.＿いる町を歩いた。

→

a.	ア		b.	ウ		c.	イ		
	友	達		建	物		残	っ	て

1) ［ア）ふうけい　イ）ちく　ウ）おとずれる］
このa.＿＿＿は、昔の日本のb.＿＿＿が残っているので、c.＿＿＿人が多い。

2) ［ア）じょうほう　イ）やくにたつ　ウ）しょうエネ］
環境を考えるインターネットのサイトには、a.＿＿＿にb.＿＿＿たくさんのc.＿＿＿が書かれている。

3) ［ア）ならべ　イ）とおい　ウ）しょくひん］
ここにa.＿＿＿られているb.＿＿＿は、c.＿＿＿町から、深夜にトラックで運ばれて来る。

4) ［ア）あんぜん　イ）あんしん　ウ）きけん］
ニューヨークの街は以前は観光客にとってa.＿＿＿な所だと言われていたが、現在はとてもb.＿＿＿になり、c.＿＿＿して観光が出来るようになった。

5) ［ア）しょうらい　イ）あたたかい　ウ）どくしん］
今はa.＿＿＿だけれど、b.＿＿＿は結婚して、c.＿＿＿家庭を持ちたい。

6) ［ア）とおり　イ）じどう　ウ）つめたい］
日本ではa.＿＿＿にあるb.＿＿＿販売機で、いつでもc.＿＿＿飲み物が買える。

問題 6 1)～3)の漢字の読み方を書きなさい。そして、絵を見て、その言葉を使って短い文を書きましょう。

例　本　泣く　→　読み方：ほん　なく
　　　　　　　　短い文：泣きながら本を読んでいる。

1)
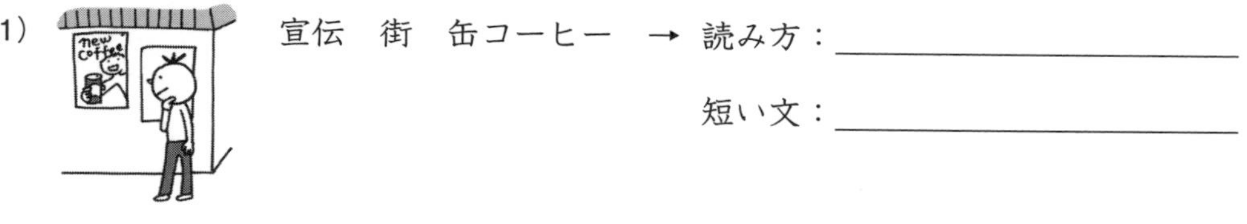
宣伝　街　缶コーヒー　→　読み方：＿＿＿＿＿＿＿＿＿＿
　　　　　　　　　　　短い文：＿＿＿＿＿＿＿＿＿＿

2) 盗む　壊す　自動販売機　→　読み方：＿＿＿＿＿＿＿＿

短い文：＿＿＿＿＿＿＿＿

3) 電子レンジ　深夜　温める　→　読み方：＿＿＿＿＿＿＿＿

短い文：＿＿＿＿＿＿＿＿

問題7 漢字の組み合わせには色々な組み合わせがありますが、その中の一つに、形容詞＋名詞という組み合わせがあります。例えば、近所＝近い所、悲劇＝悲しい劇などです。
下線の形容詞と名詞でできている漢字の言葉の意味をa.～d.から選びましょう。

例　クレオパトラは、美人だったと言われている。
(a. strong person　b. beautiful person　c. tall person　d. kind person)　→　b.

1) この魚は深海に住んでいるので、目がなくなってしまったそうです。
(a. inshore　b. open sea　c. blue ocean　d. deep sea)

2) このイチゴ(strawberry)は温室で作られているので、冬でも食べられる。
(a. greenhouse　b. steam bath　c. drying room　d. darkroom)

3) テレビを見ていたら、速報で大きい地震のニュースが流れた。
(a. good news　b. breaking news　c. sad news　d. bad news)

4) 遠方から友達が遊びに来てくれて、とても嬉しかった。
(a. suburb　b. the tropics　c. isolated island　d. faraway)

5) 冷夏で野菜が育たないので、野菜の値段が高くなっている。
(a. hot winter　b. warm winter　c. cool summer　d. hot summer)

問題 8 文を読んで質問に答えなさい。

日本には全(すべ)ての a.商品が100円で買える100円ショップという店がある。100円ショップが b.街に c.普及したのは d.1995年頃だと言われている。店では e.生活用品から f.食料品まで何でも100円で買える。安く売るために、日本以外の国で作った外国 g.製の商品が多いが、少しでも安く買いたいという h.消費者の i.心理を j.利用して、人気がとても高い。

1) a.～j.の下線(かせん)の漢字の読み方を書きましょう。

a.商品　b.街　c.普及　d.(1995)年頃　e.生活用品　f.食料品　g.製　h.消費者
i.心理　j.利用

2) a.～j.の言葉をできるだけたくさん使って、「あなたの国の便利な店」について文を書いてみましょう。

漢字 クロスワードパズル（第１課～第９課の漢字）

タテ・ヨコのヒントを読んで、マス目 (grid) の中に漢字２文字の言葉を入れましょう。（点線(てんせん) (dotted line) の中は漢字１文字の言葉です。）

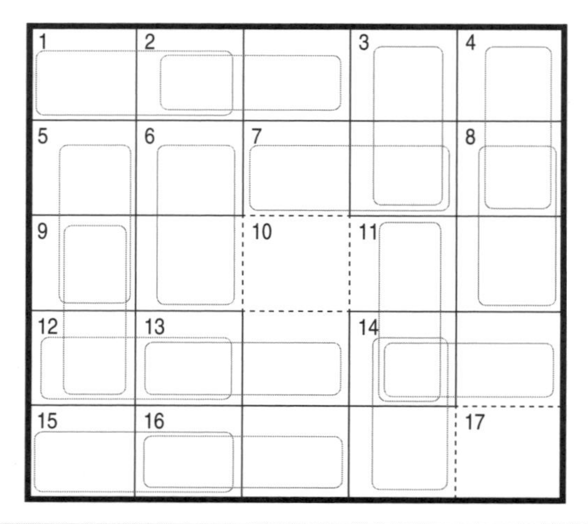

ヨコのヒント

1. 夜になる少し前です。
2. ダイエットには色々な＿＿＿＿があります。
7. 「たくさん勉強したから、いい成績(せいせき)が取れました。」の「いい成績(せいせき)が取れました」は、よく勉強した＿＿＿＿です。
10. ブッダのことです。（1 文字）
12. 高校の授業で車の工場を＿＿＿＿しに行くことになっている。
13. 勉強と同じ意味の言葉です。
14. 東京の＿＿＿＿は、約 1300 万人です。
15. たいてい生まれて育った場所です。
16. 自分のそば、周りという意味です。
17. 町よりも小さい所です。（1 文字）

タテのヒント

3. ビタミンＣは風邪(かぜ)の予防(よぼう) (prevention) に＿＿＿＿があります。
4. 全部できたということです。
5. スパゲティを作るので、パスタとトマトを＿＿＿＿しておいた。
6. お年寄りや子供じゃない人です。
8. ビジネスで＿＿＿＿して、お金持ちになった。
9. 考えや思ったことです。
11. グループの反対です。
14. 世界的に有名な日本の＿＿＿＿には、オノ・ヨーコやイチローがいます。

第11課

日本の歴史(れきし)

RW 読み方・書き方を覚える漢字

351 各

音読み	カク
意味	each; every; respective; various
部首	夂／ふゆがしら 口／くち
画数	(6)
音	各＝カクという音を表す EX 格98、客153、閣
語彙	各国(かっこく)、各自(かくじ)、各種(かくしゅ)

1. 東京には日本の**各地**から若者が集まって来る。 — カクチ — various locations
2. **各自**で好きなトピックを選んで研究発表をすることになった。 — カクジ — each person

352 税

音読み	ゼイ
意味	tax; duty
部首	禾 のぎへん
画数	(12)
部首	禾 EX 種123、科249
画数/形	兑 EX 説15
語彙	税(ぜい)、税関(ぜいかん)、消費税(しょうひぜい)

税金を払(はら)うのは国民(こくみん)の義務(ぎむ)です。 — ゼイキン — tax

353 支

音読み	シ
訓読み	ささ(える)
意味	support; branch; payment
部首	支 しにょう
画数	(4)
成り立ち	手で竹(たけ)(bamboo)を持つ→支(ささ)える(to support)
画数/形	支 EX 技90、枝
語彙	支持(しじ)スル >>> L.14、支社(ししゃ)、支出(ししゅつ)、支店(してん)、支配(しはい)スル、支払(しはら)い、支(ささ)える

1. 家賃(やちん)は毎月25日に**支払う**ことになっている。 — シはら(う) — to pay
2. 若い社員達がこの会社のa. **支店**をb. **支えて**いる。 — a. シテン b. ささ(えて) — a. branch b. to support

354 季

音読み	キ
意味	seasons
部首	子 こ
画数	(8)
成り立ち	禾(穀物(こくもつ): grain)＋子＝穀物(こくもつ)の種(たね)(seed)→種(たね)ができる時→季節(きせつ)
語彙	四季(しき) >>> L.13、季語(きご) >>> L.13

日本にはa. **四季**があるが、ハワイのb. **季節**はいつも夏だ。 — a. シキ b. キセツ — a. four seasons b. season

355 節

音読み	セツ
意味	node; joint; season; time; occasion; save
部首	⺮ たけかんむり
画数	(13)
部首	⺮ EX 策 346

語彙: 節約スル(せつやく)、関節(かんせつ)

秋はりんごがおいしい**季節**だ。 | キセツ | season

356 非

音読み	ヒ
意味	not; un-; non-; wrongdoing; wrong
部首	非 あらず
画数	(8)
成り立ち	鳥の右と左の羽(はね)(wing)は反対(はんたい)を向(む)いている→反対(はんたい)、そうではない
画数/形	非 EX 輩 139、悲 221

語彙: 非科学的(ひかがくてき)、非常口(ひじょうぐち)、非常識(ひじょうしき)、非難スル(ひなん)、是非(ぜひ)

日本への留学が出来なくなって、**非常に**残念(ざんねん)だ。 | ヒジョウ(に) | extremely; greatly

357 共

音読み	キョウ
訓読み	とも
意味	joint; untied; together; both
部首	八 はち
画数	(6)
成り立ち	物を両手(りょうて)で持っている様子(ようす)＝右と左の手が一緒に動く→一緒に／共(とも)に
音	共＝キョウという音を表す EX 供 78、恭

語彙: 共通(の)(きょうつう) >>> L.15、共学(きょうがく)、共同スル(きょうどう)、公共(の)(こうきょう)、共働き(ともばたら)、共(に)(とも) >>> L.14

1. 彼と私は**共通**の友達がたくさんいる。 | キョウツウ | common
2. 寿司(すし)も天ぷらも**共に**日本人が好きな食べ物だ。 | とも(に) | both
3. 子供**と共に**親が参加(さんか)するサマーキャンプに行った。 | (と)とも(に) | **with; along with**

358 士

音読み	シ
意味	samurai; Japanese warrior; professional; man of learning/ virtue
部首	士 さむらい
画数	(3)
部首	士 EX 売、声 76

語彙: 宇宙飛行士(うちゅうひこうし)、博士(博士)(はかせ／はくし)、武士(ぶし)、弁護士(べんごし)、力士(りきし)

友達**同士**で卒業旅行に行くつもりだ。 | ドウシ | among

359 政

音読み	セイ
意味	government; politics
部首	攵 ぼくづくり
画数	(9)
成り立ち	正(ただしい)＋攵(動作：action)＝間違ったことを正しくすること→政治(せいじ)(politics)

語彙: 政治(家)(せいじか) >>> L.14、政策(せいさく) >>> L.14、政党(せいとう) >>> L.14、政治的(せいじてき)、国政(こくせい)

1. アメリカ**政府**の偉(えら)い人物(じんぶつ)が日本に来るそうだ。 | セイフ | government
2. 今日の午後に**政治学**の授業がある。 | セイジガク | political science

360 良 (7)

音読み / 訓読み	意味 / 部首
リョウ	good; fine
よ(い)	良 こんづくり

画数/形 良 EX 食
特別な読み 良いと読むこともある

改良(かいりょう)スル >>> L.12
良心(りょうしん)
不良品(ふりょうひん)
仲良(なかよ)くする >>> L.12
仲良(なかよ)し
良(よ)い

例文	読み	意味
1. この近くに**不良**の学生が集まる場所があるらしい。	フリョウ	delinquent
2. このホテルはこの街(まち)で一番**良い**と言われている。	よ(い)	good

361 泊 (8)

音読み / 訓読み	意味 / 部首
ハク	stay overnight; lodge
と(まる) と(める)	氵 さんずい

音 白＝ハクという音を表す EX 伯、拍、舶

(一)泊(いっぱく)
宿泊(しゅくはく)スル
泊(と)める

例文	読み	意味
1. 東京に**一泊して**から、京都に行くつもりです。	イッパク(して)	to stay one night
2. 部屋から海が見えるホテルに**泊まって**みたい。	と(まって)	to stay

R 読み方を覚える漢字

362 輸 (16)

音読み / 訓読み	意味 / 部首
ユ	transport; carry
	車 くるまへん

部首 車 EX 輩 139
音 俞＝ユという音を表す EX 愉、諭

輸血(ゆけつ)スル
輸送(ゆそう)スル

例文	読み	意味
1. 現在の日本はたくさんの魚を**輸入して**いる。	ユニュウ(して)	to import
2. オーストラリアは日本に牛肉(ぎゅうにく)を**輸出して**いる。	ユシュツ(して)	to export

363 候 (10)

音読み / 訓読み	意味 / 部首
コウ	time (of year); season; weather; climate; await
	亻 にんべん

部首 亻 EX 傾 240、低 255、位 288、似 316

気候(きこう) >>> L.1
立候補(りっこうほ)スル >>> L.14
候補者(こうほしゃ) >>> L.14

例文	読み	意味
山の**天候**は変わりやすい。	テンコウ	weather (over an extended period)

364 産 (11)

音読み / 訓読み	意味 / 部首
サン	give birth; produce; yield; products; property; fortune
う(まれる) う(む)	生 せい

類義/反対語
生(う)まれる＝新しく何かが作られる
産(う)まれる＝母親の体から子供が出てくる

世界遺産(せかいいさん) >>> L.1
財産(ざいさん) >>> L.15
産業(さんぎょう)
出産(しゅっさん)スル
破産(はさん)
産(う)む
*(お)土産(みやげ)

例文	読み	意味
1. ハワイではたくさんパイナップルを**生産して**いる。	セイサン(して)	to produce
2. 姉はこの病院で子供を**産んだ**。	う(んだ)	to give birth

365 律

律	リツ	law; regulation	画数/形 聿 EX 建 10	規律(きりつ)
(9)		彳 ぎょうにんべん		

例文	読み	意味
日本の**法律**では20歳からお酒が飲める。	ホウリツ	law

366 築

築	チク	build; construct	音 筑＝チクという音を表す	建築家(けんちくか) 築く(きずく)
(16)	きず(く)	⺮ たけかんむり		

例文	読み	意味
1. フィレンツェ(Florence)は中世(ちゅうせい)(medieval)の**建築**で有名だ。	ケンチク	architecture
2. ピラミッドを**築いた**人々はすごいと思う。	きず(いた)	to build

367 装

装	ソウ	dress; outfit; equip	部首 衣 EX 袋 157、製 341 音 壮＝ソウという音を表す EX 荘	装置(そうち) 包装(ほうそう)スル
(12)		衣 ころも		

例文	読み	意味
面接(めんせつ)(interview)に行く時には、**服装**にも注意した方がいい。	フクソウ	clothes; clothing

368 展

展	テン	unfold; expand; spread; display; exhibit	部首 尸 EX 屋	展覧会(てんらんかい) 発展途上国(はってんとじょうこく)
(10)		尸 しかばね		

例文	読み	意味
1. 高い技術(ぎじゅつ)を持っている国はどんどん**発展して**いくと思う。	ハッテン(して)	to develop
2. 東京の美術館(びじゅつかん)でピカソの**展覧会**をしている。	テンランカイ	exhibition

369 至

至	シ	reach; arrive; utmost	画数/形 至 EX 屋、室	至急(しきゅう)
(6)	いた(る)	至 いたる		

例文	読み	意味
1. 田中さんに**至急**連絡(れんらく)してくれませんか。	シキュウ	immediately
2. この店は食料品(しょくりょうひん)からテレビに**至るまで**何でも安く買える。	いた(るまで)	even to

370	貿		
(12)	ボウ	trade	部首 貝 EX 費155、賛190、販331
		貝 かい	

19世紀(せいき)になると、欧米(おうべい)の国々は**貿易**を求(もと)めて日本にやって来た。 | ボウエキ | trade; commerce

371	易			
(8)	エキ イ	exchange; trade; easy; simple	類義/反対語 易(やさ)しい⇔難しい メモ 易(やさ)しい(easy)はひらがなで書くことが多い	容易(ようい)(な)
	やさ(しい)	日 ひ		

日本は昔から中国や韓国(かんこく)と**貿易**をしていた。 | ボウエキ | trade

372	興			
(16)	コウ キョウ	interest; entertainment; cause to rise; begin; promote	画数/形 1画(かく)目はななめの線(せん)(diagonal line)	興奮(こうふん)スル 興味深(きょうみぶか)い
		臼 うす		

子供の頃から日本の音楽に**興味**を持っていました。 | キョウミ | interest

373	積			
(16)	セキ	accumulate; pile up; amass; size; volume; capacity	音 責＝セキという音を表す EX 績	面積(めんせき) 体積(たいせき) 積(つ)む 積(つ)もる
	つ(もる) つ(む)	禾 のぎへん		

1. 日本語の授業では**積極的に**話すことが大切だ。 | セッキョクテキ(に) | positively; actively
2. 明日の朝までに、雪が5センチぐらい**積もる**らしい。 | つ(もる) | to accumulate

374	極			
(12)	キョク	extreme; utmost; ultimate; pole	成り立ち 木＋亟(一番高い所)＝家の一番高い所→極(きわ)み(extremity)	消極的(しょうきょくてき) 南極(なんきょく)⇔北極(ほっきょく)
		木 きへん		

1. あの人は何でも自分からする**積極的な**性格(せいかく)だ。 | セッキョクテキ(な) | positively; actively
2. a. **南極**もb. **北極**もとても寒い所だ。 | a. ナンキョク b. ホッキョク | a. Antarctica b. Arctic

375 江

江 江 (6)

え

inlet; cove

氵 さんずい

メモ 江＝もとの意味は大きい川

江戸の町は武士(ぶし)が多くて、女性が少なかった。 | えど | Edo

376 戸

戸 戸 (4)

と

door

戸 とだれ

部首 戸 EX 所、戻 209

戸(と)
井戸(いど)

江戸時代はキリスト教(きょう)を信じることは許(ゆる)されなかった。 | えどジダイ | Edo period

377 郵

郵 郵 (11)

ユウ

mail

阝 おおざと

メモ 郵便(ゆうびん)＝イギリスから制度(せいど)を導入(どうにゅう)にした時に新しく作られた言葉

郵送(ゆうそう)スル
郵便局(ゆうびんきょく)

日本はイギリスから郵便制度(せいど)を導入(どうにゅう)した。 | ユウビン | mail; postal service

378 禁

禁 禁 (13)

キン

prohibit; ban; forbid

示 しめす

成り立ち 示(神)＋林(forest)＝人の入ることができない聖域(せいいき)(sanctuary)→してはいけない

禁(きん)じる
禁煙(きんえん)スル
禁酒(きんしゅ)スル

町はこの川で釣(つ)りをすることを禁止している。 | キンシ(して) | to forbid; ban

379 録

録 録 (16)

ロク

record

金 かねへん

部首 金 EX 銀
画数/形 録の右＝緑 479

録音(ろくおん)スル
録画(ろくが)スル
登録(とうろく)スル

子供の成長(せいちょう)をビデオで記録する親が多い。 | キロク(する) | to record

380 燃

燃 燃 (16)

ネン
も(える)
も(やす)

burn

火 ひへん

部首 火＝火に関係
画数/形 燃の右＝然 35

燃料(ねんりょう)
燃(も)やす

駅前にあるビルが火事(かじ)(fire)で燃えてしまった。 | も(えて) | to burn

381					
演	演 演	演演演演演演演演演演演演演演 (14)	エン	perform; act; play; speech; lecture / 氵 さんずい	部首 氵 EX 満 285、洋 297	演奏スル(えんそう) >>> L.3 / 演説スル(えんぜつ) >>> L.14 / 演技スル(えんぎ) / 演劇(えんげき) / 開演(かいえん) / 講演スル(こうえん)
子供が学校の劇(げき)でシンデレラを**演じる**ことになった。			エン(じる)	to perform	

この課で書き方を覚える漢字

府 22 ➡ 第1課 R

過 71 ➡ 第2課 R

交 197 ➡ 第6課 R

歴 201 ➡ 第6課 R

史 202 ➡ 第6課 R

指 303 ➡ 第9課 R

漢字ミニノート 9 mini note

コンピュータにローマ字で入力(にゅうりょく)する時、間違えやすい漢字

■の部分がタイプをする時によく間違えるローマ字です。

例)		○	×
長音(ちょうおん)：	形式(けいしき)	ke**i**shiki	ke**e**shiki
	交換(こうかん)	ko**u**kan	ko**o**kan
促音(そくおん)：	作家(さっか)	sa**kk**a	sa**k**a / sa**tsu**ka
	実際(じっさい)	ji**ssa**i	ji**sa**i / ji**tsu**sai
拗音(ようおん)：	教室(きょうしつ)	**kyou**shitu	**kyoo**shitsu
	技術(ぎじゅつ)	gi**jyu**tsu	gi**jiyu**tsu

第11課
日本の歴史

練習問題

問題1 下線（かせん）の漢字の読み方を書きなさい。音読みと訓（くん）読みに気をつけましょう。

1) a.欧米でも b.米は c.生産されているし、よく食べられているが、日本で d.生まれて育った人は、日本の米が一番おいしいと思っている。

2) 私の a.恋人は有名なモデルに b.似ていて豪華（ごうか）なドレスがとてもよく c.似合います。そして、d.恋愛小説に e.興味があって、料理が好きで f.味にもうるさい(particular)です。

3) この a.通りに車を b.止めることは c.禁止されているのに、いつ d.通っても車が止まっています。だから市役所（しやくしょ）(city hall)を e.通して注意してもらいましょう。

4) 図書館で古い政府の a.記録を調べていた b.時に、日本がロシアと c.戦った d.戦争のことやその e.当時の f.出来事について書いてある g.記事がたくさん出て来た。

5) この町にはゴシック(Gothic) a.建築の b.建物がたくさんある。この13世紀に c.建てられた教会も世界的に知られている。

問題2 □の中から、1)～7)の文に合う言葉を選びなさい。漢字の読み方も書きましょう。

a.建築	b.江戸	例食事	c.過去	d.独特	e.貿易	f.郵便	g.西洋

例 たべることです。→ 例 しょくじ

1) 未来の反対の言葉です。

2) 手紙や物を送る制度のことです。

3) 外国に物を輸出したり、外国から物を輸入することです。

4) 家やビルなどを作ることです。

5) ヨーロッパやアメリカのことです。

6) 昔の東京の名前です。

7) ユニークで、他にはないという意味です。

問題3 □の中の言葉を文に合うように漢字にして＿＿に書きなさい。

例 ふる　せいふ　かくち　めざす　ぜいきん　もちいる　こうりゅうする　れきし

例 雨が＿＿てハイキングに行けなくなってしまった。→ 例 降 っ

1）弟は科学者を＿＿て大学で勉強している。

2）日本とヨーロッパが＿＿始めたのは16世紀頃だ。

3）四月からお酒の＿＿が上がるので、おそらく値段も上がるだろう。

4）夏になると、北海道から九州まで、日本の＿＿で祭（まつ）りがある。

5）＿＿というのは昔の出来事やその記録のことです。

6）ニュースによると、明日＿＿は新しい教育の制度を発表するらしい。

7）音楽を＿＿て病気を治（なお）す(to cure)方法がある。

問題4 文に合うようにa.～d.から漢字を選んで□の中に入れなさい。そして、読み方も書きましょう。

例 政府は国□の意見をもっと聞くべきだ。→ 例 b. こくみん

(a. 人　b. 民　c. 氏　d. 体)

1）日本の法□では、男性は18歳にならないと結婚できない。

(a. 得　b. 律　c. 絵　d. 要)

2）結婚式に出る時はカジュアルな服□はやめた方がいい。

(a. 袋　b. 役　c. 装　d. 洋)

3）イギリスは女王（じょおう）(Queen)の時代に国が発□すると言われている。

(a. 明　b. 県　c. 展　d. 音)

4）天□が悪い時は、あの島に行く船（ふね）は出ないそうだ。

(a. 候　b. 傾　c. 行　d. 然)

5）日本語の授業では□極的に話して下さい。

(a. 積　b. 消　c. 種　d. 無)

6）1990年に東ドイツと西ドイツが□一された。

(a. 興　b. 洋　c. 統　d. 独)

問題 5 ＿＿に □ の言葉を選んで文を完成させなさい。漢字の場合は読み方、ひらがなの場合は漢字を書きましょう。

例 ア）泳い　イ）島　ウ）観光し　エ）自然　a. ＿が美しい b. ＿で c. ＿たり、海で d. ＿だりした。

→

a.	エ	b.	イ	c.	ウ	d.	ア
	しぜん		しま		かんこうし		およい

ア）ともだち　イ）のこって　ウ）たてもの　a. ＿と一緒に古い b. ＿が c. ＿いる町を歩いた。

→

a.	ア	b.	ウ	c.	イ
	友達		建物		残って

1) ア）燃える　イ）輸出　ウ）効率

この焼却炉（しょうきゃくろ）(incinerator) はゴミが a. ＿＿＿よく b. ＿＿＿ように作ってあり、海外にも c. ＿＿＿されている。

2) ア）独自　イ）演じる　ウ）至る

男性が女性を a. ＿＿＿歌舞伎（かぶき）は、歌や踊りなど b. ＿＿＿の伝統を江戸時代から現在に c. ＿＿＿まで守り続けている。

3) ア）近代的　イ）郵便　ウ）確立

日本で a. ＿＿＿な b. ＿＿＿の制度が c. ＿＿＿したのは明治（めいじ）になってからだ。

4) ア）輸入　イ）加えて　ウ）政府

日本 a. ＿＿＿の発表によると、日本は中国や東南アジアの国に b. ＿＿＿、アメリカやオーストラリアからも、多くの製品を c. ＿＿＿しているという。

5) ア）とまり　イ）ひじょう　ウ）どうし

私と洋子（ようこ）さんはとてもいい友達で、親 a. ＿＿＿も b. ＿＿＿に仲（なか）がいいので、子供の時はよく洋子（ようこ）さんの家に c. ＿＿＿に行った。

6) ア）しはらった　イ）ともに　ウ）ふう

学費（がくひ）(tuition) を a. ＿＿＿後で、ギター演奏（えんそう）と b. ＿＿＿食事が楽しめるレストランに行ってスペイン c. ＿＿＿のオムレツを食べた。

問題 6 次の漢字の印刷体(いんさつたい)の ○ の部分に注意して、漢字を書きなさい。そして、漢字の読み方も書きましょう。

例 急に雨が降ってきた。 急 → 例 急 きゅう

1) 季節の中では春が好きだ。 季節

2) 過去に行けたら面白いと思う。 過去

3) 今晩は友達の家に泊まるつもりだ。 泊まる

4) あの店にはよく不良が集まるらしい。 不良

5) 次のオリンピックを目指して、毎日練習をしている。 目指す

問題 7 質問に答えなさい。

I)「非」と「不」の漢字には次の意味があります。

A. コンピュータが壊れて非常に困っている。

B. シンデレラは不幸だったが、最後は幸せになった。

A. の「非常」は「常(つね)(普通)ではない＝特別な、とても」という意味で、B. の「不幸」は「幸せではない」という意味ですね。「非」も「不」も「〜ない」という否定の意味を表しています。

II) 次の「非」と「不」を使った言葉の意味を考えてみましょう。そして、a. 〜 g. の中から合う意味を探して線(せん)で結(むす)びましょう。

例 コンピュータが壊れて非常に困っている。 • → b.

1) 外国語を勉強する時、ジェスチャーなどの非言語のコミュニケーションも覚えなければいけない。 •

2) 明日は仕事の面接(めんせつ)(interview)があるので不安だ。 •

3) 先生の研究室に行ったけれど、先生は不在だった。 •

4) 最近では非婚や晩婚(ばんこん)の傾向が強くなっている。 •

5) あの人は困っている人を見ても助けないので、不親切だと思う。 •

6) 国民は政府の新しい教育制度に不満がある。 •

a. 心配している

b. いつもではないこと＝とても

c. 言葉ではない

d. 結婚しない

e. いない

f. やさしくない

g. 文句(もんく)がある

問題 8 文を読んで質問に答えなさい。

日本のa.歴史の中で、江戸時代はb.戦いのない平和な時代だったと言われています。江戸時代の終わりごろになって、日本はc.西洋とd.交流するようになり、e.近代化がf.始まりました。明治(めいじ)のg.政府は日本を近代的な国にするために、欧米からh.積極的にi.法律やj.建築やk.服装を取り入れました。

1）a.～k.の下線(かせん)の漢字の読み方を書きましょう。

a.歴史　b.戦い　c.西洋　d.交流　e.近代化　f.始まり　g.政府　h.積極的
i.法律　j.建築　k.服装

2）a.～k.の言葉をできるだけたくさん使って、「あなたの国の文化と外国の影響」について文を書いてみましょう。

第12課

日本の伝統工芸

RW 読み方・書き方を覚える漢字

No.	漢字	書き順	読み	意味・部首	成り立ち等	語彙
382	植	(12)	ショク / う(える)	plant / 木 きへん	成り立ち 木＋直86(まっすぐ)＝木をまっすぐ立てる→植える	植物園、植える
383	軽	(12)	ケイ / かる(い)	light; easy / 車 くるまへん	部首 車 EX 輸362 / 音 圣＝ケイという音を表す EX 経、径、茎	軽食、軽量、手軽(な)
384	仲	(6)	なか	relationship; intermediary; middleman / 亻 にんべん	類義/反対語 中＝物の内側や、物と物との間 / 仲＝人と人との関係 EX 仲がいい	仲間 >>> L.15、仲がいい、仲直りスル、仲良し
385	角	(7)	カク / かど、つの	corner; angle; horn / 角 つの	部首 角 EX 解32 / 成り立ち 動物の角(horn)の形からできた漢字	角度、四角(い)、方角、四つ角、角
386	線	(15)	セン	line; wire; cable; route; track / 糸 いとへん	音 泉＝センという音を表す	X線、下線、曲線⇔直線、新幹線、電線

例文	読み	意味
畳はいぐさ(rush)という**植物**を使って作る。	ショクブツ	plant
最近のデジカメは小さくて、とても**軽い**。	かる(い)	light
仲良くしている友達が、来月からドイツに留学するので少し寂しい。	なかよ(くして)	to be good friends
1. 母は子供の頃よく**三角**のおにぎりを作ってくれた。	サンカク	triangle
2. 駅は、あの**角**を曲がるとすぐに見えますよ。	かど	corner
漢字の「二」は下の**線**の方が長い。	セン	line

No.	漢字	書体	筆順	読み	意味	解説	語彙
387	側	側 側	側側側側側側側側側側側 (11)	ソク / かわ	side / 亻 にんべん	音 則＝ソクという音を表す EX 則 432、測 481	内側(うちがわ)⇔外側(そとがわ) 右側(みぎがわ)⇔左側(ひだりがわ) 両側(りょうがわ)

富士山(ふじさん)はa.こちら側から見ても、b.反対側から見ても美しい。
a. こちらがわ　b. ハンタイがわ
a. this side　b. opposite side

No.	漢字	書体	筆順	読み	意味	解説	語彙
388	頭	頭 頭	頭頭頭頭頭頭頭頭頭頭頭頭頭頭頭 (16)	トウ ズ / あたま	head / 頁 おおがい	音 豆＝トウという音を表す EX 登 252、痘、燈	(一)頭(いっとう) 先頭(せんとう) 頭痛(ずつう) 頭脳(ずのう)

コンピュータを使いすぎると、目や頭が痛くなる。
あたま
head

No.	漢字	書体	筆順	読み	意味	解説	語彙
389	治	治 治	治治治治治治治治 (8)	ジ チ / なお(る) なお(す) おさ(める)	recover; cure; treat; heal; govern; reign / 氵 さんずい	類義/反対語 ・直(なお)る/直(なお)す＝機械(きかい)や物の悪いところ{が/を}正しい状態(じょうたい)に{なる/する} ・治(なお)る/治(なお)す＝病気の体{が/を}健康(けんこう)に{なる/する}	政治(せいじ)(家(か)) >>> L.14 治療(ちりょう)スル 明治(めいじ) 治(おさ)める 治(なお)す

1. 日本の若い人は政治にあまり興味(きょうみ)がないらしい。
セイジ
politics

2. 風邪(かぜ)がa.治るまで学校を休んで、早くb.治した方がいい。
a. なお(る)　b. なお(し)
a. to be cured　b. to cure

No.	漢字	書体	筆順	読み	意味	解説	語彙
390	枚	枚 枚	枚枚枚枚枚枚枚枚 (8)	マイ	counter for flat thin objects / 木 きへん	画数/形 攵 EX 敬 55、敗 147、数 149、政 359	

コンサートのチケットが二枚あるので、一緒に行きませんか。
ニマイ
two (tickets)

R 読み方を覚える漢字

No.	漢字	書体	筆順	読み	意味	解説	語彙
391	薄	薄 薄	薄薄薄薄薄薄薄薄薄薄薄薄薄薄薄薄 (16)	うす(い) うす(める)	thin; flat; light (color); dilute / 艹 くさかんむり	類義/反対語 薄(うす)い本⇔厚(あつ)い本 薄(うす)い味(あじ)(taste)⇔濃(こ)い味(あじ) 薄(うす)い色⇔濃(こ)い色	薄暗(うすぐら)い 薄(うす)める

昔に比べると最近のテレビは薄くなった。
うす(く)
thin

392	隠	
隠 (14)	かく(れる) かく(す)	hide; conceal; cover; keep secret 阝 こざとへん
部首 阝 EX 降238、限313、険324	隠れる(かく) >>> L.6	

Example	Reading	Meaning
弟は子供の時、いつも本の中にお金を**隠して**いた。	かく(して)	to hide

393	乾	
乾 (11)	カン かわ(く) かわ(かす)	dry; parch; drink up 乙 おつにょう
画数/形 𠦝＝太陽(たいよう)が昇(のぼ)る EX 朝	乾燥(かんそう)スル 乾電池(かんでんち) 乾杯(かんぱい)スル 乾(かわ)かす >>> L.12	

Example	Reading	Meaning
1. デジカメの**乾電池**がなくなって写真(しゃしん)が撮(と)れない。	カンデンチ	battery
2. 天気がいいので洗濯(せんたく)したシャツがすぐに**乾いた**。	かわ(いた)	to dry

394	柔	
柔 (9)	ジュウ やわ(らかい)	soft; tender; flexible 矛／ほこ 木／き
成り立ち 矛(ほこ: pike)＋木＝矛(ほこ)で突(つ)いて(to stub)も跳(は)ね返(かえ)る(to bounce back)やわらかい木→柔(やわ)らかい	柔道(じゅうどう)	

Example	Reading	Meaning
1. 子供の時に**柔道**を習っていた。	ジュウドウ	judo
2. この布団(ふとん)は**柔らかく**て、気持ちがいい。	やわ(らかく)	soft

395	丈	
丈 (3)	ジョウ	strong; robust; durable; healthy 一 いち
部首 一 EX 下、万、世、不、与119	大丈夫(だいじょうぶ)(な) >>> L.3	

Example	Reading	Meaning
よく仕事で旅行するので、**丈夫な**ノートパソコンが欲(ほ)しい。	ジョウブ(な)	durable

396	夫	
夫 (4)	フ フウ おっと	man; husband 大 だい
部首 大＝大きいことに関係 EX 天	大丈夫(だいじょうぶ)(な) >>> L.3 丈夫(じょうぶ)(な) >>> L.12 夫妻(ふさい) 夫人(ふじん) 夫婦(ふうふ) 工夫(くふう)スル 夫(おっと) >>> L.13	

Example	Reading	Meaning
1. おなかが痛そうですが、**大丈夫**ですか。	ダイジョウブ	all right
2. 妹の**夫**は、オーストラリア人です。	おっと	husband

397 優

漢字	優
画数	(17)
音読み	ユウ
訓読み	すぐ(れる) やさ(しい)
意味	kind; gentle; excellent; superior
部首	亻 にんべん
類義/反対語	優(やさ)しい＝性格(せいかく)がやさしい 易(やさ)しい 371＝難しくない
語彙	優秀(ゆうしゅう)(な) 優勝(ゆうしょう)スル 女優(じょゆう) 俳優(はいゆう) 優(すぐ)れる

例文	読み	意味
1. ゴルフで日本人の選手(せんしゅ)が**優勝して**、私も嬉(うれ)しい。	ユウショウ(して)	to win (a championship)
2. 祖母(そぼ)はいつも私に**優し**かった。	やさ(し)	gentle; kind

398 改

漢字	改
画数	(7)
音読み	カイ
訓読み	あらた(める)
意味	reform; revise; amend; change; examine
部首	攵 ぼくづくり
類義/反対語	・改良(かいりょう)＝機械(きかい)やものの悪いところを作り直してよくする ・改善(かいぜん)＝生活や制度(せいど)の悪いところをよくする
語彙	改正(かいせい)スル >>> L.14 改善(かいぜん)スル >>> L.15 改札(かいさつ) 改造(かいぞう)スル 改(あらた)める

例文	読み	意味
1. 3年前のモデルを**改良して**、新しい車を作ることになった。	カイリョウ(して)	to make an improvement
2. 食生活を**改善して**、野菜(やさい)を多く食べるようにしている。	カイゼン(して)	to improve

399 欠

漢字	欠
画数	(4)
音読み	ケツ
訓読み	か(ける) か(く)
意味	lack; shortage; defect; absence
部首	欠 あくび
部首	欠 EX 次、歌、欲 97、欧 226
語彙	欠席(けっせき)スル 欠点(けってん) 欠(か)ける

例文	読み	意味
1. 人間(にんげん)が生(い)きるためには、酸素(さんそ)(oxygen)が**不可欠**だ。	フカケツ	indispensable; essential
2. あの人は常識(じょうしき)に**欠けて**いると思う。	か(けて)	to lack

400 沿

漢字	沿
画数	(8)
音読み	エン
訓読み	そ(う)
意味	along; follow
部首	氵 さんずい
部首	氵 EX 泊 361、江 375、演 381
成り立ち	氵(水)＋八(わかれる)＋口(くぼみ: hollow)＝水が分(わ)かれて流(なが)れる→沿(そ)う
語彙	沿線(えんせん) 川沿(かわぞ)い

例文	読み	意味
その公園(こうえん)なら、この道に**沿って**行くと右側(みぎがわ)にありますよ。	そ(って)	to follow

401 羽

漢字	羽
画数	(6)
訓読み	は はね わ
意味	feather; wing; counter for birds/rabbits
部首	羽 はね
成り立ち	鳥の右と左の羽(はね)の形を表す
文法	鳥を数(かぞ)える時に使う EX 一羽(いちわ)、二羽(にわ)(読み方は「わ」)
語彙	羽根(はね)

例文	読み	意味
木の上に赤いa. **羽**の鳥がb. **二羽**とまっている。	a. はね b. にわ	a. feather b. two (birds)

402 曲

画数	(6)
音読み	キョク
訓読み	ま(がる) ま(げる)
意味	curve; turn; bend; music; melody; tune
部首	曰 ひらび
文法	歌を数(かぞ)える時に使う EX 一曲(いっきょく)、二曲(にきょく)
語彙	曲(きょく)、曲線(きょくせん)、作曲(さっきょく)スル、曲(ま)がる

例文	読み	意味
1. モーツァルトの**曲**が好きな日本人は多い。	キョク	piece
2. このスプーンは竹(たけ)を**曲げて**作ってある。	ま(げて)	to bend

403 息

画数	(10)
訓読み	いき
意味	breath; live; child
部首	心 こころ
成り立ち	自(鼻(はな)の形)＋心(心臓(しんぞう): heart)＝息(いき)
語彙	息苦(いきぐる)しい、溜(た)め息(いき)、*息子(むすこ)

例文	読み	意味
寒くなって、**息**が白く見える。	いき	breath

404 吹

画数	(7)
訓読み	ふ(く)
意味	blow; play (on a wind instrument)
部首	口 くちへん
成り立ち	口＋欠 399 ＝口を大きく開けている→大きく口を開けて吹(ふ)く
語彙	吹(ふ)き込(こ)む >>> L.12、吹(ふ)き飛(と)ばす、*吹雪(ふぶき)

例文	読み	意味
今日は北から風が**吹いて**寒い。	ふ(いて)	to blow

405 込

画数	(5)
訓読み	こ(む) こ(める)
意味	move inward; get in; put into
部首	辶 しんにょう
成り立ち	入(はいる)＋辶(すすむ)＝どこかへ入る
メモ	日本で作られた漢字
語彙	落(お)ち込(こ)む、乗(の)り込(こ)む、申(もう)し込(こ)む、持(も)ち込(こ)む、込(こ)める、閉(と)じ込(こ)める

例文	読み	意味
テストの一番上に名前を**書き込む**ところがあります。	か(き)こ(む)	to fill in

406 級

画数	(9)
音読み	キュウ
意味	class; grade; rank; level
部首	糸 いとへん
音	及 333 ＝キュウという音を表す
語彙	(一(いっ))級(きゅう)、高級(こうきゅう)、(初(しょ)/中(ちゅう)/上(じょう))級(きゅう)

例文	読み	意味
1. 来週、高校の**同級生**の結婚式がある。	ドウキュウセイ	classmate
2. この大学ではa. **初級**の日本語の授業はあるが、b. **中級**やc. **上級**の授業はない。	a. ショキュウ b. チュウキュウ c. ジョウキュウ	a. beginning level b. intermediate level c. advanced level

407	爆		バク	explode; burst	部首 火 EX 燃 380	爆発スル (ばくはつ) 爆弾 (ばくだん)
	爆	(19)		火 ひへん		
日本の政府(せいふ)は日本は**原爆**を作らないと言っている。			ゲンバク	atomic bomb		

408	飾			decorate; adorn; display; ornament	部首 飠 EX 飲、飯 画数/形 食べる→9画 飠→8画	飾り (かざ)
	飾	(13)	かざ(る) かざ(り)	飠 しょくへん		
日本で買った富士山(ふじさん)のポスターを部屋に**飾った**。			かざ(った)	to display		

409	態		タイ	condition; situation; appearance; attitude	画数/形 能 117 + 心 → 態 能 117 + 灬 → 熊(くま)(bear)	態度 (たいど) >>> L.14 事態 (じたい)
	態	(14)		心 こころ		
1. 熱(ねつ)があって、授業に行ける**状態**ではないので、休んでもいいですか。			ジョウタイ	condition		
2. 授業の時、学生の**態度**がよくなかったので注意した。			タイド	attitude; manner		

この課で書き方を覚える漢字

光 27 ➡ 第1課 R
技 90 ➡ 第3課 R
術 91 ➡ 第3課 R
折 131 ➡ 第4課 R
第 228 ➡ 第7課 R

第12課
日本の伝統工芸

練習問題

問題 1 下線(かせん)の漢字の読み方を書きなさい。音読みと訓(くん)読みに気をつけましょう。

1) 田中さんが a.入院している病院は、b.三角の「止まれ」の標識(ひょうしき)(sign) がある c.角を左に曲がったところにあります。右側の d.入口から e.入って受付(うけつけ)で名前を言うと田中さんの部屋を教えてくれます。

2) 友達のお母さんは、私や a.同級生に、b.和紙の良さを c.生かした d.折り紙の作り方を教えてくれた。

3) 昔、私が a.不良だった頃に b.仲良くしていた友達は、今、車のエンジンを c.改良する仕事をしている。

4) 沖縄(おきなわ)に a.観光に来る人の多くは、太陽(たいよう)の b.光をたくさん受けたパイナップルをお土産(みやげ)に買って帰る。

5) A 大学が新しく a.開発した日本語能力テストを始めます。後ろのドアを b.閉めて下さい。それから、教科書やノートも c.閉じて、鞄(かばん)の中に入れて下さい。テストが入っている袋はまだ d.開けないで下さい。

6) 父に言われた a.通りに、毎日駅の前の b.通りを c.通って学校に d.通っているが、今日は工事(construction)のために、その道を e.通してもらえなかった。

7) a.写真の b.真ん中の c.真っ白なシャツを着ている人が一番すてきだと思う。

問題 2 1)～6)の絵に合う言葉を [　　] の中から選びなさい。そして、その漢字の読み方を書いて、短い文も作ってみましょう。

例 光	a. 羽	b. 乾かす	c. 曲げる	d. 優しい	e. 飾る	f. 葉

例　（ 例 ）ひかり：太陽(たいよう)の光が強いので、サングラスをかけた。

1)　（　　）＿＿＿＿　短い文：＿＿＿＿＿＿＿＿＿＿＿＿

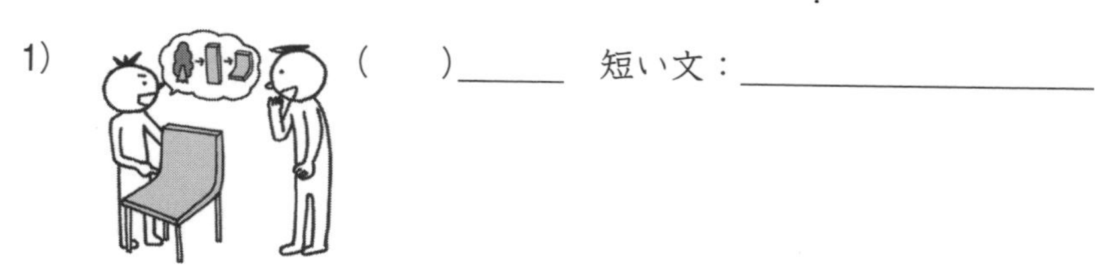

2)　（　　）＿＿＿　短い文：＿＿＿＿＿＿＿＿＿＿

3)　（　　）＿＿＿　短い文：＿＿＿＿＿＿＿＿＿＿

4)　（　　）＿＿＿　短い文：＿＿＿＿＿＿＿＿＿＿

5)　（　　）＿＿＿　短い文：＿＿＿＿＿＿＿＿＿＿

6)　（　　）＿＿＿　短い文：＿＿＿＿＿＿＿＿＿＿

問題 3 〔　　〕の中の言葉を文に合うように漢字にして＿＿＿に書きなさい。

例 ふる	a. ひかり	b. かど	c. ぎじゅつ	d. なおる	e. まい	f. こ	g. かじ

例 雨が＿＿＿てハイキングに行けなくなってしまった。→ 例：降 っ

1) 安かったのでＴシャツを二＿＿＿買った。

2) この薬を飲むとすぐに頭が痛いのが＿＿＿らしい。

3)＿＿＿のない所では、この植物は育ちません。

4) この会社では省エネの＿＿＿を研究している。

5) おなかがすいていたので、ケーキを二＿＿＿食べました。

6) ＿＿＿の原因の一つにタバコがある。

7) このテーブルは丸くて、＿＿＿がない形をしているから、好きだ。

問題 4 1)〜5)とペアになる言葉をa.〜f.の中から選んで、漢字で書きなさい。

a. かなしい	b. なかよくする	c. かるい	d. しょくぶつ
e. とじる	f. あたま		

例 うれしい → 例 a. 悲しい

1) 動物

2) 足

3) 重い

4) けんかする

5) 開く

問題 5 ＿＿に□の言葉を選んで文を完成させなさい。漢字の読み方を書きましょう。

例 ア)泳い　イ)島　ウ)観光し　エ)自然　a.＿が美しいb.＿でc.＿たり、海でd.＿だりした。

→

a.	エ	b.	イ	c.	ウ	d.	ア
	しぜん		しま		かんこうし		およい

1) ア)原爆　イ)同級生　ウ)状態

広島(ひろしま)に住んでいるa.＿＿＿のおばあさんから、b.＿＿＿が落ちた時、広島(ひろしま)はひどいc.＿＿＿だったと聞いた。

2) ア)柔らかく　イ)改良　ウ)製品　エ)丈夫

以前のa.＿＿＿は固(かた)くて破れやすかったので、b.＿＿＿して、もっとc.＿＿＿て、そしてd.＿＿＿な紙を作りました。

3) ア)不可欠　イ)光　ウ)植物

a.＿＿＿が成長するためには、b.＿＿＿や水がc.＿＿＿だ。

4) ア)息　イ)吹き込ん　ウ)折っ　エ)沿っ

この線にa.＿＿＿てb.＿＿＿て下さい。最後にここからc.＿＿＿をd.＿＿＿でふくらませ(to blow up)たら、鶴(つる)の出来上がりです。

5) ア)隠して　イ)優しい　ウ)入院して

彼はa.＿＿＿人なので、私が病院にb.＿＿＿いることを知ったらとても心配すると思うから、病院にいることはc.＿＿＿いる。

問題 6 次の下線のひらがなを漢字にして、画数（かくすう）も書きなさい。

例 平わはとても大切だ。→

例	平	和
		8画

1）東京には色々な問題があるが、だい一の問題は人が多いことだと私は思っている。

2）スミスさんは小学校の時、世界の文化を勉強する授業でおり紙をおったことがあるそうだ。

3）駅のホームで電車を待つ時はせんの外がわに出ないで下さい。

4）その葉書（はがき）を三まい下さい。

5）あの人はTシャツをひっくりかえして着ている。

問題 7 漢字には例の「はやい＝早い／速い」のように、読み方が同じで意味も似ている漢字があります。意味をよく考えて、どちらの漢字を使うか考えましょう。

例 ア）早い＝時間がはやい　　イ）速い＝スピードがはやい

A. 明日の朝はやく友達と海に出かけます。　→　早く　→　ア）

B. もっとはやく走って下さい。　→　速く　→　イ）

1）ア）特長＝他のものと比べて良いところ　　イ）特徴＝他のものと比べて目立（めだ）って(to stand out)いるところ

A. 日本語の主なとくちょうの一つは、三種類の文字があることです。→

B. ハイブリッドの車のとくちょうは、ガソリン(gasoline)をあまり使わないことです。→

2）ア）変える＝前と違うようす、形にする　　イ）替える＝新しい物や人に入れかえる

A. 夏になったので、ヘアスタイルをかえようと思っている。　→

B. このカーテンはもう15年も使っているので、来年はかえようと思っている。→

3）ア）鳴く＝動物がなく　イ）泣く＝人がなく

A. 悲しい映画だったので、ないていました。　→

B. 木の上で鳥がきれいな声でないていた。　→

4) ア)町＝人が住んでいる家が集まっている所　イ)街＝道に沿って店などがある所

A. ニューヨークのまちには、たくさん和食のレストランがある。 →

B. このアパートはうるさいので、隣(となり)のまちにあるアパートに引(ひ)っ越(こ)したい。 →

問題 8 文を読んで質問に答えなさい。

日本の伝統工芸(こうげい)の一つに漆器(しっき)(lacquer ware)がある。漆器(しっき)のa.技術は中国から伝わったと言われている。木でできたb.製品に漆(うるし)(lacquer)を塗(ぬ)った(to paint)ものが漆器(しっき)だ。漆(うるし)のc.原料は、「うるし」という木からとれる。これに鉄(てつ)の粉(こな)(iron powder)をd.混ぜると黒い漆(うるし)ができる。それを木でできた箸(はし)や椀(わん)(bowl)などにe.薄く塗(ぬ)ってからf.乾かす。この漆(うるし)を塗(ぬ)って乾かすという作業(さぎょう)(process)をくり返すと、きれいな漆器(しっき)が完成する。現在は伝統的なものだけでなく、ベッドのようなg.家具から、スプーンのようなものまで、様々な漆(うるし)製品がh.開発されている。i.手作りの漆器(しっき)はj.優しくk.柔らかい感じがするので、人気がある。

1) a.～k.の下線の漢字の読み方を書きましょう。

a.技術　b.製品　c.原料　d.混ぜる　e.薄く　f.乾かす　g.家具　h.開発
i.手作り　j.優しく　k.柔らかい

2) a.～k.の言葉をできるだけたくさん使って、「あなたの国の伝統工芸(こうげい)」について文を書いてみましょう。

漢字 パズル 2 （第1課〜第12課の漢字）

▶ ステップ1：次のひらがなを漢字にしましょう。
▶ ステップ2：二つある漢字を消して、残った漢字を書きましょう。
▶ ステップ3：残った漢字と、□の漢字を組み合わせて言葉を作りましょう。
▶ ステップ4：最後に残った漢字でできる言葉は何ですか。

例

ステップ1 ⇨ ごうかく 合格　じょせい 女性　せいかく 性格　しけん 試験

ステップ2 ⇨ 合格　女性　~~性格~~　試験
⇨ 残る漢字：1)合　2)女　3)試　4)験

ステップ3 ⇨ 男 2)女　実 4)験
⇨ 男　実験

ステップ4 ⇨ 残った漢字：1)合　3)試
⇨ 試合（しあい）

【問題1】

ステップ1 ⇨ しょくじ　こくさい　へいわ　じっさい　げんざい　わしょく　こくない

______　______　______　______　______　______　______

ステップ2 ⇨ 残る漢字：1)____　2)____　3)____　4)____　5)____　6)____

ステップ3 ⇨ 案____　____等　存____　____状

ステップ4 ⇨ ________（　　　　）

【問題2】

ステップ1 ⇨ ものがたり　げんだい　はっぴょう　たんご　ひょうげん　こいびと　れんあい

______　______　______　______　______　______　______

ステップ2 ⇨ 残る漢字：1)____　2)____　3)____　4)____　5)____　6)____

ステップ3 ⇨ 時____　____情　簡____　____明

ステップ4 ⇨ ________（　　　　）

第13課

日本人と自然（しぜん）

RW 読み方・書き方を覚える漢字

410 印

Readings	イン / しるし
Meaning	mark; seal; stamp; imprint; print
Radical	卩(㔾) ふしづくり
Strokes	(6)
部首	卩(㔾) EX 危 323
Words	印刷スル（いんさつ）、消印（けしいん）、印（しるし）、目印（めじるし）、矢印（やじるし）

Example	Reading	Meaning
1. 子供の時に見た「E.T.」のラストシーンは今でも強く**印象に残って**いる。	インショウ(に)のこ(って)	to stand out in one's memory
2. 明日の宿題は、コンピュータでタイプして**印刷した**ものを出して下さい。	インサツ(した)	to print out

411 象

Readings	ショウ、ゾウ
Meaning	elephant; image; shape; phenomenon
Radical	ク／く 豖／いのこ
Strokes	(12)
成り立ち	象（ぞう）(elephant)の形→象は一番大きい姿（すがた）をしている→姿（すがた）
部首	ク EX 負 111、争 168
Words	第一印象（だいいちいんしょう）、対象（たいしょう）、象（ぞう）

Example	Reading	Meaning
1. 面接（めんせつ）の時には、**印象**を良（よ）くするために笑顔（えがお）で話した方がいい。	インショウ	impression
2. 夏の東京はヒートアイランド**現象**で暑い夜が続く。	ゲンショウ	phenomenon

412 細

Readings	サイ / こま(かい)、ほそ(い)
Meaning	thin; narrow; fine; minute; detailed
Radical	糸 いとへん
Strokes	(11)
類義/反対語	細（こま）かい＝小さい、詳（くわ）しい(detailed)　細（ほそ）い＝幅（はば）(breadth)が広くない
Words	詳細（しょうさい）、細い（ほそい）、細長い（ほそながい）

Example	Reading	Meaning
1. 笑（わら）うとキラー**細胞**が増（ふ）えるそうだ。	サイボウ	cell (of living things)
2. 田中さんの発表は**細かい**ところまでよく調べてあった。	こま(かい)	detailed
3. 犬のグレーハウンドは**細くて**長い足が特徴（とくちょう）だ。	ほそ(くて)	slender; thin

413 夢

Readings	ム / ゆめ
Meaning	dream
Radical	夕 ゆうべ
Strokes	(13)
部首	夕＝夕方、夜に関係 EX 外、多
Words	夢中（むちゅう）(な／の)、悪夢（あくむ）、夢見る（ゆめみる）

Example	Reading	Meaning
1. 弟はゲームに**夢中**で、他のことには全然興味（きょうみ）がない。	ムチュウ	to be crazy (about)
2. 子供の頃の**夢**は、サッカーの選手（せんしゅ）になることだった。	ゆめ	dream

414	氷
画数	(5)
音読み	
訓読み	こおり
意味	ice; freeze
部首	水 みず
類義/反対語	凍る(こお) 334 = 氷(こおり)になる
語彙	氷水(こおりみず) かき氷(ごおり)

例文	読み	意味
すみません、コップに**氷**を入れて下さい。	こおり	ice

415	詩
画数	(13)
音読み	シ
訓読み	
意味	poem; poetry
部首	言 ごんべん
部首	寺 EX 時、待、持
語彙	詩人(しじん) 詩集(ししゅう)

例文	読み	意味
大学の時、ドイツ文学の授業でリルケ(Rilke)の**詩**を読んだ。	シ	poem

416	想
画数	(13)
音読み	ソウ
訓読み	
意味	think; imagine; idea; thought
部首	心 こころ
成り立ち	心＋相(見る)＝心の中で考える
音	相 39 ＝ソウという音を表す EX 霜
語彙	発想(はっそう) 予想(よそう)スル 理想(りそう) 連想(れんそう)スル

例文	読み	意味
1. 高校の時、本を読んで**感想**を書くという宿題があった。	カンソウ	impressions; thoughts
2. 東京の冬は**想像して**いたより、暖(あたた)かかった。	ソウゾウ(して)	to imagine; guess

417	像
画数	(14)
音読み	ゾウ
訓読み	
意味	image; statue; figure; portrait
部首	亻 にんべん
成り立ち	亻(人)＋象(形、姿(すがた))＝人に似(に)ているもの
語彙	像(ぞう) 映像(えいぞう) 画像(がぞう) 仏像(ぶつぞう)

例文	読み	意味
100年後の世界を**想像して**みて下さい。	ソウゾウ(して)	to imagine; guess

418	接
画数	(11)
音読み	セツ
訓読み	
意味	contact; touch; connect; tie; meet
部首	扌 てへん
成り立ち	扌＋妾(近くにいる)＝手で近づける→つなげる(to connect)
語彙	接近(せっきん)スル 接(せっ)する 接続(せつぞく)スル 接続詞(せつぞくし) 間接的(かんせつてき) 面接(めんせつ)

例文	読み	意味
1. 田中さんはネットで知り合った友達なので、まだ**直接**話したことはない。	チョクセツ	directly; firsthand
2.「しかし」や「そして」などは**接続詞**と言う。	セツゾクシ	conjunction

419	示	示示示示示 (5)	ジ / しめ(す)	indicate; show; inform / 示 しめす	部首 示が部首の偏になる時はネになる 示＝神や祭りに関係 EX 禁 378	指示スル / 表示スル

例文	読み	意味
1. 指示をよく読んでから、答えを書いて下さい。	シジ	direction
2. 外国でもマンガに興味を示す人が増えている。	しめ(す)	to indicate; show

420	池	池池池池池池 (6)	チ / いけ	pond; lake / 氵 さんずい	成り立ち 氵(水)＋也＝サソリ(scorpion)の形＝水が広がっている所→池 画数/形 也 EX 他 74	(乾)電池

例文	読み	意味
1. デジカメの電池を買いにコンビニに行った。	デンチ	battery
2. 公園の池にたくさんのボートが浮かんでいる。	いけ	pond

421	妻	妻妻妻妻妻妻妻妻 (8)	サイ / つま	wife / 女 おんな	部首 女 EX 姉、妹、好、始	夫妻

例文	読み	意味
1. キュリー(Curie)夫妻はどちらも有名な科学者だ。	フサイ	Mr. & Mrs.
2. 妻が私の誕生日にネクタイを買ってくれた。	つま	wife

R 読み方を覚える漢字

422	担	担担担担担担担担 (8)	タン	carry; shoulder; undertake / 扌 てへん	音 旦＝タンという音を表す EX 但、胆	担当スル / 分担スル

例文	読み	意味
今日は担任の先生が休みだったので、別の先生がクラスに来た。	タンニン(の)	homeroom teacher

423	任	任任任任任任 (6)	ニン / まか(す) まか(せる)	responsible; duty; leave; entrust; appoint / 亻 にんべん	音 壬＝ニンという音を表す EX 妊	責任 >>> L.14 / 責任者 / 就任スル / ⇔辞任スル / 無責任(な) / 任せる

例文	読み	意味
1. 田中先生は1年生のクラスの担任をしている。	タンニン	homeroom teacher
2. 社長から大きなプロジェクトを任せられた。	まか(せ)	to entrust; leave

424	姿	姿 姿	シ / すがた	figure; shape / 女 おんな	成り立ち 次（身なりを整える : to fix oneself）＋女＝身なりを整えた女の人→姿	姿勢 / 後ろ姿
東京の朝の電車に乗ると、**スーツ姿**の人がたくさんいる。			(スーツ)すがた	in suit		

425	察	察 察 (14)	サツ	observe; investigate; guess; sympathize / 宀 うかんむり	音 祭＝サツ、サイという音を表す サツ EX 擦 サイ EX 際 92	警察 / 診察スル
私は鳥を**観察する**バードウォッチングが趣味だ。			カンサツ(する)	to observe		

426	章	章 章 (11)	ショウ	document; chapter; design / 立 たつ	音 章＝ショウという音を表す EX 障、彰	章 / (第一)章
ノーベル賞(Novel Prize)をもらった川端康成の**文章**はとてもきれいだと思う。			ブンショウ	writing; text		

427	張	張 張 (11)	チョウ / は(る)	stretch; spread; tighten; strain; lengthen / 弓 ゆみへん	成り立ち 弓(bow)＋長(長くのばす)＝弓のつる(string)が張る(to stretch)様子	緊張スル / 主張スル / 出張スル / 頑張る / 引っ張る
1. クラスで作文を発表する時、とても**緊張した**。			キンチョウ(した)	to get nervous		
2. 寒くなって池に**氷が張って**いる。			こおり(が)は(って)	to ice over; ice up		

428	飛	飛 飛 (9)	ヒ / と(ぶ) と(ばす)	fly; fly up / 飛 とぶ	成り立ち 鳥が羽を広げて飛ぶ形	飛行スル / 飛行機 / 飛ばす / 飛び降りる / 飛び込む / 飛び出す
1. シカゴから東京まで**飛行機**で13時間かかる。			ヒコウキ	airplane		
2. スーパーマンのように空を**飛べた**らいいなあと思う。			と(べた)	to fly		

429	俳	ハイ	actor; jocular; haiku 亻 にんべん	画数/形 亻+非 356 =俳	俳優（はいゆう）
(10)	留学した時、文化のクラスで**俳句**を作った。	ハイク	haiku poetry		

430	句	ク	phrase; sentence; clause; haiku 口 くち	文法 俳句（はいく）/川柳（せんりゅう）を数（かぞ）える時に使う EX 一句（いっく）、二句（にく）	句（く） >>> L.13 文句（もんく）
(5)	1. 隣（となり）の人が大きい音で音楽を聞いているので、**文句**を言った。	モンク	complaint		
	2. 松尾芭蕉（まつおばしょう）の**俳句**が好きだ。	ハイク	haiku poetry		

431	浮	う(く) う(かぶ) う(かべる)	float; rise 氵 さんずい	部首 氵 EX 治 389、沿 400	浮（う）かべる 浮（う）く 思（おも）い浮（う）かべる
(10)	このメロディーを聞いて、どんなイメージが**浮かんで**きますか。	う(かんで)	to come to mind		

432	則	ソク	rule; regulation; law; order 刂 りっとう	音 則=ソクという音を表す EX 側 387、測 481	校則（こうそく） 反則（はんそく） 不規則（ふきそく）(な)
(9)	この寮（りょう）の**規則**では、部屋に友達を泊（と）めることはできない。	キソク	rules; regulations		

433	素	ソ ス	naked; bare; basis; element 糸 いと	部首 糸 EX 線 386、級 406	素顔（すがお） 素敵（すてき）(な) 素直（すなお）(な) 素晴（すば）らしい 酸素（さんそ）
(10)	1. 季語（きご）は俳句（はいく）では非常（ひじょう）に大切な**要素**だ。	ヨウソ	element		
	2. 東京タワーから見た景色（けしき）は**素晴らし**かった。	スば(らし)	wonderful		

434 詞

詞	音読み / 訓読み	意味 / 部首	メモ	語彙
詞 (12)	シ	words; part of speech	音 司＝シという音を表す	作詞(さくし)スル
		言 ごんべん	メモ 品詞(ひんし)(part of speech)を表す EX 動詞(どうし)、形容詞(けいようし)、名詞(めいし)	形容詞(けいようし)
				動詞(どうし)
				名詞(めいし)

例文	読み	意味
カラオケでは**歌詞**を覚えていなくても、スクリーンに出てくるので大丈夫(だいじょうぶ)だ。	カシ	song lyrics

435 溶

溶	音読み / 訓読み	意味 / 部首	メモ	語彙
溶 (13)	ヨウ	melt; dissolve; thaw	音 容 293 ＝ヨウという音を表す	溶(と)かす
	と(ける) と(かす)	氵 さんずい		

例文	読み	意味
暑い日に車の中にチョコレートを置(お)いておくと、**溶けて**しまう。	と(けて)	to melt

436 誕

誕	音読み / 訓読み	意味 / 部首	メモ	語彙
誕 (15)	タン	birth	部首 言 EX 認 309、訪 319	誕生日(たんじょうび)
		言 ごんべん		

例文	読み	意味
1. 日本に新幹線(しんかんせん)が**誕生した**のは、1964年のことだ	タンジョウ(した)	to be born
2. **誕生日**には、みんなでパーティーをするつもりだ。	タンジョウビ	birthday

437 憶

憶	音読み / 訓読み	意味 / 部首	メモ	語彙
憶 (16)	オク	remember; memorize; learn	成り立ち 忄(心)＋思(思う)＝心に覚えること	
		忄 りっしんべん	画数/形 忄→りっしんべん 亻→にんべん EX 億 141	

例文	読み	意味
小さい時に外国に住んでいたが、その時の**記憶**はあまり残(のこ)っていない。	キオク	memory

438 孫

孫	音読み / 訓読み	意味 / 部首	メモ	語彙
孫 (10)	ソン	grandchild; descendant	成り立ち 子＋系(つながる:link)＝子供の後につながる→孫(まご)	子孫(しそん)
	まご	子 こへん		

例文	読み	意味
1. 孔子(こうし)(Confucius)の**子孫**が200万人いるというニュースを読んだ。	シソン	descendant
2. **孫**は自分の子供よりかわいいとよく言う。	まご	grandchild

439						
娘	娘 娘	娘 娘 娘 娘 娘 娘 娘 娘 娘 娘 (10)	むすめ	daughter; girl / 女 おんなへん	成り立ち 女+良 360(よい) =美しい女の人や若い女の人	一人娘(ひとりむすめ)
イギリスのエリザベス女王(じょおう)(Queen)には娘が一人いる。			むすめ	daughter		

この課で書き方を覚える漢字

然 35 ➡ 第1課 R

漢字ミニノート 10 mini note

接頭語(せっとうご)(Prefixes)／接尾語(せつびご)(Suffixes)

接頭語(せっとうご) – 言葉の前に付(つ)いて、他の意味を付(つ)け加える(to add)漢字
接尾語(せつびご) – 言葉の後ろに付いて、他の意味を付け加える漢字

例)

接頭語(せっとうご)の例	意味	言葉の例
無(む)～	in–; un–; –less	無関心、無理解
不(ふ)～	un–; in–; dis–	不参加、不満足
全(ぜん)～	whole; entire; all; full	全世界、全人口

接尾語(せつびご)の例	意味	言葉の例
～化(か)	become	日本化、温暖化
～系(けい)	system; lineage; family; group	アジア系、工学系
～部(ぶ)	club; division; department	テニス部、商品開発部

第13課
日本人と自然

練習問題

問題 1 下線の漢字の読み方を書きなさい。音読みと訓(くん)読みに気をつけましょう。

1) 富山(とやま)の近くの海に蜃気楼(しんきろう)(mirage)が a.現れたので、b.美しい c.現象の写真を撮(と)るためにたくさんのカメラマンが集まった。その中に d.美人のカメラマンがいた。

2) 「花」は日本で長く a.親しまれている b.歌だけれど、c.歌詞が思い出せないので、d.親に電話をかけて聞いた。

3) このプロジェクトの a.意図は、日本人の宗教 b.意識を調べることだ。アメリカでの調査を c.参考にして、神についての d.考え方を e.分類して、それを f.分かりやすく g.図にして発表するつもりだ。

4) 去年 a.生まれた子供の b.誕生日に買ったおもちゃが壊れてしまったので、買ったお店に c.直接持って行って、d.直してもらった。

5) ここから a.見える公園(こうえん)の b.景色はあまりきれいではないと思っていたが、夏になって木々の緑(みどり)の c.色がとても美しいことを d.発見した。

6) a.君が好きなソナタ b.形式は、モーツァルトの時代に発展したクラシック音楽の c.形で、山田 d.君も好きだと言っていましたよ。

問題 2 □の中の漢字の部分を□の中に入れて、文に合うように漢字を作りなさい。そして、その漢字の読み方も書きましょう。

例 斤	也	田	寺	女	灬

例 a. この紙を三角に扌□って下さい。 → 折 ⇒ おって

b. 日曜日にいつも行く戸□は、祖母(そぼ)の家です。 → 所 ⇒ ところ

1) a. 来週 □ と一緒に両親に会いに行くことにしている。 →

b. 受験のために塾(じゅく)は必 □ だと思う。→

2) a. 子供の頃、家の近くに大きい氵□があった。 →

b. 亻□の人からも意見を聞いた方がいいですよ。 →

3）a. 昨日、駅で友達に1時間も彳□たされた。→

b. 日本の短歌(たんか)や俳句は、日本独自の言□の形式だと言える。→

4）a. 平和について話し合うために世介の人々が集まる会議があった。→

b. この絵は糸□かいところまで、よく描(か)けている。→

5）a. 自然を守るにはリサイクルは大切だ。→

b. この読み物は笑いが健康法として考えられている点が面白い。→

問題 3 Aと同じような意味の言葉をBの言葉から選びなさい。そして、その言葉を漢字にしましょう。

例

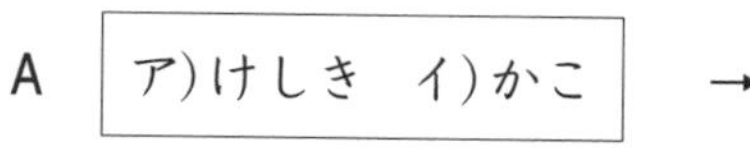

A ア)けしき イ)かこ →
B ふうけい むかし →

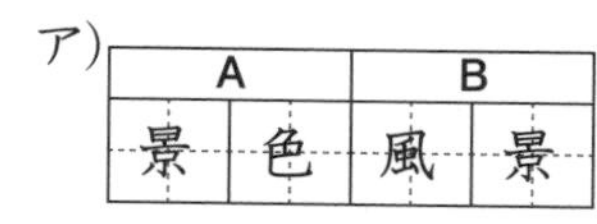

A

ア）かならず　イ）はる、なつ、あき、ふゆ
ウ）しめす　エ）しゅじん　オ）つうじる

B

しき　さす　ぜったい　りかいされる　おっと

問題 4 ＿に□の言葉を選んで文を完成させなさい。漢字の場合は読み方、ひらがなの場合は漢字を書きましょう。

例 ア）泳い　イ）島　ウ）観光し　エ）自然 → a. ＿が美しい b. ＿で c. ＿たり、海で d. ＿だりした。

a.	b.	c.	d.
エ	イ	ウ	ア
しぜん	しま	かんこうし	およい

ア）ともだち　イ）のこって　ウ）たてもの → a. ＿と一緒に古い b. ＿が c. ＿いる町を歩いた。

a.	b.	c.
ア	ウ	イ
友達	建物	残って

1）ア）俳句　イ）作者　ウ）担任　エ）思い出せ

私のクラスのa. ＿＿＿の先生は、そのb. ＿＿＿を詠(よ)んだc. ＿＿＿の名前が全然d. ＿＿＿ずに困っていた。

2) ア)規則　イ)親しむ　ウ)観察　エ)孫

a. ＿＿＿と一緒に自然にb. ＿＿＿ことができる国立公園(こくりつこうえん)(national park)に行った。入口(いりぐち)に「自然をc. ＿＿＿する時はd. ＿＿＿を守って下さい」と書いてあった。

3) ア)要素　イ)構成　ウ)記憶　エ)文章

いいa. ＿＿＿を書くためには、いつ、どこで、誰が、何をなどのb. ＿＿＿を意識して、全体のc. ＿＿＿を考えるとよい。また、読む人のd. ＿＿＿に残るエピソードなどを入れる必要もある。

4) ア)ちょくせつ　イ)いんしょう　ウ)そうぞう

田中さんに初めてa. ＿＿＿会った時のb. ＿＿＿は、会う前にc. ＿＿＿していたのとは全(まった)く違った。

5) ア)ゆめ　イ)こおり　ウ)いけ　エ)こまかい

a. ＿＿＿が張ったb. ＿＿＿の上でスケートをするc. ＿＿＿を見たが、誰と行ったとか、どこでスケートをしたとかd. ＿＿＿ことは覚えていない。

問題 5 a.～d.の漢字を読みなさい。そして、a.～d.の中から＿＿に合う言葉を選びましょう。

例 (a. 気温　b. 建物　c. 都市　d. 島)

東京の夏は、＿＿＿＿が高いので、好きじゃない。

→

(a.)	きおん	b.	たてもの	c.	とし	d.	しま

1) (a. 娘　b. 妻　c. 姉　d. 孫)

私と結婚してから、＿＿＿＿は家の近くの銀行で働くようになった。

2) (a. 親しまない　b. 溶けない　c. 示さない　d. 足りない)

明日のパーティーにはたくさん人が来るので、家にあるコップだけでは＿＿＿と思う。

3) (a. 詩　b. 歌　c. 俳句　d. 歌詞)

ギリシャ文学では、ホメーロス(Homer)の＿＿＿が有名だ。

4) (a. 担任　b. 規則　c. 要素　d. 交通)

東京では色々な＿＿＿の手段があるが、地下鉄(ちかてつ)が一番便利だ。

5) (a. 感想　b. 手段　c. 記憶　d. 印象)

明日までに、森鴎外(もりおうがい)の小説を読んで＿＿＿を書かなければいけない。

6) (a. 勝手　b. 観察　c. 誕生　d. 本来)

地球(ちきゅう)(the earth)が＿＿＿したのは、約46億年前だと言われている。

問題 6 1)～5)の漢字の読み方を書きなさい。そして絵を見て、その言葉を使って短い文を書きましょう。

例 本　泣く → 読み方：ほん　なく
短い文：泣きながら本を読んでいる。

1) 

妻　娘 → 読み方：＿＿＿＿＿＿
短い文：＿＿＿＿＿＿

2) 

氷　張る → 読み方：＿＿＿＿＿＿
短い文：＿＿＿＿＿＿

3) 

溶ける　孫 → 読み方：＿＿＿＿＿＿
短い文：＿＿＿＿＿＿

4) 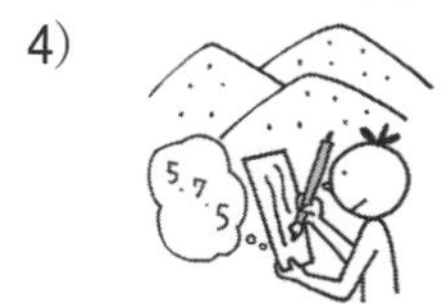

俳句　浮かぶ → 読み方：＿＿＿＿＿＿
短い文：＿＿＿＿＿＿

5) 

昼寝　夢 → 読み方：＿＿＿＿＿＿
短い文：＿＿＿＿＿＿

問題 7 質問に答えなさい。

Ⅰ）漢字には色々な意味を持つものがあります。「本」という漢字にもいくつかの意味があります。「本」という漢字は「木の下に物がある」形を表していて、それはA.の「もと」という意味を表しますが、その他にB.、C.、D.のような意味もあります。

A. もと、もとから、物事のもと ― 例 本来

B. 主な、中心の ― 例 本州

C. 書いたもの ― 例 本

D. 正しい ― 例 本当

Ⅱ）下線の言葉はどんな意味でしょうか。「本」が上のA.～D.のどの意味を表すかを考え、a.～c.の中から一番適当な意味を選びましょう。

1）ホンダの本社(ほんしゃ)は日本の東京都にある。

（a. book company　b. head office　c. founded place）

2）紫式部(むらさきしきぶ)が書いた源氏(げんじ)物語は写本(しゃほん)しか残っていない。

（a. original manuscript　b. main chapter　c. handwritten copy）

3）マリリン・モンローの本名(ほんみょう)は Norma Jeane Mortensen だ。

（a. real name　b. maiden name　c. pen name）

4）犬は道に迷っても家に戻ろうとする本能(ほんのう)を持っている。

（a. ability to read books　b. instinct　c. real power）

5）このダイヤモンド(diamond)が本物(ほんもの)なら、このネックレスの値段は100万円ぐらいだろう。

（a. main product　b. first edition　c. genuine）

問題8 文を読んで質問に答えなさい。

日本の国の七割は山だ。山に行くと東京では a.想像できないすばらしい b.景色と c.自然を d.発見することが出来る。日本は e.四季がはっきりしていて、春と秋では山の f.印象も全然違い、特に秋の紅葉(こうよう)の美しさに g.感動する人は多い。山の中にある美しい h.池に i.浮かんでいるボートや、青い空を j.飛ぶ鳥の k.姿を見るのもいいかもしれない。日本の自然を l.味わいたければ、ぜひ山に行ってみるといい。

1）a.～l.の下線の漢字の読み方を書きましょう。

a.想像　b.景色　c.自然　d.発見　e.四季　f.印象　g.感動　h.池

i.浮かんで　j.飛ぶ　k.姿　l.味わい

2）a.～l.の言葉をできるだけたくさん使って、「あなたの国の自然」について文を書いてみましょう。

第14課

日本の政治(せいじ)

RW 読み方・書き方を覚える漢字

No.	漢字	書き順	読み方	意味 / 部首	備考	語彙
440	条	条 条 条 条 条 条 条 (7)	ジョウ	stripe; article; item / 木 き	部首 木 EX 植382、枚390	条約(じょうやく)、無条件(むじょうけん)

例文	読み	意味
週末だけ働くという**条件**で、アルバイトをすることにした。	ジョウケン	condition

No.	漢字	書き順	読み方	意味 / 部首	備考	語彙
441	件	件 件 件 件 件 件 (6)	ケン	case; matter; incident / 亻 にんべん	文法 出来事(できごと)を数(かぞ)える時に使う EX a. 昨日(きのう)、交通事故(こうつうじこ)が三件(けん)あった。 b. この地区(ちく)では犯罪(はんざい)の件数(けんすう)が増(ふ)えている。	件数(けんすう)、(一)件(いっけん)、事件(じけん)

例文	読み	意味
1. 駅から近くて広いという**条件**に合う家を探(さが)すのは難しい。	ジョウケン	condition
2. 日本でも飛行機(ひこうき)がハイジャックされるという**事件**があった。	ジケン	incident

No.	漢字	書き順	読み方	意味 / 部首	備考	語彙
442	暖	暖 暖 暖 暖 暖 暖 暖 暖 暖 暖 暖 暖 暖 (13)	ダン / あたた(かい)、あたた(まる)、あたた(める)	warm / 日 ひへん	類義/反対語 ・暖(あたた)かい＝気温(きおん)について EX 暖かい部屋、暖かい日 ・温(あたた)かい＝物の温度(おんど)や性格(せいかく)について EX 温かい料理、温かい心	暖房(だんぼう)、暖(あたた)かい、暖(あたた)まる、暖(あたた)める

例文	読み	意味
1. **地球温暖化**で雪の降(ふ)る日が少なくなった。	チキュウオンダンカ	global warming
2. 東京では四月になると、**暖かい**日が多くなる。	あたた(かい)	warm

No.	漢字	書き順	読み方	意味 / 部首	備考	語彙
443	祖	祖 祖 祖 祖 祖 祖 祖 祖 祖 (9)	ソ	ancestor; founder / ネ しめすへん	音 且＝ソという音を表す EX 組108、阻、粗、租	先祖(せんぞ) >>> L.6、祖先(そせん)

例文	読み	意味
a. **祖父**とb. **祖母**は共に、今年70歳になる。	a. ソフ b. ソボ	a. grandfather b. grandmother

No.	漢字	書き順	読み方	意味 / 部首	備考	語彙
444	標	標 標 標 標 標 標 標 標 標 標 標 標 標 標 標 (15)	ヒョウ	mark; sign; symbol; target; standard / 木 きへん	音 票446＝ヒョウという音を表す EX 漂	

例文	読み	意味
今年の**目標**は一週間に二度ジョギングをすることだ。	モクヒョウ	aim; goal

445

束	束 / 束	ソク	bundle; bunch; bind	成り立ち 木＋口（しばる：to tie）＝束（たば）ねる（to bind）	花束（はなたば）
	(7)	たば	木 き	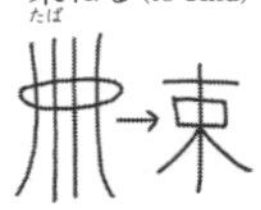	

1. 友達と**約束した**時間に遅れないように、家を出た。	ヤクソク（した）	**to promise**
2. 彼女の誕生日（たんじょうび）に**花束**をプレゼントした。	はなたば	bouquet

446

票	票 / 票	ヒョウ	vote; ballot; slip	文法 票（ひょう）(ballot) を数（かぞ）える時に使う EX 一票（いっぴょう）、二票（にひょう）	票（ひょう） （一）票（いっぴょう） 開票（かいひょう）スル
	(11)		示 しめす		

日本では多くの人が**投票**できるように、選挙（せんきょ）の投票日（び）は日曜日になっている。	トウヒョウ	**to vote**

447

責	責 / 責	セキ	blame; accuse; responsibility; liability	音 責＝セキという音を表す EX 積 373、績	責任感（せきにんかん） 責任者（せきにんしゃ） 無責任（むせきにん）（な） 責（せ）める
	(11)	せ（める）	貝 かい		

1. 親には子供を育（そだ）てる**責任**がある。	セキニン	**responsibility**
2. 約束（やくそく）を守（まも）らなかったので、友達に**責め**られた。	せ（め）	to blame

448

権	権 / 権	ケン	right; power	文法 権（けん）＝言葉の後ろについて権利（けんり）(right) という意味を表す EX 生活権、著作（ちょさく）権、プライバシー権	権利（けんり） 権力（けんりょく） 人権（じんけん） 政権（せいけん）
	(15)		木 きへん		

1. 日本では20歳から**選挙権**がある。	センキョケン	**right to vote**
2. 日本では誰でも教育（きょういく）を受ける**権利**がある。	ケンリ	right

449

期	期 / 期	キ	term; period; expect	部首 月＝時間に関係 EX 朝、望 302 音 其＝キという音を表す EX 基 314、棋、欺、旗	期間（きかん） 期限（きげん） 期待（きたい）スル 期末（きまつ） 延期（えんき）スル 学期（がっき） 短期（たんき）⇔長期（ちょうき）
	(12)		月 つき		

1. 雪が降（ふ）る**時期**になると、白鳥（はくちょう）(swan) が日本にやって来る。	ジキ	**time; period; season**
2. a. **先学期**は、日本語の授業を取らなかったが、b. **今学期**は取るつもりだ。	a. センガッキ b. コンガッキ	a. last semester b. this semester

450 評

評 (教科書体) / 評	筆順 (12)	音訓	意味	成り立ち	語例
評	(12)	ヒョウ	comment; criticism; evaluation	成り立ち 言(言葉)+平(公平: equity) = 色々と考えて言う	批評スル、評判
			言 ごんべん		

ゴッホの絵は、彼が生きている間は**評価**が高くなかったそうだ。 | ヒョウカ | value

451 価

漢字	筆順	音訓	意味	画数/形	語例
価	(8)	カ	price; value	画数/形 覀→縦(vertical)の線は直線(straight line)、西→縦の線は直線ではない	価格、価値、定価、物価
			亻 にんべん		

1. アメリカの大学では学生が授業や先生を**評価する**。 | ヒョウカ(する) | to evaluate
2. 東京やニューヨークのような大都市は**物価**が高い。 | ブッカ | prices

R 読み方を覚える漢字

452 総

漢字	筆順	音訓	意味	部首	語例
総	(14)	ソウ	total; whole; general	部首 糸 EX 線386、級406	総合スル、総数、総選挙、総量
			糸 いとへん		

総理大臣は普通、首相と呼ばれる。 | ソウリダイジン | prime minister

453 臣

漢字	筆順	音訓	意味	成り立ち	語例
臣	(7)	ジン	subject; follower; vassal	成り立ち 下を向いた目を横から書いた形=主君(one's lord)の前で下を向く人→家来(follower)	大臣
			臣 しん		

国会議員でなくても、**大臣**になれることもある。 | ダイジン | cabinet minister

454 除

漢字	筆順	音訓	意味	音	語例
除	(10)	ジョ、ジ	remove; exclude	音 余=ジョという音を表す EX 叙、徐	削除スル、掃除スル、取り除く、除く
		のぞ(く)	阝 こざとへん		

1. たいてい週末に部屋の**掃除**をする。 | ソウジ | cleaning
2. この店は日曜日**を除いて**、朝の10時から夜の7時まで開いている。 | (を)のぞ(いて) | except for

455 貧

貧 (11)	音: ヒン、ビン	poor
	訓: まず(しい)	貝 かい

成り立ち 貝(お金)+分(分かれる)=お金が分かれる→貧(まず)しくなる

貧血(ひんけつ)
貧乏(びんぼう)(な)
貧(まず)しい >>> L.15

例文	読み	意味
1. アフリカには**貧困**で困っている国がある。	ヒンコン	poverty
2. コメディアンで有名なチャップリンは子供の頃、**貧し**かったそうだ。	まず(し)	poor

456 域

域 (11)	音: イキ	area; region; zone; district
	訓:	土 つちへん

類義/反対語 地域(ちいき)=地区(ちく)より広い場所を指(さ)す

区域(くいき)
全域(ぜんいき)

例文	読み	意味
この**地域**は山が多いので、携帯(けいたい)電話は使えない。	チイキ	area; region

457 補

補 (12)	音: ホ	supplement; compensate; support
	訓: おぎな(う)	衤 ころもへん

音 甫=ホという音を表す EX 捕、舗

補助(ほじょ)スル
候補(こうほ)
補(おぎな)う

例文	読み	意味
1. 衆議院議員(しゅうぎいんぎいん)の**候補者**が駅の前で演説(えんぜつ)していた。	コウホシャ	candidate
2. あのスポーツ選手(せんしゅ)は次の選挙(せんきょ)に**立候補する**らしい。	リッコウホ(する)	to announce one's candidacy
3. スポーツをする時は失(うしな)った水分(すいぶん)(lost water)を**補う**ことが大切だ。	おぎな(う)	to compensate

458 看

看 (9)	音: カン	watch; care for
	訓:	目 め

成り立ち 手(手)+目=目の上に手を置(お)いて遠(とお)くを見る→看(み)る

看護(かんご)スル
看護士(かんごし)
看病(かんびょう)スル

例文	読み	意味
この公園(こうえん)には「犬を連(つ)れて入るな」という**看板**がある。	カンバン	sign

459 板

板 (8)	音: ハン、バン	board; plate; plank
	訓: いた	木 きへん

画数/形 木+反 189 =板

黒板(こくばん)
鉄板(てっぱん)
板(いた)

例文	読み	意味
1. このビルの屋上(おくじょう)(roof)に缶(かん)コーヒーを宣伝(せんでん)する**看板**がある。	カンバン	(advertising) sign
2. このテーブルは杉(すぎ)(cedar)の**板**を二枚使って作られている。	いた	board

460 応

応 / 応	応応応応応応応 (7)	
オウ	respond; answer; reply;	部首 心　EX 悲 221、患 263
	心 こころ	

応援スル(おうえん)　応じる(おう)　応募スル(おうぼ)　応用スル(おうよう)　反応スル(はんのう)

例文	読み	意味
風邪(かぜ)だと思うけど、**一応**医者に行った方がいいよ。	イチオウ	just in case

461 党

党 / 党	党党党党党党党党党党 (10)	
トウ	party; circle; faction	部首 儿　EX 兄、光 27
	儿 ひとあし	

党(とう)　党員(とういん)　無党派(むとうは)

例文	読み	意味
アメリカには大きい**政党**が二つある。	セイトウ	political party

462 引

引 / 引	引引引引 (4)	
イン	pull; draw; tug	成り立ち 弓(bow)+丨(のばす) ＝弓(ゆみ)を引(ひ)く様子(ようす)
ひ(く)	弓 ゆみへん	

引き受ける(ひう)　引き出す(ひだ)　引く(ひ)　引っ越す(ひこ)／引っ越し(ひこ)　引っ張る(ひぱ)　割引スル(わりびき)

例文	読み	意味
1. あの選手(せんしゅ)は怪我(けが)でプロ野球を**引退する**ことになった。	インタイ(する)	to retire
2. 分からない漢字に線を**引いて**下さい。	ひ(いて)	to draw

463 退

退 / 退	退退退退退退退退退 (9)	
タイ	recede; retreat; withdraw; retire	類義/反対語 退(しりぞ)く(後ろの方に行く)⇔進(すす)む(前の方に行く) 286
	辶 しんにょう	

退院スル(たいいん)　退学スル(たいがく)　退屈(な)(たいくつ)　退場スル(たいじょう)　退職スル(たいしょく)

例文	読み	意味
1. その政治家(せいじか)は大臣(だいじん)を辞(や)めて、政治の世界から**引退した**。	インタイ(した)	to retire
2. 病気で長い間 a. **入院して**いた友達が、やっと b. **退院した**。	a. ニュウイン(して) b. タイイン(した)	a. to be hospitalized b. to be discharged

464 離

離 / 離	離離離離離離離離離離離離離離離離離離離 (19)	
リ	separate; detach; depart	部首 隹　EX 雑 36、難 40、集 77
はな(れる) はな(す)	隹 ふるとり	

離婚スル(りこん)　離陸スル(りりく)　距離(きょり)　離す(はな)

例文	読み	意味
1. 普通(ふつう)の人が1時間で歩ける**距離**はだいたい4キロぐらいだそうだ。	キョリ	distance
2. 大学に入って、親と**離れて**暮(く)らすようになった。	はな(れて)	to separate

465 討

討	討	トウ	attack; put down; examine; discuss	画数/形 寸 EX 村 260、付 472	討論会（とうろんかい） 検討スル（けんとう）
	討 (10)		言 ごんべん		

テレビで政治家（せいじか）が現在の日本の問題について**討論して**いた。 | トウロン(して) | **to debate; discuss**

466 剣

剣	剣	ケン	sword; blade	音 㑒＝ケンという音を表す EX 険 324	剣（けん） 剣道（けんどう）
	剣 (10)		刂 りっとう		

今、アルバイトを辞（や）めようかどうか**真剣に**考えている。 | シンケン(に) | **seriously**

467 雰

雰	雰	フン	atmosphere	音 分＝フンという音を表す EX 紛、粉	
	雰 (12)		雨 あめ		

あのレストランは**雰囲気**がいいので、いつも若い人達で混（こ）んでいる。 | フンイキ | **atmosphere; mood**

468 囲

囲	囲	イ	enclose; surround	部首 口 EX 因 291	周囲（しゅうい） 範囲（はんい） 囲む（かこ） 取り囲む（と かこ）
	囲 (7)	かこ(む)	口 くにがまえ		

1. 部屋に花を置（お）くと、**雰囲気**が変わります。 | フンイキ | **atmosphere; mood**
2. 大きな木で家が**囲まれて**いて、ここからは家が見えない。 | かこ(まれて) | to be surrounded

469 偏

偏	偏	ヘン	one-sided; partial; biased; left-side element (of kanji)	音 扁＝ヘンという音を表す EX 遍、編	偏差値（へんさち） 偏る（かたよ）
	偏 (11)	かたよ(る)	亻 にんべん		

1. 以前（いぜん）、日本では左利き（ひだりき）(left-handedness)はよくないという**偏見**があった。 | ヘンケン | **prejudice; narrow view**
2. 情報が少ないと考えが**偏って**しまうと思う。 | かたよ(って) | to become one-sided

この課で書き方を覚える漢字

無 72 ➡ 第2課 R
投 133 ➡ 第4課 R
挙 241 ➡ 第7課 R
態 409 ➡ 第12課 R
任 423 ➡ 第13課 R

第14課

日本の政治

練習問題

問題 1 下線の漢字の読み方を書きなさい。音読みと訓(くん)読みに気をつけましょう。

1) 二年後に a.行われるオリンピックのドキュメンタリーの b.映画を作る c.計画があった。けれど、お金が集まらず、計画を d.実行することができなかった。

2) 日本では車は a.左側を走りますが、アメリカでは反対の b.右側を走ります。人の行動(こうどう)(behavior)は習慣に c.左右されるので、日本で運転する時は注意しましょう。

3) 政治学の a.教授として東京の大学で b.教えているおじが、ケネディの有名な c.演説について d.説明してくれた。

4) Aさんを a.支持していた田中さんはAさんが b.落選したというニュースを聞いて、驚いて c.持っていた雑誌を d.落としてしまった。

5) a.母によると、b.父の c.祖父と d.祖母は約100年前に e.貧困で f.困っていた日本からハワイに移民(いみん)して(to immigrate)来たそうだ。

6) テレビでこの近くに a.間違って車を止めてしまう人が多いという b.報道があった後で、c.違反を減らすために d.道に駐車(ちゅうしゃ)(parking)禁止のサインができた。

問題 2 1)～6)の下線の言葉に合うように □ の中の漢字の部分を組(く)み合わせて言葉を作りなさい。言葉の英語の意味も書きましょう。

例羊	云	口	亻	玉	夂	山
人	例大	木	十	亜	言	牛

例 富士山(ふじさん)はうつくしいと思う。　羊 ＋ 大 → 例 美しい (beautiful)

1) 木が大きく育つためのじょうけんは何ですか。

2) 友達と夏休みの旅行のけいかくをしている。

3) 子供の時に学校の授業でこっかいを見学に行ったことがある。

寺	扌	辶	艮	幸	示	首
共	西	殳	月	日		

4) 本州はだいたい6月の終わりから7月の中頃までが梅雨(つゆ)の<u>じき</u>だ。

5) 最近、アメリカの大統領(だいとうりょう)が日本を訪れるという<u>ほうどう</u>があった。

6) 選挙の時には必ず<u>とうひょう</u>に行った方がいい。

問題 3 ＿＿の漢字と部首(ぶしゅ)を組み合わせて漢字を作りなさい。そして、その漢字を使った言葉の読み方を書きましょう。

例 云	壬	且	票	能	平

例 くさかんむり(艹) → <u>芸</u>：歌舞伎(かぶき)は日本の＿＿術の一つだ。→

例	芸	術
	げいじゅつ	

1) ごんべん(言) → ＿＿：ガイドブックによると、このレストランの＿＿価はとても高い。

2) きへん(木) → ＿＿：僕の今年の目＿＿は、彼女を見つけることだ。

3) にんべん(亻) → ＿＿：親は子供を育てる責＿＿がある。

4) しめすへん(ネ) → ＿＿：夏休みに両親と＿＿母の家に遊びに行く。

5) こころ(心) → ＿＿：あの店の店員の＿＿度はあまりよくない。

問題 4 ＿＿の漢字を＿＿に入れて文を完成させなさい。読み方も書きましょう。

例 a. 品　b. 者

1. この美術館(びじゅつ)にはピカソの有名な作＿＿がたくさんある。→

作	a.
さくひん	

2. 「ハムレット」を書いた作＿＿の名前が思い出せない。→

作	b.
さくしゃ	

1) a. 理　b. 域

1. 自然を守るために、あの地＿＿には車で入ることは出来ない。

2. 私は高校の時、地＿＿の授業が好きじゃなかった。

2) a. 補　b. 天

1. 田中さんはオリンピックのマラソンの候＿＿者になったことがある。

2. ＿＿候は、人間の生活にどのような影響を与えるのだろうか。

3) | a. 臣　b. 事 |

1. 将来は総理大＿＿になって、困っている人を助けたいと考えている。
2. 高校時代にいい友達を作ることは、大＿＿だと思う。

4) | a. 党　b. 府 |

1. アメリカよりイギリスの方がたくさん政＿＿があると思う。
2. 明治(めいじ)時代の政＿＿は、近代化のために国外から色々な技術を輸入した。

5) | a. 討　b. 議 |

1. 動物を薬の実験のために使ってもいいかどうかという＿＿論がある。
2. アメリカではどのように＿＿論をするかを学ぶディベート(debate)のクラスがあるそうだ。

6) | a. 偏　b. 意 |

1. 家族の＿＿見を聞いてから、大学を決めました。
2. ＿＿見をなくすために、色々な経験をすることは大切だ。

7) | a. 写　b. 剣 |

1. 海外旅行に行った時の＿＿真を友達に見せてもらった。
2. 来年イギリスに留学するかどうか、真＿＿に考えています。

問題 5 a. ～ d. のひらがなを漢字にしなさい。そして、a. ～ d. の中から＿＿に合う言葉を選びましょう。

例 (a. きおん　b. たてもの　c. とし　d. しま)
東京の夏は、＿＿＿が高いので、好きじゃない。

→ | 例 | ⓐ 気温 | b. 建物 | c. 都市 | d. 島 |
|---|---|---|---|---|

1) (a. かんせい　b. けいかく　c. やくそく　d. とうじつ)
友達と映画を見に行くので、駅で6時に会う＿＿＿をした。

2) (a. ぜんいん　b. かんしん　c. ぐたいてき　d. ちゅうもく)
日本では政治に＿＿＿がある若い人が少ないらしい。

3) (a. じき　b. じょうけん　c. ほうどう　d. おんだんか)
＿＿＿の影響で、東京でも雪が降る日が少なくなった。

4) (a. しりあい　b. せきにん　c. しょくぎょう　d. こくがい)
店のマネージャーは＿＿＿があるので、最後に店を出る。

5) (a. せんきょ　b. じっこう　c. ひょうか　d. もくひょう)
4年に一度、アメリカでは大統領(だいとうりょう)を選ぶ＿＿＿がある。

問題 6 ＿＿に［　　］の言葉を選んで文を完成させなさい。そして、漢字の読み方を書きましょう。

例 ［ア）泳い　イ）島　ウ）観光し　エ）自然］ a.＿が美しいb.＿でc.＿たり、海でd.＿だりした。

→

a.	エ	b.	イ	c.	ウ	d.	ア
	しぜん		しま		かんこうし		およい

1) ［ア）次第　イ）看板　ウ）雰囲気］
この店のa.＿＿＿に合ったモダンなb.＿＿＿を作れるかどうかは、デザイナーc.＿＿＿だと思います。

2) ［ア）離れる　イ）引退　ウ）限ら］
議員をa.＿＿＿した人が誰でも政治の仕事からb.＿＿＿とはc.＿＿＿ないと思う。

3) ［ア）一応　イ）知り合い　ウ）除いて］
このパーティーにいる人はみんなa.＿＿＿だから、b.＿＿＿全員知っています。でも、田中さんをc.＿＿＿、仲がいい友達はいません。

4) ［ア）政策　イ）反映　ウ）総理大臣］
a.＿＿＿は新しいb.＿＿＿に国民の声をc.＿＿＿させると約束した。

5) ［ア）無関心　イ）祖父　ウ）務めて］
国会議員をa.＿＿＿いたb.＿＿＿は、家族のことについてはc.＿＿＿だったそうだ。

問題 7 質問に答えなさい。

Ⅰ）「議員」、「候補者」、「政治家」の「員、者、家」にはどんな意味がありますか。そうですね。どれにも「人」という意味がありますね。では、「員、者、家」の基本的な意味を見てみましょう。

員…ある仕事をしている人、あるグループのメンバー

例　議員　→　議会(ぎかい)(assembly; diet)のメンバーで、議会の仕事をしている人

者…あることや動作をする人、ある状態になっている人、ある技術や経験を持っている人

例　信者　→　信じている人　　候補者　→　候補になっている人

家…何かを専門として仕事をしている人

例　政治家　→　政治を仕事としている人

Ⅱ）上の「員」、「者」、「家」の意味を参考にしながら、次の□の中に「員、者、家」のどれが入るか考えてみましょう。そして、その言葉の読み方も書きましょう。

1）駅の仕事をしている人 → 駅□

2）病気を治す技術を持っている人 → 医□

3）音楽を作ったり演奏（えんそう）することを専門として仕事をしている人 → 音楽□

4）教える仕事をしている人 → 教□

5）会社で仕事をしている人 → 社□

6）新聞や雑誌の記事を書く技術を持っている人 → 記□

7）マンガを描（か）くことを専門として仕事をしている人 → 漫画（まんが）□

8）絵を描（か）くことを専門として仕事をしている人 → 画□

9）銀行の仕事をしている人 → 銀行□

10）店の仕事をしている人 → 店□

11）病気の状態の人 → 患□

12）小説やエッセイを書くことを専門として仕事をしている人 → 作□

問題 8 文を読んで質問に答えなさい。

日本のa.政治はb.民主主義が基本だ。国民がc.選挙で直接d.国会議員やe.知事やf.市長を選ぶ。選挙にg.立候補するh.候補者は、自分がi.実行したいj.政策をマニフェストやk.演説を通して国民に伝える。日本では20歳からl.選挙権があるが、若い人は選挙にm.無関心で、あまりn.投票に行かないということが問題になっている。

1）a.～n.の下線の漢字の読み方を書きましょう。

a.政治　b.民主主義　c.選挙　d.国会議員　e.知事　f.市長　g.立候補
h.候補者　i.実行　j 政策　k.演説　l.選挙権　m.無関心　n.投票

2）a.～n.の言葉をできるだけたくさん使って、「あなたの国の選挙」について文を書いてみましょう。

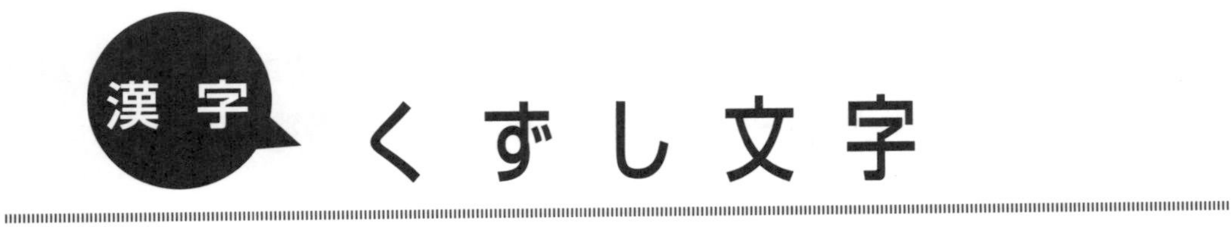

漢字 くずし文字

英語には筆記体（ひっきたい）(cursive style) というのがありますね。日本語にも字をくずして書くスタイル (cursive style) の行書体（ぎょうしょたい）と草書体（そうしょたい）があります。江戸時代の本や書道（しょどう）(calligraphy) などで、行書体（ぎょうしょたい）や草書体（そうしょたい）が使われています。「食べる」を行書体（ぎょうしょたい）と草書体（そうしょたい）で書くと下の例のようになります。

行書体（ぎょうしょたい）：食べる　　　草書体（そうしょたい）：食べる

【問題 1】 A～Eの言葉と草書体（そうしょたい）の漢字をマッチングしてみましょう。

A. 明日	・	・	東京
B. 日本	・	・	天気
C. 東京	・	・	明日
D. 元気	・	・	元気
E. 天気	・	・	日本

【問題 2】 次の言葉は草書体（そうしょたい）で書いてあります。何と書いてあるでしょうか。

（1）私の名前は田中です。

（2）水を持って来てください。

（3）昨日、本屋で新しい本を買いました。

第15課

世界と私の国の未来

RW 読み方・書き方を覚える漢字

470 疑

漢字	音読み / 訓読み	意味 / 部首	成り立ち	語彙
疑 (14)	ギ	doubt; suspect	音 疑＝ギという音を表す EX 擬	容疑(者)、疑い、疑う、疑わしい
	うたが(う)	𤴔 ひき		

例文	読み	意味
1. UFOの存在に**疑問**を持っている人はたくさんいる。	ギモン	question; doubt
2. 弟は僕がゲーム機を壊したのではないかと**疑って**いる。	うたが(って)	to suspect

471 太

漢字	音読み / 訓読み	意味 / 部首	成り立ち	語彙
太 (4)	タイ	thick; big; gain weight	部首 大 EX 夫 396 / 類義/反対語 太い⇔細い	太陽 >>> L.6、太平洋 >>> L.15、太い
	ふと(い)、ふと(る)	大 だい		

例文	読み	意味
1. **太陽**を神と考える宗教はたくさんある。	タイヨウ	the sun
2. 最近は**太り過ぎ**のペットが多いらしい。	ふと(り)す(ぎ)	overweight
3. うどんは、たいていそばより**太い**。	ふと(い)	thick

472 付

漢字	音読み / 訓読み	意味 / 部首	成り立ち	語彙
付 (5)	フ	attach; stick; affix; append	成り立ち 亻(人)＋寸(手)＝人の体に手を付ける様子	付近、受付、付き合う、付く、付ける、日付
	つ(く)、つ(ける)	亻 にんべん		

例文	読み	意味
1. 病気の子供達のために毎年**寄付**をしている。	キフ	donation
2. 友達との**付き合い**は大切にしなければいけない。	つ(き)あ(い)	socialization

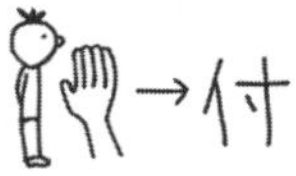

473 悩

漢字	音読み / 訓読み	意味 / 部首	成り立ち	語彙
悩 (10)		worry; trouble; suffering	音 𡿺＝ノウという音を表す EX 脳	悩ます、悩み
	なや(む)、なや(ます)	忄 りっしんべん		

例文	読み	意味
どんな国にもいじめで**悩んで**いる子供がたくさんいる。	なや(んで)	to be troubled

474 豊

音	ホウ
訓	ゆた(か)
意味	abundant; plenty; rich
部首	豆 まめ (EX 短 47)
画数	(13)
語	豊富(な)(ほうふ)、豊かさ(ゆたか)

1. ビタミンCが**豊富に**含まれている果物はレモンだ。 — ホウフ(に) — rich; plenty
2. 日本人の生活は昔に比べて本当に**豊か**になった。 — **ゆた(か)** — **rich**

475 届

訓	とど(く)、とど(ける)
意味	deliver; reach; arrive
部首	尸 しかばね (EX 屋、展 368)
画数	(8)
語	届け(とど)、届け先(とどさき)、届け出る(とどでる)、届ける(とど)

日本の母から荷物が**届いた**。 — **とど(いた)** — **to arrive**

476 再

音	サイ、サ
訓	ふたた(び)
意味	a second time; again; twice
部首	一／いち、冂／まきがまえ (EX 丈 395)
画数	(6)
語	再開スル(さいかい)、再婚スル(さいこん)、再生スル(さいせい)、再来年(さらいねん)、再び(ふたた)

1. このノートは集めた新聞を**再利用して**作ったものだ。 — **サイリヨウ(して)** — **to re-use**
2. 雨は一度やんだが、**再び**降り始めた。 — ふたた(び) — again

477 森

音	シン
訓	もり
意味	forest; woods
部首	木 き
成り立ち	木が三つ＝木がとてもたくさんある所
画数	(12)
語	森林(しんりん) >>> L.15

村上春樹(むらかみはるき)には「ノルウェイの**森**」という作品(さくひん)がある。 — **もり** — **forest**

478 林

音	リン
訓	はやし
意味	forest; woods
部首	木 きへん
成り立ち	木＋木＝木がある所
画数	(8)
語	植林スル(しょくりん)、林(はやし)

1. アマゾンの**森林**には様々な動物が住んでいる。 — **シンリン** — **forest**
2. 今は家がたくさんあるが、30年前、ここは**林**だった。 — はやし — woods

479	緑	リョク / みどり	green	糸 いとへん	画数/形 緑の右＝録 379	緑茶(りょくちゃ) 緑色(みどりいろ)
(14)	イタリアの国旗(こっき)(national flag)は**緑**と白と赤の三色(さんしょく)だ。	みどり	green			

480	捨	す(てる)	throw away; discard; abandon	扌 てへん	類義/反対語 捨(す)てる⇔拾(ひろ)う	使(つか)い捨(す)て
(11)	ごみはごみ箱(ばこ)に**捨てて**下さい。	す(てて)	to throw away			

R 読み方を覚える漢字

481	測	ソク / はか(る)	measure; gauge; conjecture; guess	氵 さんずい	画数/形 氵＋則 432＝測	測定(そくてい)スル 観測(かんそく)スル 測(はか)る
(12)	1. ある研究者は、100年後は気温(きおん)が5度以上高くなると**予測して**いる。	ヨソク(して)	to predict			
	2. この機械(きかい)で、走っている車の速(はや)さを**測る**ことが出来る。	はか(る)	to measure			

482	栄	エイ	flourish; prosper; thrive	木 き	部首 木 EX 条 440、標 444、束 445、権 448 画数/形 ⺍ EX 学、覚 19、労 493	栄養士(えいようし) 繁栄(はんえい)スル
(9)	病気の時は**栄養**のある食べ物を食べた方がいい。	エイヨウ	nutrition			

483	養	ヨウ / やしな(う)	foster; raise; support; care for	食 しょく	部首 食 EX 飾 408 成り立ち 羊(ひつじ: sheep)＋食(食べる)＝栄養(えいよう)のある食べ物	休養(きゅうよう)スル 教養(きょうよう) 養(やしな)う
(15)	1. **栄養**を考えて、料理をすることも大切だ。	エイヨウ	nutrition			
	2. 兄は家族を**養う**ために、一生懸命(いっしょうけんめい)仕事をしている。	やしな(う)	to support			

484 恐

恐	恐 / 恐	恐恐恐恐恐恐恐恐恐恐 (10)	キョウ	fear; scare; dread	部首 心　EX 態 409、想 416	恐怖（きょうふ） 恐れ（おそ） 恐ろしい（おそ）
			おそ(れる) おそ(ろしい)	心 こころ		

例文	読み	意味
1. 高い場所で**恐怖**を感じる人はたくさんいる。	キョウフ	fear; fright
2. この森（もり）は熊（くま）(bear)が多いので、**恐れて**誰も入らない。	**おそ(れて)**	**to fear; be afraid of**

485 従

従	従 / 従	従従従従従従従従従従 (10)		follow; obey; comply; accompany	部首 彳　EX 役 325、徴 344、律 365	従う（したが）
			したが(う)	彳 ぎょうにんべん		

例文	読み	意味
車に乗った時は、法律（ほうりつ）**に従って**、シートベルトをしなければいけない。	**(に)したが(って)**	**in accordance with**

486 恵

恵	恵 / 恵	恵恵恵恵恵恵恵恵恵恵 (10)	エ	blessing; favor	部首 心　EX 恐 484	知恵（ちえ）
			めぐ(む)	心 こころ		

例文	読み	意味
日本は四季（しき）に**恵まれた**国だとよく言われる。	**めぐ(まれた)**	**to be blessed**

487 齢

齢	齢 / 齢	齢齢齢齢齢齢齢齢齢齢齢齢齢齢齢齢齢 (17)	レイ	age	音 令＝レイという音を表す　EX 冷 321、零	年齢（ねんれい）
				歯 は		

例文	読み	意味
1. 日本では**高齢者**がどんどん増（ふ）えている。	**コウレイシャ**	**old people**
2. 日本で、お酒が飲める**年齢**は20歳からです。	ネンレイ	age

488 寿

寿	寿 / 寿	寿寿寿寿寿寿寿 (7)	ジュ	longevity; long life; congratulations	部首 寸　EX 尊 128、導 348	長寿（ちょうじゅ） *寿司（すし）
				寸 すん		

例文	読み	意味
日本人の平均（へいきん）**寿命**は世界で一番長い。	**ジュミョウ**	**life span**

489 延	延 延	延延延延延延延延 (8)	エン / の(びる) の(ばす)	extend; prolong; stretch; lengthen / 廴 えんにょう	成り立ち 廴(進む)+ノ(長くのばす)+止(足)=長く遠くまで進む→延びる 画数/形 延 EX 誕436の右	延期スル 延長スル 延ばす
1. 雨が降って、テニスの試合が**延期**になった。			エンキ	postponement		
2. 会議が**延びて**、夕食の約束に間に合わなかった。			の(びて)	to extend		

490 老	老 老	老老老老老老 (6)	ロウ	old age; grow old / 耂 おいかんむり	成り立ち 年寄りが杖をついている(to use a stick)様子 →老	老人
老後の生活が心配だから貯金をしている。			ロウゴ	post-retirement years		

491 収	収 収	収収収収 (4)	シュウ / おさ(める)	collect; take in / 又 また	部首 又 EX 友	収穫スル 吸収スル 年収 買収スル 収める
1. 友達は**収入**のいい仕事を探している。			シュウニュウ	income		
2. 本が多すぎて本棚に全部の本を**収める**ことができない。			おさ(める)	to store		

492 財	財 財	財財財財財財財財財財 (10)	サイ ザイ	property; money; assets / 貝 かいへん	音 オ=サイという音を表す	財布 財政 文化財
1. 父が亡くなった後、父の**財産**を兄弟で分けた。			ザイサン	property; fortune		
2. 町で**財布**を失くして、困ってしまった。			サイフ	wallet		

493 労	労 労	労労労労労労労 (7)	ロウ	labor; exhaust; weary / 力 ちから	画数/形 ⺍ EX 栄482 ・⺍→上の線はななめの(diagonal)線 ・⺌→上の真ん中はまっすぐの(straight)線 EX 賞496	労働者 苦労スル
日本では13歳以下の子供が**労働する**ことは禁止されている。			ロウドウ(する)	to labor		

494	貯	読み	意味	部首・備考	語彙
貯 貯	貯貯貯貯 貯貯貯貯 貯貯貯貯 (12)	チョ	save; store	部首 貝 EX 責 447、貧 455	貯蔵(ちょぞう)スル 貯(た)まる 貯(た)める
		た(める)	貝 かいへん		

例文	読み	意味
1. 毎月、銀行に一万円**貯金している**。	チョキン(して)	to save money
2. 早く100万円を**貯めて**、車を買いたいと思う。	た(めて)	to save

495	衛	読み	意味	部首・備考	語彙
衛 衛	衛衛衛衛 衛衛衛衛 衛衛衛衛 衛衛衛 (16)	エイ	protect; defense	部首 行 EX 術 91、街 332	衛生(えいせい) 衛星(放送)(えいせい ほうそう) 自衛隊(じえいたい)
			行 ぎょうがまえ		

例文	読み	意味
アジアには**衛生的な**水がなくて困っている地域(ちいき)がある。	エイセイテキ(な)	hygienic

496	賞	読み	意味	部首・備考	語彙
賞 賞	賞賞賞賞 賞賞賞賞 賞賞賞 (15)	ショウ	prize; reward; praise	成り立ち 貝(お金)+尚(くわえる: to add)=お金を与えてほめること	鑑賞(かんしょう)スル >>> L.13 受賞(じゅしょう)スル >>> L.15 賞(しょう) 賞金(しょうきん) 賞状(しょうじょう) 賞品(しょうひん)
			貝 かい		

例文	読み	意味
1. 佐藤栄作(さとうえいさく)という総理大臣(そうりだいじん)はノーベル平和**賞**をもらった。	ショウ	prize
2. スピーチコンテストで1位になってa. **賞金**とb. **賞品**をもらった。	a. ショウキン b. ショウヒン	a. prize(money) b. prize(goods)

497	資	読み	意味	部首・備考	語彙
資 資	資資資資 資資資資 資資資資 資 (13)	シ	assets; resources	音 次=シという音を表す EX 姿 424	資格(しかく) 資本(主義)(しほん しゅぎ) 資料(しりょう) 投資(とうし)スル
			貝 かい		

例文	読み	意味
日本は**資源**が少ないので、外国から多くのものを輸入(ゆにゅう)している。	シゲン	natural resources

498	源	読み	意味	部首・備考	語彙
源 源	源源源源 源源源源 源源源源 源源 (13)	ゲン	source; origin	音 原 290 =ゲンという音を表す	起源(きげん) 電源(でんげん)
			氵 さんずい		

例文	読み	意味
アラスカには石油(せきゆ)(oil)やガスなどの色々な**資源**がある。	シゲン	natural resources

499	善		
善 (12)	ゼン	good; virtue; do well	類義/反対語 ・善＝道徳的に(morally)よい場合 ・良 360＝一般的ないいこと
		口 くち	善悪、最善
少し太ってきたので、医者から食習慣を**改善し**なさいと言われた。	カイゼン(し)	to improve	

500	農		
農 (13)	ノウ	farmer; agriculture	画数/形 曲 EX 豊 474 の上
		辰 たつ	農業、農場、農村、農民、農薬
1. **農家**の人はたいてい朝早く起きる。	ノウカ	farming family	
2. この町では**農業**を始めたい人を助ける制度がある。	ノウギョウ	farming; agriculture	

501	防		
防 (7)	ボウ	protect; prevent; defend	音 方＝ホウ／ボウという音を表す ホウ EX 放 233、訪 319 ボウ EX 房
	ふせ(ぐ)	阝 こざとへん	防犯、消防(署)、予防スル、防ぐ
1. 1997年に京都で地球温暖化を**防止する**ための世界会議があった。	ボウシ(する)	to prevent	
2. このコンピュータにはウイルスを**防ぐ**ためのソフトがインストールされている。	ふせ(ぐ)	to prevent	

502	募		
募 (12)	ボ	collect; gather; recruit	部首 力 EX 功 148、加 187 画数/形 募の上＝ 暮 161 の上
		力 ちから	募集スル、応募スル
1. 駅前で地震で家をなくした人のための**募金**をしていた。	ボキン	fund-raising	
2. 駅前のレストランでアルバイトを a. **募集して**いたので b. **応募し**ようと思っている。	a. ボシュウ(して) b. オウボ(し)	a. to look for; hire b. to apply	

503	裏		
裏 (13)		back; rear	類義/反対語 裏⇔表
	うら	衣 ころも	裏返す、裏切る、裏口
大学の**裏に**おいしい和食の店がある。	うら(に)	in the back	

この課で書き方を覚える漢字

周 96 ➡ 第3課 R　　望 302 ➡ 第9課 R
希 301 ➡ 第9課 R　　貧 455 ➡ 第14課 R

第15課
世界と私の国の未来

練習問題

問題 1 下線の漢字の読み方を書きなさい。音読みと訓(くん)読みに気をつけましょう。

1) 私と田中さんは10年ぐらい a.付き合いがある b.共通の友人から c.寄付を頼まれたので、言われた d.通り寄付をすることにした。

2) a.太平洋のある島に b.住んでいた時、島の c.住民と一緒に d.太らないように運動したり、海で泳いだりした。

3) 日本人の a.寿命は延びたけれど、b.命の大切さが分からない人も増えているようで、c.長生きしても老後の d.生活が不安だと感じる人もいるらしい。

4) a.この間、ゴルフの b.仲間の一人が c.収入が減って前から欲しかった車を d.手に入れるのが難しくなったと言っていた。

5) 戦争で a.破壊された町をリポートする番組を見ていたら、b.破れたカーテンや c.壊れたベッドを使って生活をしている人達がいて、とてもかわいそうだと思った。

6) 公園(こうえん)や町に a.植えてある b.植物がアレルギーの原因になる c.物質を持っていることがあるので、アレルギーのある人は注意した方がいい。

問題 2 1)～7)の下線の言葉に合うように ☐ の中の漢字の部分を組(く)み合わせて言葉を作りなさい。言葉の英語の意味も書きましょう。

由	布	糸	貝	王	冂	月	豆	戸	土	寸
亡	例大	メ	例羊	ヨ	口	曲	氺	イ	分	

例 富士山(ふじさん)はうつくしいと思う。　羊 ＋ 大 → 例 美しい (beautiful)

1) 母の好きな色はみどり色だ。

2) ニュージーランドからクリスマスカードがとどいた。

3) 父のきぼうは、私が弁護士(べんごし)になることです。

4) 大学のまわりには、安いレストランがたくさんあります。

5) 老後もゆたかな生活がしたいと思う。

6) 引(ひ)っ越(こ)したばかりで、まだ近所の人と全然つき合いがない。

7) 喜劇で有名なチャップリン(Chaplin)は、子供の時はまずしかったそうだ。

問題 3 1)～8)の____に入るように[ ]の中の漢字を組(く)み合わせて言葉を作りなさい。そして、漢字の読み方も書きましょう。

a. 資	b. 財	c. 賞	d. 受	e. 分	f. 源	g. 十	h. 信	i. 産	j. 者

例 日本にはキリスト教の____は少ないらしい。→

例	h.	j.
	しんじゃ	

1) 一日に8時間寝れば、____だと思う。

2) 日本は____が少ないので、石油(せきゆ)(petroleum)やガスを輸入している。

3) 日本にもノーベル平和賞を____した人がいる。

4) ビジネスに失敗して、家や土地やお金などすべての____をなくしてしまった。

k. 動	l. 家	m. 分	n. 農	o. 栄	p. 行	q. 野	r. 養

5) 人に言われて何かをするのではなく、自分で考えて____することが大切だ。

6) 米の作り方を学ぶために、____の仕事を手伝うプログラムに参加した。

7) 風邪(かぜ)の時は特に____がある食べ物を食べた方がいい。

8) 私の専攻(せんこう)は文学なので、経済の____のことはよく分からない。

問題 4 [ ]の中には同じ漢字が入ります。[ ]の中から漢字を選んで言葉を作りなさい。そして、その漢字の言葉の読み方を書きましょう。

例 [入 外 人]

a. 私の会社でもフレックス制度を導[ ]することになった。→

b. アルバイトの収[ ]だけでは生活できない。→

a.	導	入	b.	収	入
	どうにゅう			しゅうにゅう	

生	金	後	種	止	予

1) a. 老[ ]はフロリダやハワイなどの暖かい所に住みたい。

b. 日本は戦[ ]、経済を発展させるために頑張(がんば)った。

2) a. 恵まれない国に小学校を作るための募[ ]に協力した。

b. 弟はアルバイトの収入を全然貯[ ]しないで、すぐに使ってしまう。

3) a. 現代の科学ではまだ地震（じしん）を□測するのは難しい。

b. 来週は試験がたくさんあるので、友達と遊ぶ□定はない。

4) a. ミシガン州ではたくさん車が□産されている。

b. 水を使わない衛□的なトイレが開発されている。

5) a. この駅では、タバコを吸（す）うことは禁□されている。

b. ハイジャックを防□するために、飛行機に乗る前にセキュリティーチェックがある。

6) a. アメリカにはヨーロッパ、アフリカ、そしてアジアなどから来た色々な人□が住んでいる。

b. 紙のサイズの□類には、A4 や B4 などがあります。

問題 5 ＿＿に □ の言葉を選んで文を完成させなさい。漢字の場合は読み方、ひらがなの場合は漢字を書きましょう。

例 ア）泳い　イ）島　ウ）観光し　エ）自然

a.＿が美しい b.＿で c.＿たり、海で d.＿だりした。

→

a.	エ	b.	イ	c.	ウ	d.	ア
	しぜん		しま		かんこうし		およい

ア）ともだち　イ）のこって　ウ）たてもの

a.＿と一緒に古い b.＿が c.＿いる町を歩いた。

→

a.	ア	b.	ウ	c.	イ
	友達		建物		残って

1) ア）豊か　イ）緑　ウ）恵まれた

木が多く a.＿＿＿が b.＿＿＿で、自然に c.＿＿＿所に住みたいと思う。

2) ア）満たす　イ）従って　ウ）労働

会社は国の法律に a.＿＿＿、b.＿＿＿時間や休みなどについて決められた条件を c.＿＿＿必要があります。

3) ア）裏　イ）恐れて　ウ）住民

私の家の a.＿＿＿にある山には毒を持つヘビがいるので、村の b.＿＿＿もヘビを c.＿＿＿その山に登（のぼ）りません。

4) ア）なやみ　イ）しんりん　ウ）すてる

村の近くの a.＿＿＿にゴミを b.＿＿＿人が減らないことが村人達の c.＿＿＿だ。

5) | ア)ぎもん　イ)かえって　ウ)さい |

プラスティックのa.______利用についてb.______があったので、友達に質問したら、先生に聞いた方がいいという答えがc.______きた。

6) | ア)むりょう　イ)ふとらない　ウ)なかま |

a.______ための健康イベントを町がb. ______で行っているので、音楽サークルのc. ______と一緒に参加した。

問題 6 a.～d.の漢字を読みなさい。そしてa.～d.の中から______に合う言葉を選びましょう。

例 (a. 気温　b. 建物　c. 都市　d. 島)
東京の夏は、______が高いので、好きじゃない。

→ | ⓐ きおん | b. たてもの | c. とし | d. しま |
|---|---|---|---|

1) (a. 豊かな　b. 平気な　c. 延びる　d. 悩む)
ゴミを道に捨てても__________人がいるので、困る。

2) (a. 住民　b. 募金　c. 緑　d. 表)
日本では封筒(ふうとう)の__________に相手の名前と住所(じゅうしょ)を書いて、裏に自分の名前と住所(じゅうしょ)を書きます。

3) (a. 防止する　b. 取り戻す　c. 広める　d. 返る)
昔の豊かな自然を__________ために、環境改善の対策を考える必要がある。

4) (a. 手に入れ　b. 恵まれ　c. 満たされ　d. 恐れ)
いい仕事やお金があっても、心が__________ないことがある。

5) (a. 賞　b. 再　c. 以来　d. 死)
日本の映画がアカデミー__________にノミネートされて嬉(うれ)しい。

問題 7 質問に答えなさい。

I)「再利用」の「再」のように漢字の前について新しい意味を付(つ)け加える漢字を「接頭語(せっとうご)：prefix」と言います。次の□の接頭語(せっとうご)によく使われる漢字を3つの意味のグループに分けてみましょう。

| a. 不　b. 無　c. 未　d. 非　e. 再 |

A: ない　(　　　　)
B: まだ　(　　　　)
C: もう一度　(　　　　)

Ⅱ）上の意味をよく考えながら、1)～6)の言葉に合う英語の意味をa.～c.の中から選びましょう。

1）総理大臣は病気で今度の国際会議には不参加だそうだ。

（a. absence　b. reenter　c. unaccountableness）

2）電車の中で大きな声で携帯(けいたい)電話で話すのは非常識だと思う。

（a. thoughtless　b. inequality　c. callback）

3）1882年から作られているスペインの聖(せい)家族教会(Sagrada Familia)は、今も未完成のままだ。

（a. irregular　b. rebuilding　c. incomplete）

4）60年代のテレビ番組を再放送で見たが、今でもこの番組は面白いと思う。

（a. rerun /rebroadcast　b. rerecord　c. unofficial）

5）家で飼(か)えなくなったペットを捨てる人はとても無責任だと思う。

（a. immature　b. irresponsible　c. reconsideration）

6）不必要になった物は、捨てずにリサイクルするようにしている。

（a. reused　b. unused　c. unnecessary ）

問題 8 文を読んで質問に答えなさい。

現代の社会には私達をa.不安にさせる問題がたくさんある。例えば、b.高齢者の生活の問題、c.森林などの自然がd.破壊されている問題、e.豊かだったf.資源がだんだん少なくなっている問題などだ。それで、世界の将来を心配し、今の政治のやり方にg.疑問を持つ人が多い。けれど、私はそう思わない。人間の歴史を見ると、私達は今までも色々な問題をh.恐れずに解決してきた。だから、きっと今ある問題をi.改善する方法はあるし、将来はもっとj.恵まれた、そして幸せな世界になると思う。だから、若い人達にもk.希望を持ってほしいと思う。

1）a.～k.の下線の漢字の読み方を書きましょう。

a.不安　b.高齢者　c.森林　d.破壊　e.豊か　f.資源　g.疑問　h.恐れ
i.改善　j.恵まれた　k.希望

2）a.～k.の言葉をできるだけたくさん使って、「世界で問題になっていること」について文を書いてみましょう。

■音訓索引（『きたえよう漢字力』で勉強する503字の音読み・訓読みのリスト（復習漢字を除く））

＊課は漢字基本情報のある課

ショウ	賞	496	L15
ジョウ	情	236	L7
ジョウ	状	244	L7
ジョウ	常	257	L8
ジョウ	丈	395	L12
ジョウ	条	440	L14
ショク	植	382	L12
シン	身	34	L1
シン	信	151	L5
シン	真	208	L6
シン	深	218	L7
シン	進	286	L9
シン	森	477	L15
ジン	臣	453	L14

す

す(ぎる)	過	71	L2
す(てる)	捨	480	L15
スウ	数	149	L5
すがた	姿	424	L13
すす(む/める)	進	286	L9
すわ(る)	座	173	L5

せ

セイ	正	32	L1
セイ	性	41	L2
セイ	成	110	L4
セイ	精	130	L4
セイ	制	284	L9
セイ	製	341	L10
セイ	政	359	L11
ゼイ	税	352	L11
セキ	席	135	L4
セキ	積	373	L11
セキ	責	447	L14
セツ	説	15	L1
セツ	節	355	L11
セツ	接	418	L13
ゼツ	絶	112	L4
セン	選	8	L1
セン	専	29	L1
セン	戦	162	L5
セン	宣	343	L10
セン	線	386	L12
ゼン	然	35	L1
ゼン	善	499	L15

そ

ソ	素	433	L13
ソ	祖	443	L14
そ(う)	沿	400	L12
ソウ	相	39	L2
ソウ	争	168	L5
ソウ	装	367	L11
ソウ	想	416	L13
ソウ	総	452	L14
ゾウ	像	417	L13
ソク	則	432	L13
ソク	束	445	L14
ソク	測	481	L15
そだ(つ/てる)	育	116	L4
ソン	尊	128	L4
ソン	存	200	L6

た

タ	他	74	L3
た(てる)	建	10	L1
タイ	対	113	L4
タイ	態	409	L12
タイ	退	463	L14
ダイ	代	43	L2
ダイ	第	228	L7
たが(い)	互	127	L4
たし(か)	確	259	L8
たす(かる/ける)	助	88	L3
ただ(しい)	正	32	L1

■単語(たんご)リスト（『きたえよう漢字力』の練習問題に使われている言葉のリスト）

＊太字＝新しい漢字
＊[ ]は『とびら』漢字表での課

第１課

■RW 読み方・書き方を覚える漢字

島	しま
全体(の)	ぜんたい(の)
～分の～	～ぶんの～
平和	へいわ
伝える	つたえる
日	ひ
気**温**	きおん
差	さ
人々	ひとびと
楽しむ	たのしむ
名所	めいしょ
最も	もっとも
美しい	うつくしい
選ぶ	えらぶ
残る	のこる
建物	たてもの
形	かたち
目**的**	もくてき
特に	とくに
市	し
小**説**	しょうせつ
見学スル	けんがくスル
昔話	むかしばなし
色々(な)	いろいろ(な)
地方	ちほう
名物	めいぶつ
行事	ぎょうじ
決まる	きまる
特別(な)	とくべつ(な)
行う	おこなう
分かる	わかる
-**達**	-たち
覚える	おぼえる
友達	ともだち
気**持**ち	きもち

■R 読み方を覚える漢字

地理	ちり
東京	とうきょう
都市	とし
北海道	ほっかいどう
本**州**	ほんしゅう
四国	しこく
九**州**	きゅうしゅう
都	と
府	ふ
県	けん
京**都**	きょうと
泳ぐ	およぐ
(お)**酒**	(お)さけ
観光スル	かんこうスル
階	かい
専門	せんもん
言**葉**	ことば
関東	かんとう
関西	かんさい
(お)**正**月	(お)しょうがつ
絵	え
出**身**	しゅっしん
自然	しぜん
雑誌	ざっし

第2課

■ RW 読み方・書き方を覚える漢字

実は	じつは
相手	あいて
変える	かえる
難しい	むずかしい
部分	ぶぶん
男性	だんせい
女性	じょせい
比べる	くらべる
代わりに	かわりに
感じ	かんじ
表	ひょう
男女	だんじょ
文字	もじ
最後	さいご
忙しい	いそがしい
気分	きぶん
短い	みじかい
今晩	こんばん
理由	りゆう
説明スル	せつめいスル
必要(な)	ひつよう(な)
～場合	～ばあい
合う	あう
お世話になる	おせわになる
昨日	きのう
明日	あした

■ R 読み方を覚える漢字

皆さん	みなさん
敬語	けいご
複雑(な)	ふくざつ(な)
課	か
言語	げんご
例えば	たとえば
出来る	できる
落とす	おとす
場面	ばめん
僕	ぼく
例	れい
連絡スル	れんらくスル
困る	こまる
お願いスル	おねがいスル
簡単(な)	かんたん(な)
論文	ろんぶん
誰	だれ
課長	かちょう
会議	かいぎ
-過ぎ	-すぎ
無理(な)	むり(な)

第3課

■ RW 読み方・書き方を覚える漢字

発達スル	はったつスル
注文スル	ちゅうもんスル
社会	しゃかい
運ぶ	はこぶ
工場	こうじょう
人間	にんげん
～他	～ほか
首	くび
動かす / 動く	うごかす / うごく
声	こえ
集まる	あつまる
動物	どうぶつ
大事(な)	だいじ(な)
子供	こども
泣く	なく
両親	りょうしん
入学スル	にゅうがくスル

初めて	はじめて
本当(の)	ほんとう(の)
最初	さいしょ
理解スル	りかいスル
連れて行く	つれていく
残念(な)	ざんねん(な)
生まれる	うまれる
学習スル	がくしゅうスル
笑う	わらう
食事スル	しょくじスル
最高(の)	さいこう(の)
守る	まもる
問題	もんだい
文法	ぶんぽう
間違う	まちがう
直す	なおす
苦手(な)	にがて(な)
助かる／助ける	たすかる／たすける
発表スル	はっぴょうスル
この間	このあいだ
呼ぶ	よぶ
記事	きじ
手伝う	てつだう
単語	たんご
年	とし [L1RW]

■ R 読み方を覚える漢字

技術	ぎじゅつ
会場	かいじょう
手術	しゅじゅつ
実際(に)	じっさい(に)
一緒に	いっしょに
面白い	おもしろい
-型	-がた
毛	け
周り	まわり
欲しい／欲しがる	ほしい／ほしがる
合格スル	ごうかくスル
遊ぶ	あそぶ
寝る	ねる
将来	しょうらい
案内スル	あんないスル
頼む	たのむ
-君	-くん
発音スル	はつおんスル
全然	ぜんぜん
辞書	じしょ

第4課

■ RW 読み方・書き方を覚える漢字

学ぶ	まなぶ
現代	げんだい
番組	ばんぐみ
代表的(な)	だいひょうてき(な)
国内	こくない
試合	しあい
選手	せんしゅ
勝つ	かつ
成長スル	せいちょうスル
例えば	たとえば
笑顔	えがお
大声	おおごえ
負ける	まける
表現スル	ひょうげんスル
絶対	ぜったい
礼	れい
〜に向かって	〜にむかって
表す	あらわす
正しい	ただしい
育つ／育てる	そだつ／そだてる
能力	のうりょく

彼	かれ
後ろ	うしろ
与える	あたえる
-部	-ぶ
関係	かんけい
部員	ぶいん
半年	はんとし
速い	はやい

■R 読み方を覚える漢字

お年**寄**り	おとしより
種類	しゅるい
健康	けんこう
お**互**いに	おたがいに
尊敬スル	そんけいスル
含む	ふくむ
精神	せいしん
折る	おる
打つ	うつ
投げる	なげる
驚く	おどろく
席	せき
迷う	まよう
一般的(な)	いっぱんてき(な)
相**談**スル	そうだんスル
先**輩**	せんぱい
後**輩**	こうはい
道**具**	どうぐ

第5課

■RW 読み方・書き方を覚える漢字

発明スル	はつめいスル
物語	ものがたり
全-	ぜん-
億	おく
続く	つづく
約-	やく-
若者	わかもの
現**在**	げんざい
東南アジア	とうなんアジア
南**米**	なんべい
以上/**以**下	いじょう/いか
時代	じだい
失敗スル	しっぱいスル
～化スル	～かスル
成**功**スル	せいこうスル
数	かず
増える	ふえる
向ける	むける
信じる	しんじる
広げる	ひろげる
得る	える
友人	ゆうじん
全国	ぜんこく
-的	-てき
(お)**客**	(お)きゃく
流れる	ながれる
回転スル	かいてんスル
回る	まわる

■R 読み方を覚える漢字

消**費**スル	しょうひスル
量	りょう
袋	ふくろ
(お)**湯**	(お)ゆ
値段	ねだん
一人**暮**らし/**暮**らす	ひとりぐらし/くらす
戦後	せんご
列	れつ
-**歳**	-さい
商品	しょうひん

競争スル	きょうそうスル
国境	こっきょう
国際的(な)	こくさいてき(な)
習慣	しゅうかん
伝統	でんとう
牛肉	ぎゅうにく
混む	こむ
座る	すわる
皿	さら
紹介スル	しょうかいスル

第6課

■ RW 読み方・書き方を覚える漢字

苦しい	くるしい
置く	おく
両方	りょうほう
神社	じんじゃ
信者	しんじゃ
式 /- **式**	しき /- しき
教会	きょうかい
石	いし
神話	しんわ
建てる	たてる
土地	とち
受験スル	じゅけんスル
現れる	あらわれる
受け入れる	うけいれる
一部	いちぶ
調査スル	ちょうさスル
熱心(な)	ねっしん(な)
国民	こくみん
急(な)	きゅう(な)
彼女	かのじょ
世紀	せいき
意見	いけん
人口	じんこう
-**倍**	-ばい
参加スル	さんかスル
個人	こじん
反対スル	はんたいスル
賛成スル	さんせいスル
図	ず
結**果**	けっか
表れる	あらわれる

■ R 読み方を覚える漢字

宗教	しゅうきょう
仏	ほとけ
祈る / お**祈**り	いのる / おいのり
神道	しんとう
不思議(な)	ふしぎ(な)
お参りスル	おまいりスル
不**幸**	ふこう
幸福	こうふく
願う	ねがう
交換スル	こうかんスル
祝う	いわう
存在スル	そんざいスル
歴史	れきし
怒る	おこる
恋人	こいびと
意**識**	いしき
殺す	ころす
岩	いわ
真(っ) -	ま(っ) -
戻る	もどる
結**構**	けっこう
許す	ゆるす
割合	わりあい

第7課

■ RW 読み方・書き方を覚える漢字

広まる	ひろまる
様々（な）	さまざま(な)
経済	けいざい
元	もと
読者	どくしゃ
増やす	ふやす
少年	しょうねん
少女	しょうじょ
-向け	-むけ
開く	ひらく
方法	ほうほう
医学	いがく
-家	-か
作品	さくひん
虫	むし
丸い	まるい
人物	じんぶつ
命	いのち
戦争	せんそう
未来	みらい
深い	ふかい
世の中	よのなか
様子	ようす
閉まる	しまる
伝わる	つたわる
番号	ばんごう
悲しい	かなしい
夜中	よなか
静か(な)	しずか(な)
払う	はらう
性格	せいかく

■ R 読み方を覚える漢字

影響スル	えいきょうスル
欧米	おうべい
出版スル	しゅっぱんスル
第二次世界大戦	だいにじせかいたいせん
亡くなる	なくなる
-頃	-ころ
鼻	はな
活躍スル	かつやくスル
放送スル	ほうそうスル
芸術	げいじゅつ
人類	じんるい
愛情	あいじょう
超える	こえる
降る	ふる
動作	どうさ
鳴く	なく
傾向	けいこう
挙げる	あげる
機会	きかい
適当(な)	てきとう(な)
状況	じょうきょう
階段	かいだん
血液(型)	けつえき(がた)

第8課

■ RW 読み方・書き方を覚える漢字

効果	こうか
科学(者)	かがく(しゃ)
実験	じっけん
～通り(に)	～とおり(に)
減る	へる
取り入れる	とりいれる
中心	ちゅうしん
完成スル	かんせいスル
登場スル	とうじょうスル
主人公	しゅじんこう

立場	たちば
逆	ぎゃく
低い	ひくい
〜**点**	〜てん
近づく	ちかづく
日**常**	にちじょう
-法	-ほう
Verb 直す	Verb なおす
写真	しゃしん
確か(な)	たしか(な)
生える	はえる
村	むら
自信	じしん
生きる	いきる [L6RW]

■ R 読み方を覚える漢字

恥ずかしい	はずかしい
証明スル	しょうめいスル
患者	かんじゃ
講義	こうぎ
平**均**	へいきん
踊り/**踊**る	おどり/おどる
劇	げき
普通	ふつう
悲**劇**	ひげき
途中	とちゅう
偉い/ **偉**そうにする	えらい/ えらそうにする
立**派**(な)	りっぱ(な)
留守	るす
毒	どく
甘い	あまい
謝る	あやまる
破る	やぶる
割る	わる
身近(な)	みぢか(な)
喜劇	きげき
追いかける	おいかける
逃げる	にげる
観る	みる
探す	さがす
突然	とつぜん
抜く	ぬく
怖い	こわい

第9課

■ RW 読み方・書き方を覚える漢字

教育	きょういく
制度/-**制**	せいど/-せい
満足スル	まんぞくスル
公立	こうりつ
私立	しりつ
進学スル	しんがくスル
進む	すすむ
落ちる	おちる
苦しむ	くるしむ
協力スル	きょうりょくスル
用意スル	よういスル
地**位**	ちい
一方	いっぽう
人生	じんせい
幸せ(な)	しあわせ(な)
可能性	かのうせい
〜以外	〜いがい
決して〜ない	けっして〜ない
原因	げんいん
他人	たにん
求める	もとめる
主(な)	おも(な)
生む	うむ
数学	すうがく

上げる	あげる
低下スル	ていかスル
下がる	さがる
内容	ないよう
減らす	へらす
計算スル	けいさんスル
平等(な)	びょうどう(な)
解決スル	かいけつスル
去年	きょねん
喜ぶ	よろこぶ
洋服	ようふく
自由(な)	じゆう(な)
返事スル	へんじスル
仕方	しかた

■ R 読み方を覚える漢字

現状	げんじょう
義務	ぎむ
-率	-りつ
含める	ふくめる
学歴	がくれき
生徒	せいと
希望スル	きぼうスル
指す	さす
厳しい	きびしい
家庭	かてい
必死(の)	ひっし(の)
環境	かんきょう
就職スル	しゅうしょくスル
給料	きゅうりょう
認める	みとめる
統計	とうけい
判断スル	はんだんスル
自殺スル	じさつスル
常識	じょうしき
頼る	たよる
述べる	のべる
～限り	～かぎり
基本	きほん
食堂	しょくどう
似合う	にあう
否定スル	ひていスル

第10課

■ RW 読み方・書き方を覚える漢字

訪れる	おとずれる
風景	ふうけい
通る	とおる
-位	-い
温かい	あたたかい
冷たい	つめたい
変化スル	へんかスル
地区	ちく
食品	しょくひん
温める	あたためる
安全(な)	あんぜん(な)
危険(な)	きけん(な)
信頼スル	しんらいスル
自動(の)	じどう(の)
好む	このむ
事実	じじつ
役に立つ	やくにたつ
通り	とおり
利用スル	りようスル
省エネ	しょうエネ
冷やす	ひやす
深夜	しんや
将来	しょうらい
情報	じょうほう
和食	わしょく
安心スル	あんしんスル

独身(の)	どくしん(の)
近所	きんじょ
遠い	とおい
夕方	ゆうがた
並べる	ならべる

■ R 読み方を覚える漢字

販売(機)	はんばい(き)
街	まち
普及スル	ふきゅうスル
売り上げ	うりあげ
冷凍スル	れいとうスル
電子レンジ	でんしレンジ
犯罪	はんざい
盗む	ぬすむ
壊す / 壊れる	こわす / こわれる
現金	げんきん
著者	ちょしゃ
-氏	-し
-製	-せい
機械	きかい
宣伝スル	せんでんスル
特徴	とくちょう
批判スル	ひはんスル
対策	たいさく
缶	かん
導入スル	どうにゅうスル
規制スル	きせいスル
味方	みかた
食料品	しょくりょうひん
生活用品	せいかつようひん
心理	しんり
消費者	しょうひしゃ
替える	かえる

第11課

■ RW 読み方・書き方を覚える漢字

歴史	れきし
～を通して	～をとおして
米	こめ
各-	かく-
税金	ぜいきん
支払う	しはらう
季節	きせつ
非常(な)	ひじょう(な)
交流スル	こうりゅうスル
-風	-ふう
用いる	もちいる
～と共に	～とともに
戦う	たたかう
当時	とうじ
西洋	せいよう
目指す	めざす
-同士	-どうし
政府	せいふ
加える	くわえる
過去	かこ
近代的(な)	きんだいてき(な)
不良	ふりょう
泊まる	とまる

■ R 読み方を覚える漢字

輸入スル	ゆにゅうスル
独自(の)	どくじ(の)
天候	てんこう
効率(よく)	こうりつ(よく)
生産スル	せいさんスル
法律	ほうりつ
建築	けんちく
服装	ふくそう
恋愛	れんあい

発展スル	はってんスル
確立スル	かくりつスル
～に至るまで	～にいたるまで
貿易スル	ぼうえきスル
統一スル	とういつスル
興味	きょうみ
積極的(な)	せっきょくてき(な)
江戸	えど
郵便	ゆうびん
禁止スル	きんしスル
独特(の)	どくとく(の)
輸出スル	ゆしゅつスル
出来事	できごと
記録スル	きろくスル
似る	にる
燃える	もえる
演じる	えんじる

第12課

■ RW 読み方・書き方を覚える漢字

和紙	わし
植物	しょくぶつ
第一	だいいち
特長	とくちょう
火事	かじ
生かす	いかす
軽い	かるい
通す	とおす
光	ひかり
閉じる	とじる
技術(者)	ぎじゅつ(しゃ)
仲良くする	なかよくする
折る	おる
三角	さんかく
ひっくり返す	ひっくりかえす
線	せん
-側	-がわ
頭	あたま
治る	なおる
入院スル	にゅういんスル
-枚	-まい
-個	-こ
角	かど
手作り	てづくり
通う	かよう [L4RW]

■ R 読み方を覚える漢字

原料	げんりょう
薄い	うすい
隠す	かくす
乾かす/乾く	かわかす/かわく
破れる	やぶれる
柔らかい	やわらかい
家具	かぐ
丈夫(な)	じょうぶ(な)
優しい	やさしい
開発スル	かいはつスル
改良スル	かいりょうスル
不可欠(な)	ふかけつ(な)
製品	せいひん
混ざる	まざる
沿う	そう
羽	はね
真ん中	まんなか
曲げる	まげる
息	いき
吹く	ふく
Verb 込む	Verb こむ
出来あがり	できあがり
同級生	どうきゅうせい
原爆	げんばく

葉	は
飾る	かざる
状**態**	じょうたい

第13課

■ RW 読み方・書き方を覚える漢字

足りる	たりる
印象	いんしょう
景色	けしき
自**然**	しぜん
細かい	こまかい
思い出す	おもいだす
夢	ゆめ
両手	りょうて
通じる	つうじる
四季	しき
氷	こおり
詩	し
感動スル	かんどうスル
発見スル	はっけんスル
想像スル	そうぞうスル
必ず	かならず
直接	ちょくせつ
示す	しめす
池	いけ
作者	さくしゃ
参考	さんこう
味わう	あじわう
感**想**	かんそう
美人	びじん
妻	つま
夫	おっと
交通	こうつう

■ R 読み方を覚える漢字

担任	たんにん
姿	すがた
観**察**スル	かんさつスル
勝手(な)	かって(な)
文章	ぶんしょう
君	きみ
張る	はる
飛ぶ	とぶ
俳句／**句**	はいく／く
昼寝スル	ひるねスル
浮かぶ	うかぶ
規**則**	きそく
要**素**	ようそ
分類スル	ぶんるいスル
現象	げんしょう
構成スル	こうせいスル
歌**詞**	かし
溶ける	とける
親しむ	したしむ
誕生スル	たんじょうスル
本来	ほんらい
意図スル	いとスル
形式	けいしき
手段	しゅだん
記**憶**スル	きおくスル
孫	まご
娘	むすめ

第14課

■ RW 読み方・書き方を覚える漢字

政治(家)	せいじ(か)
条件	じょうけん
国外	こくがい
関心	かんしん
報道スル	ほうどうスル

地球温**暖**化	ちきゅうおんだんか
注目スル	ちゅうもくスル
国会	こっかい
選挙	せんきょ
知り合い	しりあい
教授	きょうじゅ
左右する	さゆうする
祖父 / **祖**母	そふ / そぼ
具体的(な)	ぐたいてき(な)
実行スル	じっこうスル
計画スル	けいかくスル
目**標**	もくひょう
約**束**	やくそく
投票スル	とうひょうスル
態度	たいど
責任	せきにん
選挙**権**	せんきょけん
全員	ぜんいん
無関心(な)	むかんしん(な)
時**期**	じき
当日	とうじつ
職業	しょくぎょう
評価スル	ひょうかスル

■ R 読み方を覚える漢字

総理大**臣**	そうりだいじん
～を**除**いて	～をのぞいて
貧困	ひんこん
地**域**	ちいき
民主主義	みんしゅしゅぎ
議員	ぎいん
立候**補**スル	りっこうほスル
候**補**者	こうほしゃ
看板	かんばん
一応	いちおう
落選スル	らくせんスル
改正スル	かいせいスル
政策	せいさく
演説スル	えんぜつスル
務める	つとめる
政党	せいとう
知事	ちじ
市長	しちょう
引退スル	いんたいスル
違反スル	いはんスル
離れる	はなれる
討論スル	とうろんスル
支持スル	しじスル
真剣(な)	しんけん(な)
雰囲気	ふんいき
～次第	～しだい
～とは限らない	～とはかぎらない
偏見	へんけん
反映スル	はんえいスル
議論スル	ぎろんスル

第 15 課

■ RW 読み方・書き方を覚える漢字

疑問	ぎもん
行動スル	こうどうスル
周り	まわり
十分(な)	じゅうぶん(な)
太る	ふとる
死	し
仲間	なかま
長生きスル	ながいきスル
返る	かえる
付き合い	つきあい
希望スル	きぼうスル
悩み / **悩**む	なやみ / なやむ
不安(な)	ふあん(な)

豊か(な)	ゆたか(な)
手に入れる	てにいれる
-以来	-いらい
物質	ぶっしつ
届く	とどく
広める	ひろめる
再-	さい-
共通(の)	きょうつう(の)
貧しい	まずしい
植える	うえる
森林	しんりん
無料	むりょう
緑	みどり
表	おもて
平気(な)	へいき(な)
捨てる	すてる

■ R 読み方を覚える漢字

予**測**スル	よそくスル
人種	じんしゅ
太平洋	たいへいよう
栄養	えいよう
恐れる	おそれる
～に**従**って	～にしたがって
恵まれる	めぐまれる
高**齢**者	こうれいしゃ
寿命	じゅみょう
延びる	のびる
老後	ろうご
収入	しゅうにゅう
財産	ざいさん
住民	じゅうみん
労働スル	ろうどうスル
貯金スル	ちょきんスル
衛生(的)	えいせい(てき)
満たす	みたす
取り戻す	とりもどす
-**賞**	-しょう
受**賞**スル	じゅしょうスル
分野	ぶんや
資源	しげん
改**善**スル	かいぜんスル
農家	のうか
破壊スル	はかいスル
防止スル	ぼうしスル
募金	ぼきん
寄付スル	きふスル
裏	うら

参考文献

梅棹忠夫他著　1995.『日本語大辞典』 講談社

貝塚茂樹・藤野岩友・小野忍　1970.『漢和中辞典』 角川書店

久米公編著　1992.『新訂 漢字指導の手引き』 教育出版

鈴木修次・武部良明・水上静夫編　1989.『角川最新　漢和辞典新版』 角川書店

藤堂明保監修　1989.『漢字なりたち辞典』 教育社

藤堂明保他編　2001.『改訂新版 漢字源』 学研

藤堂明保編　2004.『例解学習漢字辞典 ドラえもん版』(第6版) 小学館

徳弘康代編著　2009.『日本語学習のための よく使う順 漢字2100』付録CD-ROM　三省堂

長澤規矩也　1980.『明解漢和辞典新版』 三省堂

西尾実・岩淵悦太郎・水谷静夫編　1980.『国語辞典』 岩波書店

三谷栄一・峯村文人監修　2002.『大修館国語要覧』 大修館書店

著者略歴

岡 まゆみ

現職 ミシガン大学アジア言語文化学科日本語プログラムディレクター，ミシガン大学夏期日本語教授法コース主任講師

最終学歴 ロチェスター大学大学院教育学修士課程修了

教歴 上智大学非常勤講師，コロンビア大学専任講師，プリンストン大学専任講師，ミシガン大学専任講師を経て現職

著書・論文 『中上級者のための速読の日本語』（ジャパンタイムズ，1998）；「メタファー指導が日本語教育にもたらすもの」『言語教育の新展開』 鎌田修他編（ひつじ書房，2005）；『上級へのとびら』（くろしお出版，2009）；『中級日本語を教える教師の手引き』（くろしお出版，2011）；『日英共通メタファー表現辞典』（牧野成一と共著，くろしお出版，2012（予定））ほか

その他 米日本語教師学会理事（2007-2010）

Mayumi Oka

Current position Director, Japanese Language Program, Department of Asian Languages and Cultures, University of Michigan; Head Lecturer, Japanese Pedagogy Course, Summer Language Institute, University of Michigan

Highest degree M.A. in Education, University of Rochester

Teaching history Part-time Lecturer, Sophia University, Japan; Lecturer, Columbia University; Lecturer, Princeton University; Lecturer, University of Michigan

Major publications *Rapid Reading Japanese - Improving Reading Skills of Intermediate and Advanced Students* (Tokyo: The Japan Times,1998); "The Benefits of Including Metaphors in Japanese Language Instruction," *Nihongo-kyooiku no Shin-tenkai*, O. Kamada, et al. (eds.) (Tokyo: Hituzi-syobo, 2005); *TOBIRA Gateway to Advanced Japanese* (Tokyo: Kurosio Publishers, 2009); *Teaching Intermediate Japanese Teacher's Guide* (Tokyo: Kurosio Publishers, 2011); *Bilingual Dictionary of Similar Metaphors in English and Japanese* (with Seiichi Makino, Tokyo: Kurosio Publishers, (to appear in 2012))

Other Board Member, Association of Teachers of Japanese (2007-2010)

石川 智

最終学歴 ウィスコンシン大学マディソン校東アジア言語文学科日本語修士課程修了

教歴 プリンストン大学専任講師，北海道国際交流センター夏期日本語集中講座コーディネータ，ハーバード大学専任講師，アイオワ大学アジア・スラブ言語文学科専任講師，ミシガン大学アジア言語文化学科専任講師

著書・論文 「文末表現『けど』のポライトネス―OPIから見た母語話者と学習者の使用状況―」『言語教育の新展開』鎌田修他編（ひつじ書房，2005）；「中級レベルの読解教科書の分析―National StandardのCultureの視点から―」*Proceedings of the Eighteenth Annual Central Association of Teachers of Japanese* (2006)；『上級へのとびら』（くろしお出版，2009）；『中級日本語を教える教師の手引き』（くろしお出版，2011）ほか

Satoru Ishikawa

Highest degree M.A. in Japanese Linguistics, University of Wisconsin at Madison

Teaching history Lecturer, Princeton University; Preceptor, Harvard University; Coordinator, Intensive Summer Language Program, Hokkaido International Foundation; Lecturer, Department of Asian and Slavic Languages and Literatures, University of Iowa; Lecturer, Department of Asian Languages and Cultures, University of Michigan

Major publications "Politeness and the Sentence Final Expression '*Kedo*': Native and Non-Native Speaker's Use of '*Kedo*' in OPI," *Nihongo-kyooiku no Shin-tenkai*, O. Kamada, et al. (eds.) (Tokyo: Hituzi-syobo, 2005); "An Analysis of Intermediate Reading Textbooks From National Standard Culture's Point of View," *Proceedings of the Eighteenth Annual Central Association of Teachers of Japanese* (2006); *TOBIRA Gateway to Advanced Japanese* (Tokyo: Kurosio Publishers, 2009); *Teaching Intermediate Japanese Teacher's Guide* (Tokyo: Kurosio Publishers, 2011)

近藤 純子

現職 ミシガン大学アジア言語文化学科専任講師

最終学歴 コロンビア大学大学院日本語教授法修士課程修了

教歴 マドンナ大学非常勤講師を経て現職

著書・論文 "An Analysis of Japanese Learners' Oral Narratives: Linguistic Features Affecting Comprehensibility" 『世界の日本語教育』 14（国際交流基金，2004）；"Zero-marked Topics, Subjects, and Objects in Japanese"（共著）*Japanese/Korean Linguistics* 14, T. Vance編（スタンフォード大学CSLI, 2006）；『上級へのとびら』（くろしお出版，2009）；『中級日本語を教える教師の手引き』（くろしお出版，2011）ほか

Junko Kondo

Current position Lecturer, Department of Asian Languages and Cultures, University of Michigan

Highest degree M.A. in Japanese Pedagogy, Columbia University

Teaching history Part-time Instructor, Madonna University

Major publications "An Analysis of Japanese Learners'Oral Narratives: Linguistic Features Affecting Comprehensibility," *Sekai no Nihongo Kyooiku*, Vol.14, (Tokyo: Japan Foundation, 2004); "Zero-marked Topics, Subjects, and Objects in Japanese" (coauthor), *Japanese/Korean Linguistics* Vol. 14, T. Vance (ed.) (CSLI, Stanford University, 2006); *TOBIRA Gateway to Advanced Japanese* (Tokyo: Kurosio Publishers, 2009); *Teaching Intermediate Japanese Teacher's Guide* (Tokyo: Kurosio Publishers, 2011)

筒井　通雄
つつい　みちお

現職 ワシントン大学人間中心設計工学科教授，科学技術日本語プログラム・ディレクター，ドナルド・ピーターセン・プロフェッサー

最終学歴 イリノイ大学大学院言語学科博士課程修了

教歴 カリフォルニア大学デービス校客員助教授，マサチューセッツ工科大学助教授を経て現職

著書・論文 『日本語基本文法辞典』(1986)；『日本語文法辞典〈中級編〉』(1995)；『日本語文法辞典〈上級編〉』(2008)（全て牧野成一と共著，ジャパンタイムズ）；"The Japanese Copula Revisited: Is *Da* a Copula?" *Japanese Language and Literature* 40:1 (2006)；「連体修飾節「N_1 の N_2」の意味解釈—格解釈の視点から—」『言語教育の新展開』鎌田修他編（ひつじ書房，2005)；『上級へのとびら』(くろしお出版，2009)；『中級日本語を教える教師の手引き』(くろしお出版，2011) ほか

その他 米日本語教師学会理事 (1990-1993, 2009-2012)

Michio Tsutsui

Current position Professor, Department of Human Centered Design and Engineering, University of Washington; Director, Technical Japanese Program; Donald E. Petersen Professor

Highest degree Ph.D. in Linguistics, University of Illinois at Urbana-Champaign

Teaching history Visiting Assistant Professor, University of California at Davis; Assistant Professor, Massachusetts Institute of Technology

Major publications *A Dictionary of Basic Japanese Grammar* (1986); *A Dictionary of Intermediate Japanese Grammar* (1995); *A Dictionary of Advanced Japanese Grammar* (2008) (co-authored with Seiichi Makino, Tokyo: The Japan Times); "The Japanese Copula Revisited: Is *Da* a Copula?" *Japanese Language and Literature* 40:1 (2006); "Interpretation of the Noun-Modification Structure "N_1 no N_2": From a Case Interpretation Perspective," *Nihongo-kyooiku no Shin-tenkai*, O. Kamada, et al. (eds.) (Tokyo: Hituzi-syobo, 2005); *TOBIRA Gateway to Advanced Japanese* (Tokyo: Kurosio Publishers, 2009); *Teaching Intermediate Japanese Teacher's Guide* (Tokyo: Kurosio Publishers, 2011)

Other Board Member, Association of Teachers of Japanese (1990-1993, 2009-2012)

江森　祥子
えもり　しょうこ

現職 ウィスコンシン大学オシュコシュ校外国語外国文学学科専任講師

最終学歴 ウィスコンシン大学マディソン校大学院東アジア言語文学科日本語修士課程修了；ライト州立大学大学院英語英文学科修士課程修了

教歴 ライト州立大学非常勤講師，ミシガン大学専任講師を経て現職

著書・論文 "The Japanese Discourse Particle: Maa"『ジャーナル CAJLE』4 (2001)；「「なるべく」と「できるだけ」の違いについて」*Proceedings of the Twentieth Annual Meeting of Southeastern Association of Teachers of Japanese* (2005)；『上級へのとびら』(くろしお出版，2009)；『中級日本語を教える教師の手引き』(くろしお出版，2011) ほか

その他 ミシガン大学アジア言語文化学科日本語プログラム主任 (2001-2005)

Shoko Emori

Current position Lecturer, Department of Foreign Languages and Literatures, University of Wisconsin Oshkosh

Highest degree M.A. in Japanese Linguistics, University of Wisconsin-Madison; M.A. in TESOL, Wright State University

Teaching history Part-time Lecturer, Wright State University; Lecturer, University of Michigan

Major publications "The Japanese Discourse Particle: Maa," *JOURNAL CAJLE* Vol. 4 (2001); "'Narubeku' to 'Dekirudake' no Chigai ni Tsuite," *Proceedings of the Twentieth Annual Meeting of Southeastern Association of Teachers of Japanese* (2005); *TOBIRA Gateway to Advanced Japanese* (Tokyo: Kurosio Publishers, 2009); *Teaching Intermediate Japanese Teacher's Guide* (Tokyo: Kurosio Publishers, 2011)

Other Coordinator, Japanese Language Program, University of Michigan (2001-2005)

花井　善朗
はない　よしろう

現職 ウィスコンシン大学オシュコシュ校外国語外国文学学科助教授，日本語プログラム主任

最終学歴 名古屋外国語大学大学院国際コミュニケーション研究科博士課程修了

教歴 ウェスタンワシントン大学非常勤講師，名古屋外国語大学非常勤講師，エモリー大学専任講師，ミシガン大学専任講師を経て現職

著書・論文 「モダリティーを表す副詞の類義性と多義性—「やはり」「さすが」「しょせん」を中心に」『ジャーナル CAJLE』5 (2003)；「「新書ライブラリー」を使った授業の実践報告」(水田澄子と共著)『外国語学習における独習型読解支援システムの開発と利用に関する基礎的研究，1999年度～2002年度科学研究費助成金基盤研究(B)研究成果最終報告書』鈴木庸子編 (2003)；『上級へのとびら』(くろしお出版，2009)；『中級日本語を教える教師の手引き』(くろしお出版，2011) ほか

Yoshiro Hanai

Current position Assistant Professor, Department of Foreign Languages and Literatures, University of Wisconsin Oshkosh; Coordinator, Japanese Program

Highest degree Ph.D. in Japanese Linguistics and Japanese Pedagogy, Nagoya University of Foreign Studies

Teaching history Part-time Lecturer, Western Washington University; Part-time Lecturer, Nagoya University of Foreign Studies; Lecturer, Emory University; Lecturer, University of Michigan

Major publications "Modaritii o Arawasu Fukushi no Ruigisei to Tagisei: 'Yahari,' 'Sasuga,' 'Shosen' o Chuushin ni," *JOURNAL CAJLE* Vol. 5 (2003); "'Shinsho Library' o Tsukatta Jugyoo no Jissen-hookoku" (with Sumiko Mizuta), *Basic Research on the Development and Utilization of a Self-study System for Reading in a Foreign Language, Final Report on Japan Society for the Promotion of Science Grant-in Aid for General Scientific Research (B)(2)*, Y. Suzuki (ed.) (2003); *TOBIRA Gateway to Advanced Japanese* (Tokyo: Kurosio Publishers, 2009); *Teaching Intermediate Japanese Teacher's Guide* (Tokyo: Kurosio Publishers, 2011)

謝　辞

本書の完成に当たっては、多くの方々にご協力をいただきました。

まず、原案作成の段階では、ミシガン大学で2009, 2010年に2，3年生の日本語を履修した学生の皆さんに貴重な意見や提案をもらいました。そして、執筆段階では、右の皆様に多大なお力添えをいただきました。また、編集に際しては、くろしお出版編集部の市川麻里子さんと荻原典子さんに大変お世話になりました。お二人のきめ細かい編集作業なくしては、本書の完成はなりませんでした。

皆様のご助力とご支援に対し、執筆者一同、心より感謝申し上げます。

2010年7月

制作協力者

■ 手書き漢字
奥寺文恵

■ 模範解答作成協力
遠藤裕美子

■ 英語翻訳
Christopher Schad

■ 英語校正
Sharon T. Tsutsui

■ 教材作成協力
織田頼

■ イラスト
須山奈津希

■ 装丁デザイン
スズキアキヒロ

■ 本文デザイン
市川麻里子

上級へのとびら

きたえよう漢字力

— 上級へつなげる基礎漢字 800 —

2010年　8月20日　　第1刷 発行
2011年10月11日　　第2刷 発行

[監修]　岡まゆみ
[主筆]　石川智，近藤純子
[副筆]　筒井通雄，江森祥子，花井善朗

[発行]　くろしお出版
〒113-0033　東京都文京区本郷3-21-10
Tel : 03･5684･3389　Fax : 03･5684･4762
URL : http://www.9640.jp　Mail : kurosio@9640.jp

[印刷]　シナノ書籍印刷

ISBN 978-4-87424-487-6　C0081

解答用紙 (answer sheet) の使い方

1 **下線 (underline) の言葉の読み方を書く問題では、□ の中に漢字の読み方だけでなく、ひらがなの部分も入れて、読み方を書きます。**

問題 下線の漢字の読み方を書きなさい。

a. お父さんと b. 海に c. 行って、泳いだ。

いい答え ○

a. おとうさん	b. うみ	c. いって

悪い答え ×

a. とう	b. うみ	c. い

2 **選択肢 (choice) の問題では、□ には選んだ言葉のアルファベットを書きます。**

問題 短い文を読んで、□ の中から 1）～ 2)の文に合う言葉を選びなさい。漢字の読み方も書きましょう。

a. 家族　　b. 大学

1) 高校の後、ここで勉強します。

2) お父さんやお母さん、兄弟のことです。

いい答え ○

1)	b.	2)	a.
	だいがく		かぞく

悪い答え ×

1)	大学	2)	家族
	だいがく		かぞく

3 ひらがなを漢字にする問題では □□（点線 (dotted line) が入ったます目）に、漢字かひらがなを書きますが、ます目には何も入らない時もあります。漢字やひらがなは一つのます目に一字だけ書いてください。そして、ます目の中の点線に注意して、文字のバランスに気をつけながら書きましょう。

問題 ひらがなを漢字にしてください。

友だちから a.おかねを b.せんえん c.かりた。

いい答え ○

a.	お	金		b.	千	円		c.	借	り	た

悪い答え ×

a.	お金			b.	千円			c.	借	り	た

4 □（点線 (dotted line) がないます目）には、ひらがなや送りがなを書きますが、何も入らない時もあります。

問題 ひらがなは漢字に、漢字はひらがなにしましょう。

a.あたらしい b.ほんを c.買いました。

いい答え ○

a.	新	しい	b.	本		c.	かい

悪い答え ×

a.	新しい		b.		本	c.	買い

復習漢字の練習

名前＿＿＿＿＿＿＿＿

問題 1

1)		2)		3)		4)		5)	

問題 2

1)	a.	b.	c.	d.		
2)	a.	b.	c.	d.	e.	f.
3)	a.	b.	c.	d.	e.	
4)	a.	b.	c.	d.	e.	f.
5)	a.	b.	c.	d.	e.	
6)	a.	b.	c.	d.	e.	
7)	a.	b.	c.	d.		
8)	a.	b.	c.	d.	e.	

問題 3

			① 部首	② 意　味
1)				
	休み	体		に関係する漢字を作る。
2)				
	買う	貸す		に関係する漢字を作る。
3)				
	早い	明るい		に関係する漢字を作る。
4)				
	お茶	花		に関係する漢字を作る。

5)				
	飲む	ご飯		に関係(かんけい)する漢字を作る。
6)				
	思う	忘れる		に関係(かんけい)する漢字を作る。
7)				
	拾う	持つ		に関係(かんけい)する漢字を作る。
8)				
	洗う	海		に関係(かんけい)する漢字を作る。

問題 4

1) ____________

印刷(いんさつ)	手書(てが)き
北	北

2) ____________

印刷(いんさつ)	手書(てが)き
長	長

3) ____________

印刷(いんさつ)	手書(てが)き
考	考

4) ____________

印刷(いんさつ)	手書(てが)き
変	変

5) ____________

印刷(いんさつ)	手書(てが)き
春	春

6) ____________

印刷(いんさつ)	手書(てが)き
通	通

問題 5

1) (a. to run away　b. to die　c. to catch　d. to miss)

□んで

2) (a. ocean　b. cloud　c. sky　d. island)

□

3) (a. time　b. address　c. question　d. road)

□

4) (a. chicken　b. insect　c. bird　d. animal)

□

5) (a. what　b. where　c. who　d. how)

□

6) (a. spring　b. summer　c. fall　d. winter)

□

7) (a. shop b. thing c. object d. place)

8) (a. puffy fish b. clothes c. socks d. umbrella)

9) (a. to turn on b. to turn off c. to miss d. to change)

して

10) (a. to break b. to cool c. to open d. to close)

けた

11) (a. rain b. sunny c. snow d. cloudy)

れ

12) (a. first b. anyway c. finally d. probably)

めに

問題 6

1) ______

2) ______

3) ______

4) ______

5) ______

問題 7

1)

漢字					
英語					

2)

漢字					
英語					

3)

漢字			
英語			

漢字		
英語		

4)							
	漢字						
	英語						

5)					
	漢字				
	英語				
	漢字				
	英語				

6)							
	漢字						
	英語						

問題 8

1)	a.	b.			
2)	a.	b.			
3)	a.	b.	c.		
4)	a.	b.	c.	d.	e.
5)	a.	b.			

問題 9

1) 読み方（　　　　　　）英語 (　　　　　　)

毎						年						
a.	ノ	𠂉	乞	毎	毎	a.	ノ	𠂉	亇	午	年	年
b.	ノ	𠂉	乞	毎	毎	b.	ノ	𠂉	𠂉	𠂉	年	年
c.	ノ	𠂉	亇	毎	毎	c.	ノ	𠂉	𠂉	𠂉	𠂉	年

2) a 読み方（　　　　）英語 (　　　　)／b 読み方（　　　　）英語 (　　　　)

遅												
a.	丶	⻌	辶	辶	辶	辶	辶	辶	辶	辶	遅	
b.	一	コ	尸	尸	尸	尸	尸	尸	犀	犀	遅	遅
c.	ノ	厂	尸	尸	尸	尸	尸	犀	犀	遅	遅	遅

起											
	a.	一	十	土	丰	丰	走	走	起	起	起	
	b.	一	十	土	丰	丰	走	走	起	起	起	起
	c.	丨	十	丰	丰	丰	走	走	起	起	起	起

3) 読み方（　　　　　　）英語（　　　　　　）

勉											
	a.	ク	ク	各	各	各	争	免	免	勉	
	b.	ノ	ク	ク	各	各	各	争	免	免	勉
	c.	ノ	ク	ク	各	各	各	争	免	免	勉

強													
	a.	㇇	コ	弓	弘	弘	弘	弘	弘	強	強	強	
	b.	㇇	コ	ㄕ	弓	弘	弘	弘	弘	弘	強	強	強
	c.	㇇	コ	弓	弘	弘	弘	弘	弘	強	強	強	

4) 読み方（　　　　　　）英語（　　　　　　）

結													
	a.	ノ	く	幺	幺	幺	糸	糸	糸	糸	紅	結	結
	b.	く	幺	幺	糸	糸	糸	糸	紅	結	結	結	結
	c.	く	幺	幺	糸	糸	糸	糸	紅	結	結	結	結

婚												
	a.	く	女	女	女	妊	妊	婚	婚	婚	婚	婚
	b.	く	女	女	妊	妊	婚	婚	婚	婚	婚	
	c.	一	女	女	妊	妊	婚	婚	婚	婚	婚	

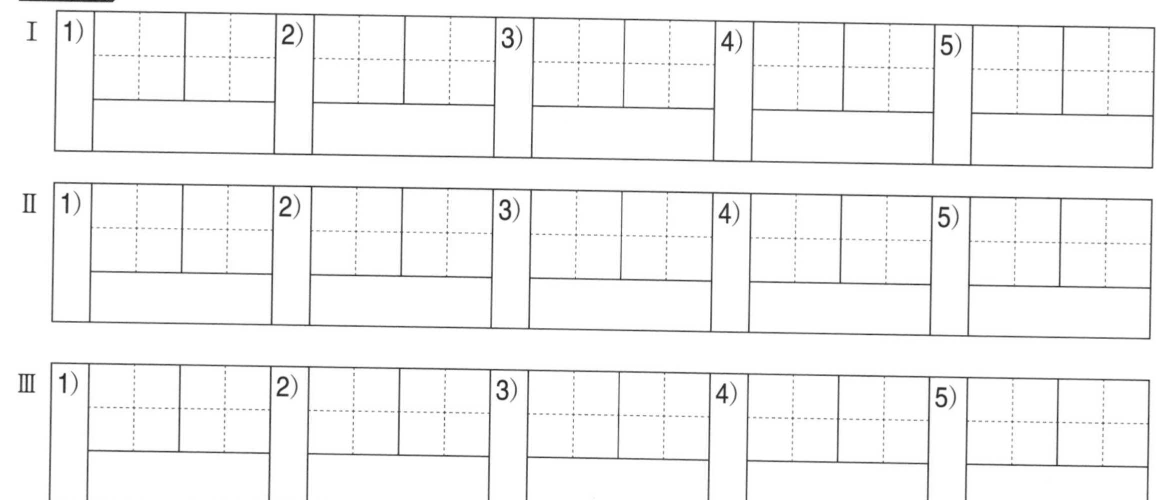

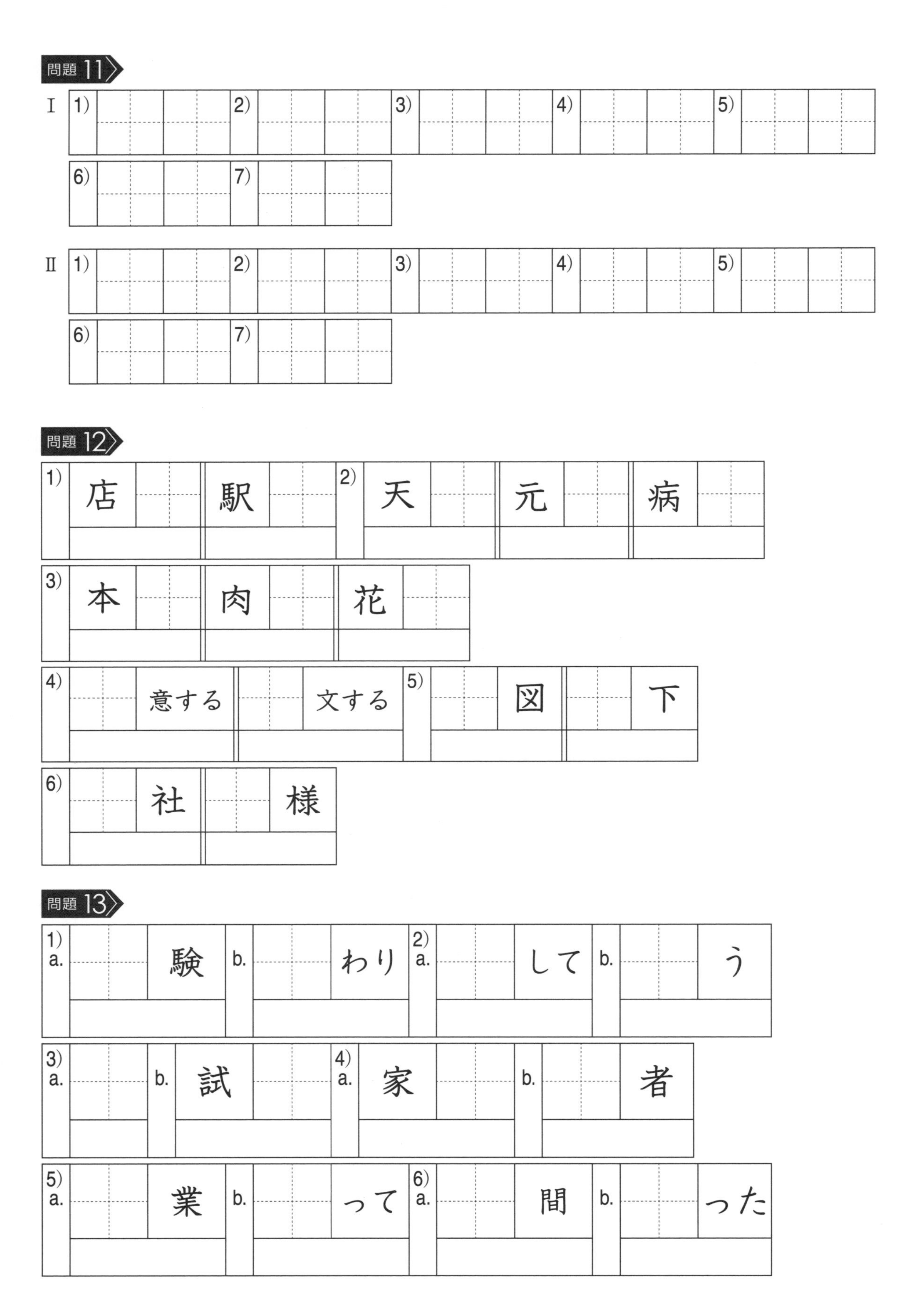
問題 11
I 1) 2) 3) 4) 5)
6) 7)
II 1) 2) 3) 4) 5)
6) 7)
問題 12
1) 店 駅 2) 天 元 病
3) 本 肉 花
4) 意する 文する 5) 図 下
6) 社 様
問題 13
1) a. 験 b. わり 2) a. して b. う
3) a. b. 試 4) a. 家 b. 者
5) a. 業 b. って 6) a. 間 b. った

7) a.		え	8) a.	料		b.	野	

問題 14

1)

2)

3)

4)

5)

6)

7)

8)

9)

10)

11)

第1課　日本の地理

名前＿＿＿＿＿＿＿＿＿＿

問題 1

1)	a.	b.	c.

2)	a.	b.	c.	d.

3)	a.	b.	c.	d.	e.

4)	a.	b.	c.	d.	e.

5)	a.	b.

6)	a.	b.	c.	d.	e.

7)	a.	b.	c.	d.	e.	f.

問題 2

1)		2)		3)		4)	

5)		6)		7)	

問題 3

a.	b.	c.	d.
e.	f.	g.	h.

問題 4

1)					2)				
3)					4)				
5)					6)				

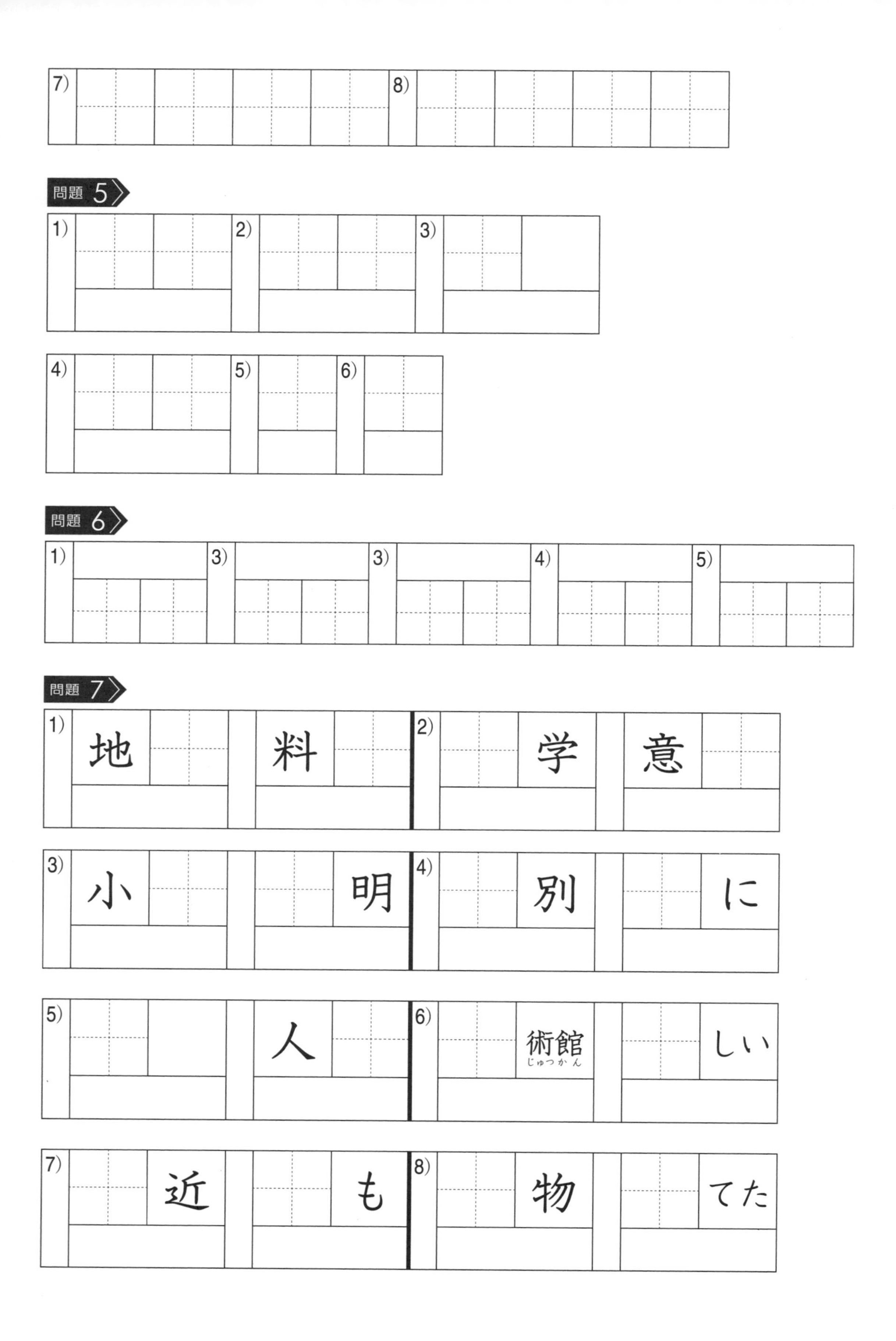
7)
8)
問題 5
1)
2)
3)
4)
5)
6)
問題 6
1)
3)
3)
4)
5)
問題 7
1)
地
料
2)
学
意
3)
小
明
4)
別
に
5)
人
6)
術館
じゅつかん
しい
7)
近
も
8)
物
てた

問題 8

	漢字の部分	作った漢字		読み方	短い文
1)	（永）				
2)	（巽）				
3)	（酉）				
4)	友（幸）	友			
5)	気（昷）	気			
6)	（夬）				

問題 9

1) 名物 ＿＿＿＿＿＿＿＿＿＿

名所 ＿＿＿＿＿＿＿＿＿＿

2) ＿＿＿＿＿＿＿＿＿＿という意味があると思います。

3) 1)　　2)　　3)　　4)

問題 10

1) a. 地方（　　）　b. 島（　　）　c. 市（　　）　d. 美しい（　　）　e. 自然（　　）　f. 楽しめ（　　）

g. 色々な（　　）　h. 名所（　　）　i. 行事（　　）　j. 観光（　　）

2) 私の国の島

第2課　日本語のスピーチスタイル

名前＿＿＿＿＿＿＿＿＿＿

問題 1

1)	a.	b.	c.	d.	e.	f.

2)	a.	b.	c.	d.

3)	a.	b.	c.	d.

4)	a.	b.	c.	d.

5)	a.	b.	c.	d.	e.	f.

6)	a.	b.

問題 2

1)		2)		3)		4)	

5)		6)	

問題 3

1)	a.		b.		c.		d.	

2)	a.		b.		c.		d.	

3)	a.		b.		c.	

問題 4

1)		2)		3)		4)		5)	

問題 5

1) 2) 3) 4)

5) 6) 7)

問題 6

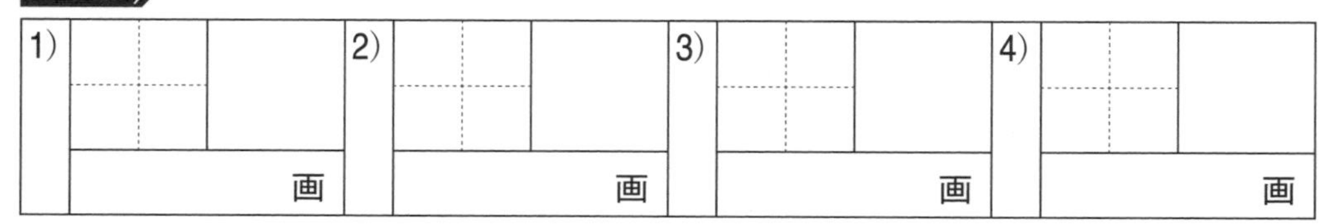

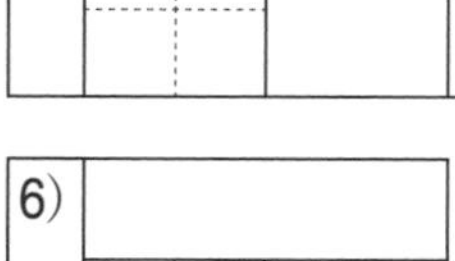

問題 7

1) 画 2) 画 3) 画 4) 画

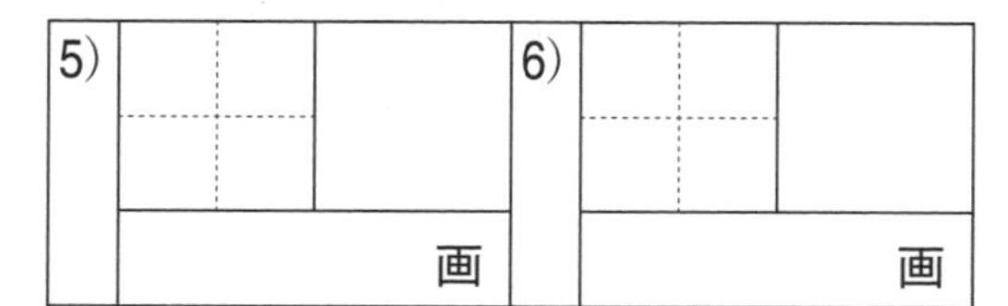

問題 8

1)

		特別な読み方	英語の意味
ex	一人	ひとり	alone
a.	昨日		
b.	明日		
c.	今日		

2)

	A		B	C
ex	一昨日 ・	・	ことし ・	・ the day after tomorrow
ア	一昨年 ・	・	おととい ・	・ this morning
イ	明後日 ・	・	けさ ・	・ this year
ウ	今朝 ・	・	おととし ・	・ the day before yesterday
エ	今年 ・	・	あさって ・	・ the year before last

問題 9

1) a. 言語 ( ) b. 男女 ( ) c. 言葉 ( ) d. 相手 ( ) e. 場合 ( ) f. 地方 ( )

g. 例えば ( )

2) 私の国の言葉

____

____

____

____

____

第3課　日本のテクノロジー

名前＿＿＿＿＿＿＿＿

問題 1

1)	a.	b.	c.	d.	e.
2)	a.	b.	c.	d.	e.
3)	a.	b.	c.	d.	
4)	a.	b.	c.	d.	
5)	a.	b.	c.	d.	
6)	a.	b.	c.	d.	e.
7)	a.	b.	c.	d.	

問題 2

1)	2)	3)	4)
5)	6)		

問題 3

1)	a.	b.	c.	d.
2)	a.	b.	c.	d.
3)	a.	b.	c.	d.
4)	a.	b.	c.	d.

5)	a.		b.		c.	
	d.					

問題 4

1)		2)		3)		4)	
5)		6)		7)		8)	

問題 5

ア	イ	ウ	エ	オ	カ
(　　)	(　　)	(　　)	(　　)	(　　)	(　　)

1) ＿＿＿＿　4) ＿＿＿＿

2) ＿＿＿＿　5) ＿＿＿＿

3) ＿＿＿＿　6) ＿＿＿＿

問題 6

1) ＿＿＿＿＿＿＿＿＿＿＿＿＿＿＿＿

2) ＿＿＿＿＿＿＿＿＿＿＿＿＿＿＿＿

3) ＿＿＿＿＿＿＿＿＿＿＿＿＿＿＿＿

4) ＿＿＿＿＿＿＿＿＿＿＿＿＿＿＿＿

問題 7

1)	a.		b.		c.		d.	

「言語(げんご)」に関係(かんけい)がないのは（　　　）です。

2）	a.		b.		c.		d.	

「な形容詞（けいようし）(adjective)」じゃないのは（　　　）です。

3）	a.		b.		c.		d.	

「日本語の勉強」とあまり関係（かんけい）がない (to be related to) のは（　　　）です。

4）	a.		b.		c.		d.	

「動詞（どうし）(verb)」じゃないのは（　　　）です。

問題 8

	A	B	C
同じ意味の漢字を使っている言葉			
読み方			
英語の意味			

問題 9

1） a. 将来（　　　） b. 技術（　　　） c. 発達（　　　） d. 人間（　　　） e. 便利（　　　） f. 自然（　　　）

g. 実際に（　　　） h. 動物（　　　） i. 残念な（　　　） j. 大事に（　　　） k. 守る（　　　） l. 必要（　　　）

2） 将来の技術

第4課　日本のスポーツ

名前＿＿＿＿＿＿＿＿＿＿

問題 1

1)	a.	b.	c.	d.	
2)	a.	b.	c.	d.	
3)	a.	b.	c.	d.	
4)	a.	b.			
5)	a.	b.	c.	d.	e.
6)	a.	b.	c.	d.	

問題 2

1)		2)		3)		4)	
5)		6)					

問題 3

1)		2)		3)		4)	
5)		6)		7)		8)	

問題 4

1)		2)		3)		4)	
5)							

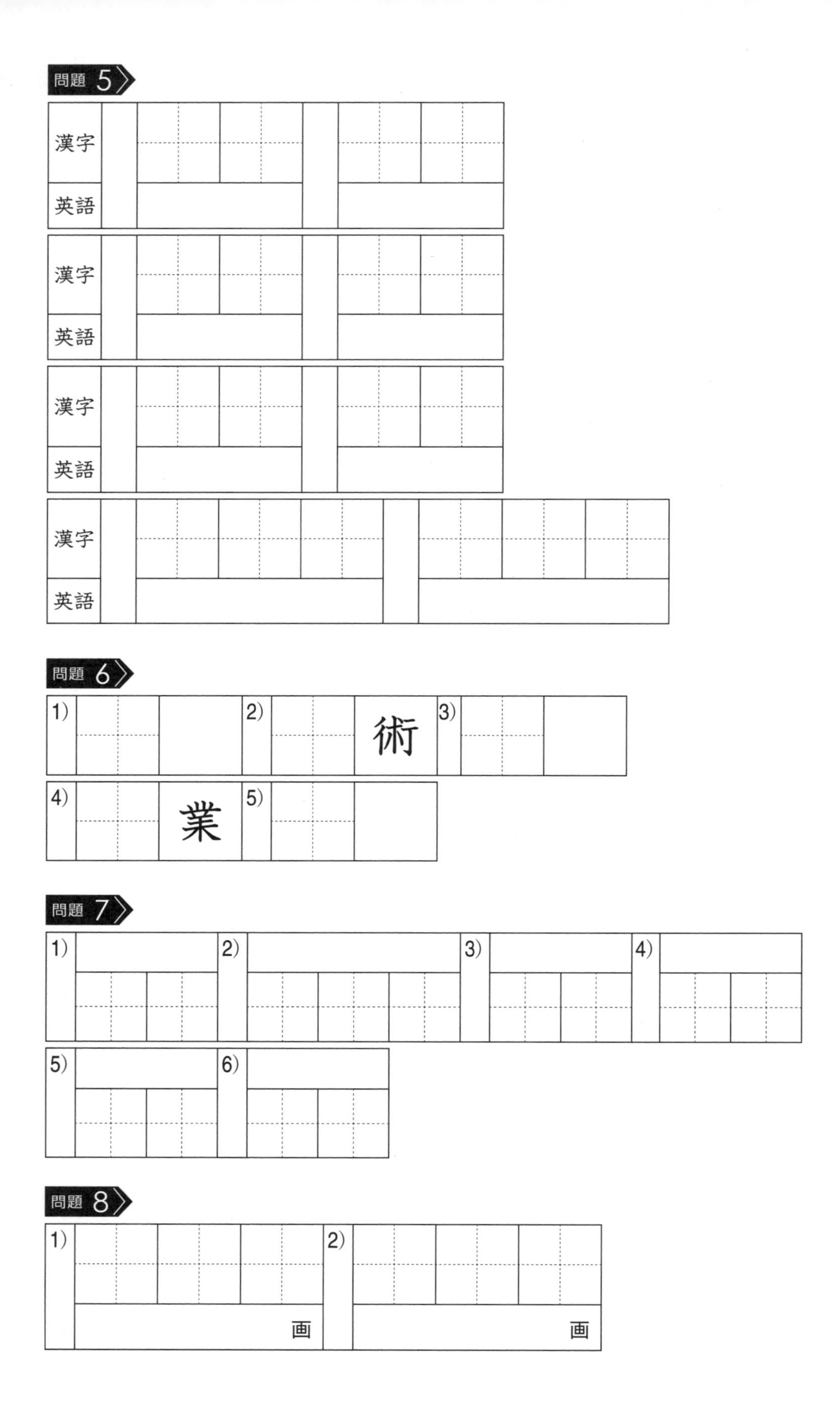

問題 5
漢字
英語
漢字
英語
漢字
英語
漢字
英語
問題 6
1)
2)
術
3)
4)
業
5)
問題 7
1)
2)
3)
4)
5)
6)
問題 8
1)
画
2)
画

3)	番		
	画		

4)			
	画		

5)			
	画		

6)			
	画		

問題 9

1）大声：＿＿＿＿＿　驚く：＿＿＿＿＿　絶対に：＿＿＿＿＿

＿＿＿＿＿＿＿＿＿＿＿＿＿＿＿＿＿＿＿＿＿＿＿＿＿

2）迷わず：＿＿＿＿＿　お年寄り：＿＿＿＿＿　困る：＿＿＿＿＿

＿＿＿＿＿＿＿＿＿＿＿＿＿＿＿＿＿＿＿＿＿＿＿＿＿

3）礼：＿＿＿＿＿　相手：＿＿＿＿＿　尊敬：＿＿＿＿＿

意味：＿＿＿＿＿　含まれる：＿＿＿＿＿

＿＿＿＿＿＿＿＿＿＿＿＿＿＿＿＿＿＿＿＿＿＿＿＿＿

4）代表的：＿＿＿＿＿　番組：＿＿＿＿＿　例えば：＿＿＿＿＿

＿＿＿＿＿＿＿＿＿＿＿＿＿＿＿＿＿＿＿＿＿＿＿＿＿

問題 10

1） a. お互いに（　　　）　b. 尊敬（　　　）　c. 精神（　　　）　d. 理解（　　　）　e. 平和（　　　）　f. 試合（　　　）

g. 関係（　　　）　h. 勝つ（　　　）　i. 健康な（　　　）　j. 成長（　　　）

2）私の国のスポーツ

第5課 日本の食べ物

名前＿＿＿＿＿＿＿＿＿＿

問題 1

1)	a.	b.	c.	
2)	a.	b.	c.	
3)	a.	b.	c.	d.
4)	a.	b.	c.	d.

問題 2

1)		2)		3)		4)	
5)		6)		7)		8)	

問題 3

1) 糸 ⇒ ＿＿＿＿（　）
2) 彳 ⇒ ＿＿＿＿（　）
3) 亻 ⇒ ＿＿＿＿（　）
4) 土 ⇒ ＿＿＿＿（　）
5) 宀 ⇒ ＿＿＿＿
6) 广 ⇒ ＿＿＿＿（　）

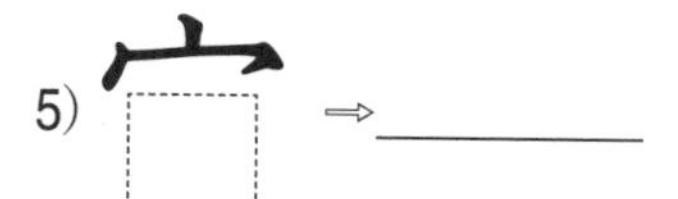

問題 4

1) a.	代	1) b.	在
2) a.	る	2) b.	転する
3) a.	世界	3) b.	国
4) a.	表する	4) b.	明する

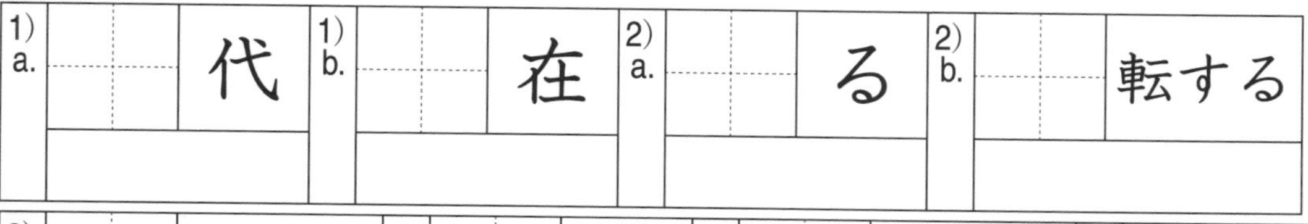

5) a.		功	5) b.		長	6) a.		上	6) b.		下

問題 5

1)		2)		3)		4)		5)	

問題 6

1)			2)			3)		
4)			5)			6)		

問題 7

1) 億 → 正しい漢字： 読み方：

2) 流 → 正しい漢字： 読み方：

3) 数 → 正しい漢字： 読み方：

4) 得 → 正しい漢字： 読み方：

5) 向 → 正しい漢字： 読み方：

6) 続 → 正しい漢字： 読み方：

問題 8

1）消費：＿＿＿＿＿＿　牛肉：＿＿＿＿＿＿

＿＿＿＿＿＿＿＿＿＿＿＿＿＿＿＿＿＿＿＿＿＿＿＿＿＿＿＿

2）列：＿＿＿＿＿＿　客：＿＿＿＿＿＿

＿＿＿＿＿＿＿＿＿＿＿＿＿＿＿＿＿＿＿＿＿＿＿＿＿＿＿＿

3）袋：＿＿＿＿＿＿　流れる：＿＿＿＿＿＿

＿＿＿＿＿＿＿＿＿＿＿＿＿＿＿＿＿＿＿＿＿＿＿＿＿＿＿＿

4）座る：＿＿＿＿＿＿　友人：＿＿＿＿＿＿

＿＿＿＿＿＿＿＿＿＿＿＿＿＿＿＿＿＿＿＿＿＿＿＿＿＿＿＿

5）混む：＿＿＿＿＿＿　若者：＿＿＿＿＿＿

＿＿＿＿＿＿＿＿＿＿＿＿＿＿＿＿＿＿＿＿＿＿＿＿＿＿＿＿

問題 9

1）a. 伝統的（　　　）　b. お湯（　　　）　c. 値段（　　　）　d. 一人暮らし（　　　）　e. 若者（　　　）

f. 現在（　　　）　g. 商品（　　　）　h. 競争（　　　）　i. 東南（　　　）

2）私の国の食べ物

＿＿＿＿＿＿＿＿＿＿＿＿＿＿＿＿＿＿＿＿＿＿＿＿＿＿＿＿

＿＿＿＿＿＿＿＿＿＿＿＿＿＿＿＿＿＿＿＿＿＿＿＿＿＿＿＿

＿＿＿＿＿＿＿＿＿＿＿＿＿＿＿＿＿＿＿＿＿＿＿＿＿＿＿＿

＿＿＿＿＿＿＿＿＿＿＿＿＿＿＿＿＿＿＿＿＿＿＿＿＿＿＿＿

＿＿＿＿＿＿＿＿＿＿＿＿＿＿＿＿＿＿＿＿＿＿＿＿＿＿＿＿

第6課　日本人と宗教

名前＿＿＿＿＿＿＿＿＿＿

問題 1

1)	a.	b.	c.

2)	a.	b.	c.	d.

3)	a.	b.	c.	d.

4)	a.	b.	c.	d.

5)	a.	b.	c.	d.

問題 2

（例）国内　こくない　・　　　・ century
1)（　）国民　＿＿＿＿　・　　　・ boyfriend/girlfriend
2)（　）交換　＿＿＿＿　・　　　・ totally dark
3)（　）存在　＿＿＿＿　・　　　・ exist
4)（　）真っ暗　＿＿＿＿　・　　　・ domestic
5)（　）歴史　＿＿＿＿　・　　　・ unhappiness
6)（　）恋人　＿＿＿＿　・　　　・ exchange
7)（　）世紀　＿＿＿＿　・　　　・ history
8)（　）不幸　＿＿＿＿　・　　　・ citizens

問題 3

1)	a.	b.	c.	d.

2)	a.	b.	c.

3)	a.	b.	c.	d.

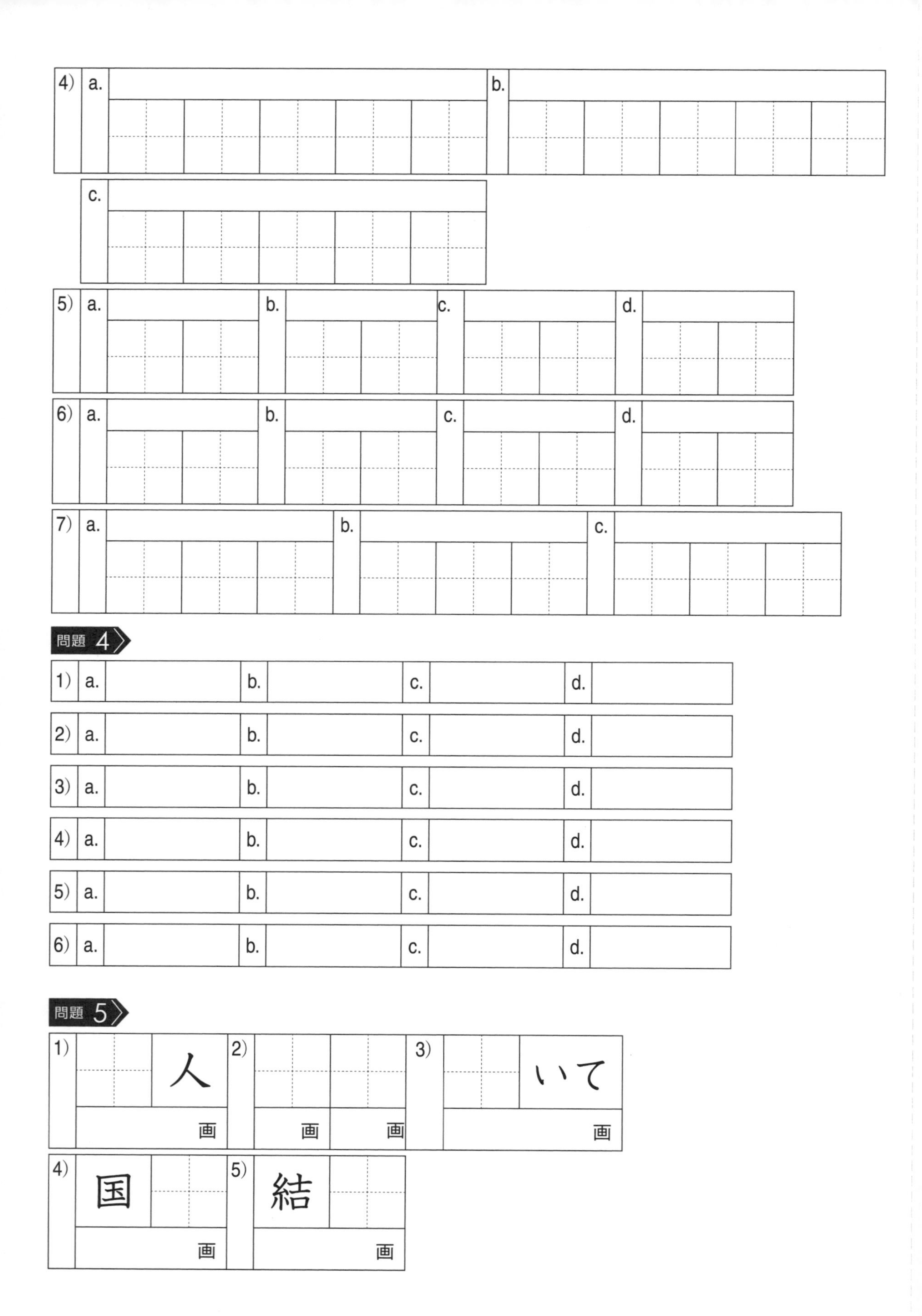
4) a. b.
c.
5) a. b. c. d.
6) a. b. c. d.
7) a. b. c.
問題 4
1) a. b. c. d.
2) a. b. c. d.
3) a. b. c. d.
4) a. b. c. d.
5) a. b. c. d.
6) a. b. c. d.
問題 5
1) 人 画
2) 画 画
3) いて 画
4) 国 画
5) 結 画

問題 6

1）人口：＿＿＿＿＿　図：＿＿＿＿＿　調査：＿＿＿＿＿

＿＿＿＿＿＿＿＿＿＿＿＿＿＿＿＿＿＿＿＿＿＿＿＿＿＿＿＿＿＿

2）表れる：＿＿＿＿＿　結果：＿＿＿＿＿　意見：＿＿＿＿＿

＿＿＿＿＿＿＿＿＿＿＿＿＿＿＿＿＿＿＿＿＿＿＿＿＿＿＿＿＿＿

3）賛成：＿＿＿＿＿　両方：＿＿＿＿＿　結構：＿＿＿＿＿

＿＿＿＿＿＿＿＿＿＿＿＿＿＿＿＿＿＿＿＿＿＿＿＿＿＿＿＿＿＿

4）神社：＿＿＿＿＿　6世紀：＿＿＿＿＿　建てる：＿＿＿＿＿

＿＿＿＿＿＿＿＿＿＿＿＿＿＿＿＿＿＿＿＿＿＿＿＿＿＿＿＿＿＿

5）信者：＿＿＿＿＿　熱心：＿＿＿＿＿　教会：＿＿＿＿＿

＿＿＿＿＿＿＿＿＿＿＿＿＿＿＿＿＿＿＿＿＿＿＿＿＿＿＿＿＿＿

問題 7

Ⅱ）1）「見学」の「見」は（a. 見る　b. 考え方）の意味があります。

2）「私見（しけん）」の「見」は（a. 見る　b. 考え方）の意味があります。

Ⅳ）3）「熱戦（ねっせん）」の「熱」は（a. 熱い　b. 激（はげ）しい）の意味があります。

4）「発熱（はつねつ）」の「熱」は（a. 熱い　b. 激（はげ）しい）の意味があります。

問題 8

1）
a. 神道（　　　）　b. 仏教（　　　）　c. 宗教（　　　）　d. 意識（　　　）　e. 結構（　　　）

f. 信者（　　　）　g. 式（　　　）　h. 教会（　　　）　i. 不思議な（　　　）

2）私の国の宗教

＿＿＿＿＿＿＿＿＿＿＿＿＿＿＿＿＿＿＿＿＿＿＿＿＿＿＿＿＿＿

＿＿＿＿＿＿＿＿＿＿＿＿＿＿＿＿＿＿＿＿＿＿＿＿＿＿＿＿＿＿

＿＿＿＿＿＿＿＿＿＿＿＿＿＿＿＿＿＿＿＿＿＿＿＿＿＿＿＿＿＿

＿＿＿＿＿＿＿＿＿＿＿＿＿＿＿＿＿＿＿＿＿＿＿＿＿＿＿＿＿＿

第７課　日本のポップカルチャー

名前＿＿＿＿＿＿＿＿＿＿＿＿

問題 1

1)	a.	b.	c.	d.

2)	a.	b.	c.	d.	e.	f.

3)	a.	b.	c.	d.

4)	a.	b.	c.	d.	e.

5)	a.	b.

6)	a.	b.	c.	d.

7)	a.	b.	c.	d.

問題 2

1) 氵□ ⇒ ＿＿＿＿（　　）　　2) 心 ⇒ ＿＿＿＿（　　）

3) ⇒ ＿＿＿＿（　　）　　4) ⇒ ＿＿＿＿（　　）

5) 門 ⇒ ＿＿＿＿（　　）　　5) 亻□ ⇒ ＿＿＿＿（　　）

問題 3

1)			2)			3)			4)		

5)			6)			7)			8)		

問題 4

1)		2)		3)		4)	

5)		6)		7)	

問題 5

1)			2)		3)	番		4)	経	
	画	画		画		画			画	

5)	性	
	画	

問題 6

1)	a.		b.		c.	

2)	a.		b.		c.	

3)	a.		b.		c.	

4)	a.		b.		c.	

5)	a.		b.		c.	

問題 7

1)	a.			b.		
2)	a.			b.		
3)	a.			b.		
4)	a.			b.		
5)	a.			b.		
6)	a.			b.		

問題 8

1) a. 家 (　　　　) b. 作品 (　　　　) c. 少年 (　　　　) d. 少女 (　　　　) e. 向け (　　　　)

f. 第 (　　　　) g. 欧米 (　　　　) h. 影響 (　　　　)

2) 私の国のポップカルチャー

____

____

____

____

____

第8課　日本の伝統芸能

名前＿＿＿＿＿＿＿＿＿＿

問題 1

1)	a.	b.	c.	d.

5)	a.	b.	c.	d.	e.

3)	a.	b.	c.

4)	a.	b.

5)	a.	b.

問題 2

ア（　　）　イ（　　）　ウ（　　）　エ（　　）　オ（　　）　カ（　　）

1) ＿＿＿＿＿　4) ＿＿＿＿＿

2) ＿＿＿＿＿　5) ＿＿＿＿＿

3) ＿＿＿＿＿　6) ＿＿＿＿＿

問題 3

1)		2)		3)		4)	

5)		6)		7)	

問題 4

1)		然		然		然

使えない漢字は（　　　　）です。

2)	明	明	明

使えない漢字は（　　　　　）です。

3)	験	験	験

使えない漢字は（　　　　　）です。

4)	場	場	場

使えない漢字は（　　　　　）です。

5)	中	中	中

使えない漢字は（　　　　　）です。

6)	者	者	者

使えない漢字は（　　　　　）です。

7)	い	い	い

使えない漢字は（　　　　　）です。

問題 5

1)	a.		b.		c.	

2)	a.		b.		c.	

3） a. b. c.

4） a. b.

c. d.

5） a. b. c.

6） a. b. c.

問題６

1） 偉い：＿＿＿＿　自信：＿＿＿＿

＿＿＿＿＿＿＿＿＿＿＿＿＿＿＿＿

2） 逃げる：＿＿＿＿　近づく：＿＿＿＿

＿＿＿＿＿＿＿＿＿＿＿＿＿＿＿＿

3） 講義：＿＿＿＿　謝る：＿＿＿＿

＿＿＿＿＿＿＿＿＿＿＿＿＿＿＿＿

4） 探す：＿＿＿＿　科学：＿＿＿＿

＿＿＿＿＿＿＿＿＿＿＿＿＿＿＿＿

5） 主人公：＿＿＿＿　悲劇：＿＿＿＿

＿＿＿＿＿＿＿＿＿＿＿＿＿＿＿＿

問題 7

Ⅱ）1）＿＿＿＿＿＿

2）＿＿＿＿＿＿

3）＿＿＿＿＿＿

4）＿＿＿＿＿＿

5）＿＿＿＿＿＿

6）＿＿＿＿＿＿

7）＿＿＿＿＿＿

8）＿＿＿＿＿＿

問題 8

1） a. 劇（　　　）　b. 踊り（　　　）　c. 取り入れ（　　　）　d. 確か（　　　）　e. 登場（　　　）

f. 完成（　　　）　g. 身近な（　　　）　h. 観て（　　　）

2） 私の国の伝統芸能

＿＿＿＿＿＿＿＿＿＿＿＿＿＿＿＿＿＿＿＿

＿＿＿＿＿＿＿＿＿＿＿＿＿＿＿＿＿＿＿＿

＿＿＿＿＿＿＿＿＿＿＿＿＿＿＿＿＿＿＿＿

＿＿＿＿＿＿＿＿＿＿＿＿＿＿＿＿＿＿＿＿

＿＿＿＿＿＿＿＿＿＿＿＿＿＿＿＿＿＿＿＿

第9課　日本の教育

名前＿＿＿＿＿＿＿＿

問題 1

1)	a.	b.	c.	d.		
2)	a.	b.	c.	d.	e.	f.
3)	a.	b.				
4)	a.	b.	c.	d.		
5)	a.	b.	c.			

問題 2

	a.	b.
1)	＿務	講＿
2)	＿堂	＿事
3)	給＿	＿理
4)	＿徒	人＿
5)	＿等	＿和
6)	＿位	＿理

問題 3

1)	2)	3)	4)
5)	6)	7)	8)

問題 4

1)	2)	3)

4)				5)				6)			

問題 5

1)	a.		b.		c.	

2)	a.		b.		c.	

3)	a.		b.		c.	

4)	a.		b.		c.	

5)	a.		b.		c.	

6)	a.		b.		c.	

問題 6

1)	a.		b.		c.		d.	
2)	a.		b.		c.		d.	
3)	a.		b.		c.		d.	
4)	a.		b.		c.		d.	
5)	a.		b.		c.		d.	

6)	a.		b.		c.		d.	
7)	a.		b.		c.		d.	
8)	a.		b.		c.		d.	

問題 7

1) ________________________________ (　　)

2) ________________________________ (　　)

3) ________________________________ (　　)

4) ________________________________ (　　)

5) ________________________________ (　　)

問題 8

1) a. 教育制度 (　　)　b. 義務 (　　)　c. 学歴 (　　)　d. 就職 (　　)　e. 進学 (　　)

f. 厳しい (　　)　g. 生徒 (　　)　h. 必死に (　　)

2) 私の国の教育制度

____

____

____

____

____

第10課　日本の便利な店

名前＿＿＿＿＿＿＿＿＿＿＿＿

問題 1

1)	a.	b.	c.	
2)	a.	b.	c.	
3)	a.	b.	c.	
4)	a.	b.	c.	d.
5)	a.	b.	c.	d.
6)	a.	b.	c.	

問題 2

1)	a.		b.		c.		d.	
2)	a.		b.		c.		d.	
3)	a.		b.		c.		d.	
4)	a.		b.		c.		d.	
5)	a.		b.		c.		d.	
6)	a.		b.		c.		d.	

問題 3

1)	2)	3)	4)
5)	6)	7)	8)

問題 4

1)（　　　　）＋（　　　　）

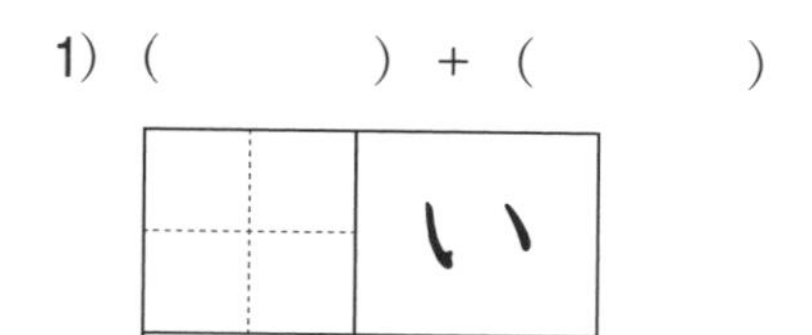

2)（　　　　）＋（　　　　）

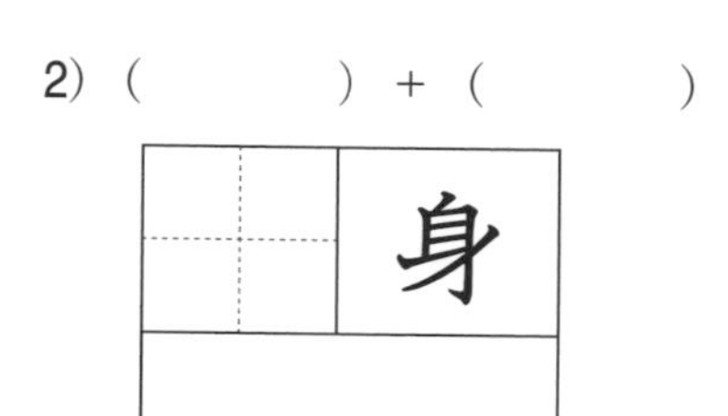

3)（　　　　）＋（　　　　）

情	

4)（　　　　）＋（　　　　）

	来

5)（　　　　）＋（　　　　）

危	

6)（　　　　）＋（　　　　）

	たい

問題 5

1) a. b. c.

2) a. b.

c.

3) a. b. c.

4) a. b. c.

5) a. b. c.

6) a. b. c.

問題 6

1) 宣伝：＿＿＿＿＿ 街：＿＿＿＿＿ 缶コーヒー：＿＿＿＿＿

＿＿＿＿＿＿＿＿＿＿＿＿＿＿＿＿＿＿＿＿＿＿＿＿＿＿＿＿＿＿

2) 盗む：＿＿＿＿＿ 壊す：＿＿＿＿＿ 自動販売機：＿＿＿＿＿

＿＿＿＿＿＿＿＿＿＿＿＿＿＿＿＿＿＿＿＿＿＿＿＿＿＿＿＿＿＿

3) 電子レンジ：＿＿＿＿＿ 深夜：＿＿＿＿＿ 温める：＿＿＿＿＿

＿＿＿＿＿＿＿＿＿＿＿＿＿＿＿＿＿＿＿＿＿＿＿＿＿＿＿＿＿＿

問題 7

1) ＿＿＿＿ 2) ＿＿＿＿ 3) ＿＿＿＿ 4) ＿＿＿＿ 5) ＿＿＿＿

問題 8

1) a. 商品 (　　　) b. 街 (　　　) c. 普及 (　　　) d. (1995)年頃 (　　　) e. 生活用品 (　　　)

f. 食料品 (　　　) g. 製 (　　　) h. 消費者 (　　　) i. 心理 (　　　) j. 利用 (　　　)

2) 私の国の便利な店

＿＿＿＿＿＿＿＿＿＿＿＿＿＿＿＿＿＿＿＿＿＿＿＿＿＿＿＿＿＿

＿＿＿＿＿＿＿＿＿＿＿＿＿＿＿＿＿＿＿＿＿＿＿＿＿＿＿＿＿＿

＿＿＿＿＿＿＿＿＿＿＿＿＿＿＿＿＿＿＿＿＿＿＿＿＿＿＿＿＿＿

＿＿＿＿＿＿＿＿＿＿＿＿＿＿＿＿＿＿＿＿＿＿＿＿＿＿＿＿＿＿

＿＿＿＿＿＿＿＿＿＿＿＿＿＿＿＿＿＿＿＿＿＿＿＿＿＿＿＿＿＿

第11課 日本の歴史

名前＿＿＿＿＿＿＿＿

問題 1

1)	a.	b.	c.	d.		
2)	a.	b.	c.	d.	e.	f.
3)	a.	b.	c.	d.	e.	
4)	a.	b.	c.	d.	e.	f.
	g.					
5)	a.	b.	c.			

問題 2

1)		2)		3)		4)	
5)		6)		7)			

問題 3

1)		2)		3)	
4)		5)			
6)		7)			

問題 4

1)		2)		3)	
4)		5)		6)	

問題 5

1)	a.		b.		c.	
2)	a.		b.		c.	
3)	a.		b.		c.	
4)	a.		b.		c.	
5)	a.		b.		c.	
6)	a.		b.		c.	

問題 6

1) 季節

2) 過去

3) 泊まる

まる

4) 不良

5) 目指す

す

問題7

例 コンピュータが壊れて非常に困っている。 → b

1) 外国語を勉強する時、ジェスチャーなどの非言語のコミュニケーションも覚えなければいけない。 ・
2) 明日は仕事の面接(めんせつ)(interview)があるので不安だ。 ・
3) 先生の研究室に行ったけれど、先生は不在だった。 ・
4) 最近では非婚や晩婚の傾向が強くなっている。 ・
5) あの人は困っている人を見ても助けないので、不親切だと思う。 ・
6) 国民は政府の新しい教育制度に不満がある。 ・

a. 心配している
b. いつもではないこと＝とても
c. 言葉ではない
d. 結婚しない
e. いない
f. やさしくない
g. 文句(もんく)がある

問題8

1) a. 歴史 (　　　) b. 戦い (　　　) c. 西洋 (　　　) d. 交流 (　　　) e. 近代化 (　　　)

f. 始まり (　　　) g. 政府 (　　　) h. 積極的 (　　　) i. 法律 (　　　) j. 建築 (　　　) k. 服装 (　　　)

2) 私の国の文化と外国の影響

____

____

____

____

____

第12課 日本の伝統工芸

名前＿＿＿＿＿＿＿＿＿＿

問題 1

1)	a.	b.	c.	d.	e.
2)	a.	b.	c.	d.	
3)	a.	b.	c.		
4)	a.	b.			
5)	a.	b.	c.	d.	
6)	a.	b.	c.	d.	e.
7)	a.	b.	c.		

問題 2

1) (　　　)＿＿＿＿＿＿：＿＿＿＿＿＿＿＿＿＿＿＿＿＿

2) (　　　)＿＿＿＿＿＿：＿＿＿＿＿＿＿＿＿＿＿＿＿＿

3) (　　　)＿＿＿＿＿＿：＿＿＿＿＿＿＿＿＿＿＿＿＿＿

4) (　　　)＿＿＿＿＿＿：＿＿＿＿＿＿＿＿＿＿＿＿＿＿

5) (　　　)＿＿＿＿＿＿：＿＿＿＿＿＿＿＿＿＿＿＿＿＿

6) (　　　)＿＿＿＿＿＿：＿＿＿＿＿＿＿＿＿＿＿＿＿＿

問題 3

1)		2)		3)		4)	
5)		6)		7)			

問題 4

1)		2)		3)		4)		5)	

問題 5

1)	a.		b.		c.	
2)	a.		b.		c.		d.	
3)	a.		b.		c.	
4)	a.		b.		c.		d.	
5)	a.		b.		c.	

問題 6

1) 　　一　　画

2) 　　った　　画

3) 　　画　外　　画

4) 三　　画

5) ひっくり　　して　画

問題 7

1) A：＿＿＿＿　B：＿＿＿＿　2) A：＿＿＿＿　B：＿＿＿＿

3) A：＿＿＿＿　B：＿＿＿＿　4) A：＿＿＿＿　B：＿＿＿＿

問題 8

1) a. 技術（　　）　b. 製品（　　）　c. 原料（　　）　d. 混ぜる（　　）　e. 薄く（　　）

f. 乾かす（　　）　g. 家具（　　）　h. 開発（　　）　i. 手作り（　　）　j. 優しく（　　）　k. 柔らかい（　　）

2) 私の国の伝統工芸（こうげい）

＿＿＿＿＿＿＿＿＿＿＿＿＿＿＿＿

＿＿＿＿＿＿＿＿＿＿＿＿＿＿＿＿

＿＿＿＿＿＿＿＿＿＿＿＿＿＿＿＿

＿＿＿＿＿＿＿＿＿＿＿＿＿＿＿＿

第13課　日本人と自然

名前＿＿＿＿＿＿＿＿

問題1

1)	a.	b.	c.	d.		
2)	a.	b.	c.	d.		
3)	a.	b.	c.	d.	e.	f.
	g.					
4)	a.	b.	c.	d.		
5)	a.	b.	c.	d.		
6)	a.	b.	c.	d.		

問題2

1) a. 書 ⇒＿＿＿＿　b. 必要 ⇒＿＿＿＿

2) a. 氵□ ⇒＿＿＿＿　b. 亻□ ⇒＿＿＿＿

3) a. 彳□たされた ⇒＿＿＿＿　b. 言□ ⇒＿＿＿＿

4) a. 世界 ⇒＿＿＿＿　b. 糸□かい ⇒＿＿＿＿

5) a. 自然 ⇒＿＿＿＿　b. 点 ⇒＿＿＿＿

問題3

ア)	A	B

イ)	A	B

ウ)	A	B

エ)	A	B

オ)	A	B

問題 4

1)	a.		b.		c.		d.	
2)	a.		b.		c.		d.	
3)	a.		b.		c.		d.	
4)	a.		b.		c.			
5)	a.		b.		c.			
	d.							

問題 5

1)	a.		b.		c.		d.	
2)	a.		b.		c.		d.	
3)	a.		b.		c.		d.	
4)	a.		b.		c.		d.	

5)	a.		b.		c.		d.	
6)	a.		b.		c.		d.	

問題 6

1) 妻：＿＿＿＿＿　娘：＿＿＿＿＿

＿＿＿＿＿＿＿＿＿＿＿＿＿＿＿＿＿＿＿＿＿＿＿＿

2) 氷：＿＿＿＿＿　張る：＿＿＿＿＿

＿＿＿＿＿＿＿＿＿＿＿＿＿＿＿＿＿＿＿＿＿＿＿＿

3) 溶ける：＿＿＿＿＿　孫：＿＿＿＿＿

＿＿＿＿＿＿＿＿＿＿＿＿＿＿＿＿＿＿＿＿＿＿＿＿

4) 俳句：＿＿＿＿＿　浮かぶ：＿＿＿＿＿

＿＿＿＿＿＿＿＿＿＿＿＿＿＿＿＿＿＿＿＿＿＿＿＿

5) 昼寝：＿＿＿＿＿　夢：＿＿＿＿＿

＿＿＿＿＿＿＿＿＿＿＿＿＿＿＿＿＿＿＿＿＿＿＿＿

問題 7

1) ＿＿＿＿　2) ＿＿＿＿　3) ＿＿＿＿　4) ＿＿＿＿　5) ＿＿＿＿

問題 8

1) a. 想像（　　　）　b. 景色（　　　）　c. 自然（　　　）　d. 発見（　　　）　e. 四季（　　　）　f. 印象（　　　）

g. 感動（　　　）　h. 池（　　　）　i. 浮かんで（　　　）　j. 飛ぶ（　　　）　k. 姿（　　　）

2）私の国の自然

第14課　日本の政治

名前＿＿＿＿＿＿＿＿＿＿

問題 1

1)	a.	b.	c.	d.		
2)	a.	b.	c.			
3)	a.	b.	c.	d.		
4)	a.	b.	c.	d.		
5)	a.	b.	c.	d.	e.	f.
6)	a.	b.	c.	d.		

問題 2

1)		2)		3)	
4)		5)		6)	

問題 3

1)	□価	2)	目□	3)	責□
4)	□母	5)	□度		

問題 4

1)-1.	地□	1)-2.	地□	2)-1.	候□者	2)-2.	□候

3)-1.	総理大		3)-2.	大		4)-1.	政		4)-2.	政	

5)-1.		論	5)-2.		論	6)-1.		見	6)-2.		見

7)-1.		真	7)-2.	真	

問題 5

1)	a.	b.	c.	d.

2)	a.	b.
	c.	d.

3)	a.	b.
	c.	d.

4)	a.	b.
	c.	d.

5)	a.	b.	c.	d.

問題 6

1)	a.	b.	c.

2)	a.	b.	c.

3)	a.		b.		c.	
4)	a.		b.		c.	
5)	a.		b.		c.	

問題 7

1)	駅	2)	医	3)	音楽	4)	教
5)	社	6)	記	7)	漫画（まんが）	8)	画
9)	銀行	10)	店	11)	患	12)	作

問題 8

1）a. 政治（　　）　b. 民主主義（　　）　c. 選挙（　　）　d. 国会議員（　　）　e. 知事（　　）

f. 市長（　　）　g. 立候補（　　）　h. 候補者（　　）　i. 実行（　　）

j. 政策（　　）　k. 演説（　　）　l. 選挙権（　　）　m. 無関心（　　）　n. 投票（　　）

2）私の国の選挙

第15課 世界と私の国の未来

名前＿＿＿＿＿＿＿＿＿＿

問題 1

1)	a.	b.	c.	d.

2)	a.	b.	c.	d.

3)	a.	b.	c.	d.

4)	a.	b.	c.	d.

5)	a.	b.	c.

6)	a.	b.	c.

問題 2

1)	2)	3)	4)

5)	6) 合い	7)

問題 3

1)	2)	3)	4)
5)	6)	7)	8)

問題 4

1) a. 老	b. 戦

2) a. 募	b. 貯

3) a. 　測 b. 　定

4) a. 　産 b. 衛

5) a. 禁 b. 防

6) a. 人 b. 　類

問題 5

1) a. b. c.

2) a. b. c.

3) a. b. c.

4) a. b. c.

5) a. b. c.

6) a. b.

c.

問題 6

1)	a.	b.	c.	d.
2)	a.	b.	c.	d.
3)	a.	b.	c.	d.
4)	a.	b.	c.	d.
5)	a.	b.	c.	d.

問題 7

A: ない　　　　B: まだ　　　　C: もう一度
(　　　　)　　(　　　　)　　(　　　　)

1) (　　　)　2) (　　　)　3) (　　　)

4) (　　　)　5) (　　　)　6) (　　　)

問題 8

1) a. 不安 (　　　)　b. 高齢者 (　　　)　c. 森林 (　　　)　d. 破壊 (　　　)　e. 豊か (　　　)

f. 資源 (　　　)　g. 疑問 (　　　)　h. 恐れ (　　　)　i. 改善 (　　　)

j. 恵まれた (　　　)　k. 希望 (　　　)

2) 世界で問題になっていること

____

____

____

____

____

109 [L4] 勝	112 [L4] 絶	128 [L4] 尊	155 [L5] 費	156 [L5] 量	158 [L5] 湯	171 [L5] 統	198 [L6] 換	212 [L6] 割	221 [L7] 悲	237 [L7] 超	250 [L8] 減
252 [L8] 登	262 [L8] 証	269 [L8] 普	271 [L8] 偉	277 [L8] 喜	285 [L9] 満	295 [L9] 等	307 [L9] 就	308 [L9] 給	320 [L10] 景	327 [L10] 報	332 [L10] 街
346 [L10] 策	350 [L10] 替	352 [L11] 税	367 [L11] 装	370 [L11] 貿	374 [L11] 極	382 [L12] 植	383 [L12] 軽	411 [L13] 象	434 [L13] 詞	449 [L14] 期	450 [L14] 評
457 [L14] 補	467 [L14] 雰	477 [L15] 森	481 [L15] 測	494 [L15] 貯	499 [L15] 善	502 [L15] 募	13画	44 [L2] 感	82 [L3] 解	100 [L3] 寝	106 [L3] 辞
142 [L5] 続	149 [L5] 数	162 [L5] 戦	164 [L5] 歳	177 [L6] 置	196 [L6] 福	235 [L7] 愛	240 [L7] 傾	265 [L8] 義	329 [L10] 遠	336 [L10] 罪	355 [L11] 節
378 [L11] 禁	408 [L12] 飾	413 [L13] 夢	415 [L13] 詩	416 [L13] 想	435 [L13] 溶	442 [L14] 暖	474 [L15] 豊	497 [L15] 資	498 [L15] 源	500 [L15] 農	503 [L15] 裏
14画	15 [L1] 説	31 [L1] 関	36 [L1] 雑	37 [L1] 誌	56 [L2] 複	61 [L2] 僕	92 [L3] 際	93 [L3] 緒	123 [L4] 種	130 [L4] 精	150 [L5] 増
161 [L5] 暮	169 [L5] 境	170 [L5] 慣	201 [L6] 歴	210 [L6] 構	222 [L7] 静	231 [L7] 鼻	239 [L7] 鳴	243 [L7] 適	267 [L8] 踊	294 [L9] 算	309 [L9] 認
341 [L10] 製	344 [L10] 徴	381 [L11] 演	392 [L12] 隠	409 [L12] 態	417 [L13] 像	425 [L13] 察	452 [L14] 総	470 [L15] 疑	479 [L15] 緑	15画	8 [L1] 選
57 [L2] 課	68 [L2] 論	69 [L2] 誰	138 [L4] 談	139 [L4] 輩	141 [L5] 億	181 [L6] 熱	190 [L6] 賛	224 [L7] 影	259 [L8] 確	268 [L8] 劇	348 [L10] 導
386 [L12] 線	436 [L13] 誕	444 [L14] 標	448 [L14] 権	483 [L15] 養	496 [L15] 賞	16画	104 [L3] 頼	242 [L7] 機	338 [L10] 壊	362 [L11] 輸	366 [L11] 築
372 [L11] 興	373 [L11] 積	379 [L11] 録	380 [L11] 燃	388 [L12] 頭	391 [L12] 薄	437 [L13] 憶	495 [L15] 衛	17画	264 [L8] 講	275 [L8] 謝	304 [L9] 厳
306 [L9] 環	397 [L12] 優	487 [L15] 齢	18画	26 [L1] 観	40 [L2] 難	66 [L2] 簡	124 [L4] 類	19画	65 [L2] 願	205 [L6] 識	407 [L12] 爆
464 [L14] 離	20画	70 [L2] 議	167 [L5] 競	225 [L7] 響	21画	232 [L7] 躍	22画	134 [L4] 驚			

模範解答

■ 復習漢字の練習

問題 1 1) d. 2) a. 3) c. 4) e. 5) b.

問題 2

1) a. きょうだい b. こうこうせい c. おとうと d. たかい

2) a. としょかん b. しんぶん c. かいた d. あたらしい
e. きいた f. ちず

3) a. きんようび b. りょこう c. いく d. ぎんこう
e. おかね

4) a. とけい b. いえ／うち c. とき d. じかん
e. かぞく f. あいだ

5) a. でんわ b. はなして c. こられる d. らいねん
e. きて

6) a. ちち b. おとうさん c. かいしゃ d. ちちおや
e. あって

7) a. しょくじ b. たのし c. おんがく d. たべて

8) a. がいこく b. かいがい c. うみ d. くに e. そと

問題 3

			①部首(ぶしゅ)	②意味
1)	やすみ / 休み	からだ / 体	イ	h. に関係(かんけい)
2)	かう / 買う	かす / 貸す	貝	a. に関係(かんけい)
3)	はやい / 早い	あかるい / 明るい	日	d. に関係(かんけい)
4)	おちゃ / お茶	はな / 花	艹	f. に関係(かんけい)
5)	のむ / 飲む	ごはん / ご飯	飠	c. に関係(かんけい)
6)	おもう / 思う	わすれる / 忘れる	心	e. に関係(かんけい)
7)	ひろう / 拾う	もつ / 持つ	扌	g. に関係(かんけい)
8)	あらう / 洗う	うみ / 海	氵	i. に関係(かんけい)

問題 4

1) きた

印刷(いんさつ) 手書き(が)

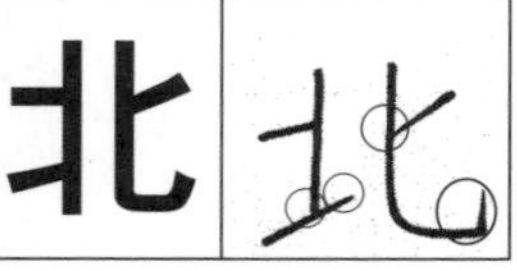

2) ながい

印刷(いんさつ) 手書き(が)

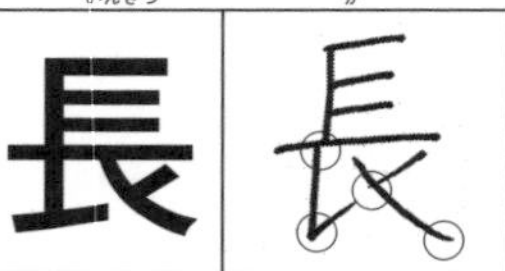

3) かんがえて

考 考

4) かわった

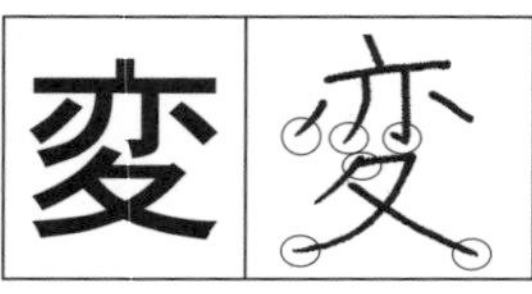

5) はる

春 春

6) とおり

通 通

問題 5

1) b.

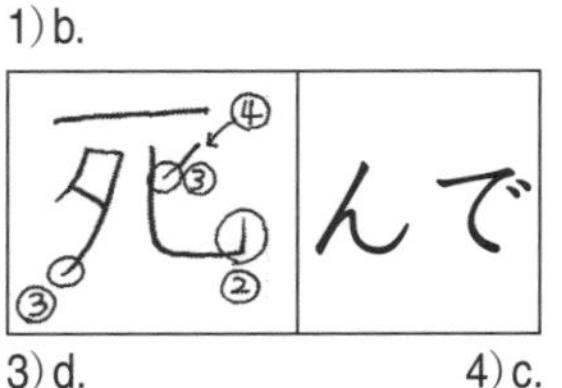

2) c.

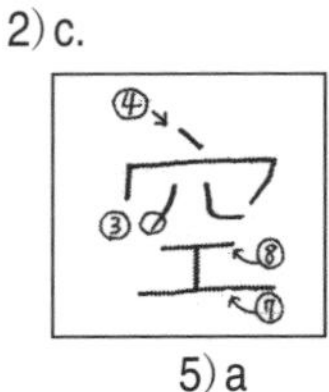

3) d.

道

4) c.

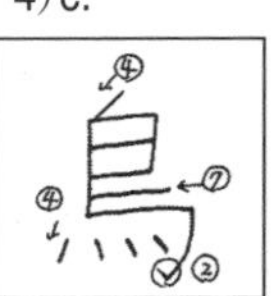

5) a

何

6) c.

秋

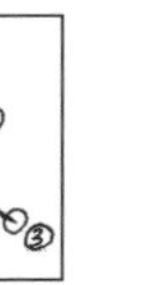

7) d.

所

8) b.

服

9) b.

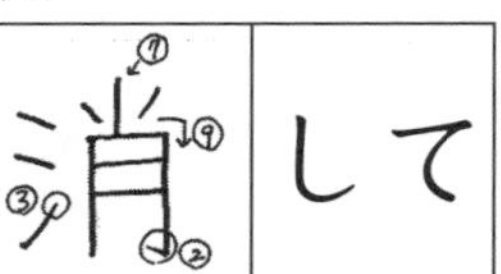

10) c.

開 けた

11) b.

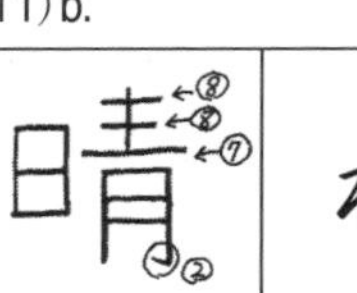

12) a.

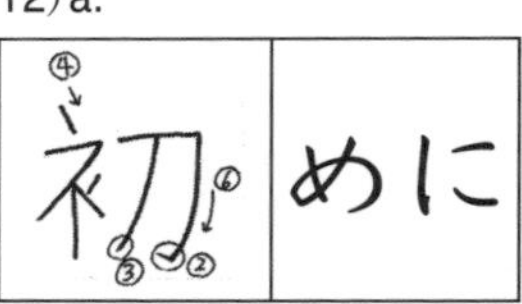

問題 6

1) 風が強い日に自転車に乗るのは大変だ。

2) 東京の銀行で働きたいと思っている。

3) 雨の日に友達と荷物を持って歩いた。

4) 兄は研究する時、英語を使う。

5) 好きな歌手に手紙を送った。

問題 7

1)	漢字	少	ない	多	い	朝	夜
	英語	few; little		many; much		morning	night
	漢字	元	気	病	気		
	英語	energetic; healthy		sick			
2)	漢字	同	じ	違	う	東	西
	英語	same		different		east	west
	漢字	終	わる	始	まる		
	英語	to finish; end		to begin; start			

3)

漢字	黒	い	白	い	便	利	不	便
英語	black		white		convenient		inconvenient	
漢字	入	る	出	る				
英語	enter		exit					

4)

漢字	右	左	強	い	弱	い
英語	right	left	strong		weak	
漢字	母	父				
英語	mother	father				

5)

漢字	明	るい	暗	い	教	える	習	う
英語	light, bright		dark		to teach		to learn	
漢字	寒	い	暑	い				
英語	cold		hot					

6)

漢字	今	昔	高	い	安	い
英語	now	the past	expensive		cheap	
漢字	冬	夏				
英語	winter	summer				

問題 8

1) a. きょう　b. ひとり

2) a. けさ　b. へや

3) a. へたな　b. じょうずな　c. ふたり

4) a. ときどき　b. ことし　c. いつか　d. とおか　e. むいか

5) a. はつか　b. おとな

問題 9

1) まいとし，every year ／ b, c

2) a. おそく，late ／ b　b. おき，to get up ／ a

3) べんきょう，study ／ c, a

4) けっこん，marrying ／ b, a

問題 10

Ⅰ 1) 試験 しけん　2) 週末 しゅうまつ　3) 教室 きょうしつ　4) 日記 にっき　5) 医者 いしゃ

Ⅱ 1) 台風 たいふう　2) 悪口 わるぐち　3) 工場 こうじょう　4) 留守 るす　5) 卒業 そつぎょう

Ⅲ 1) 着物 きもの　2) 宿題 しゅくだい　3) 最近 さいきん　4) 料理 りょうり　5) 野球 やきゅう

問題 11

Ⅰ 1) 心配　2) 予約　3) 運動　4) 練習　5) 広い　6) 文化　7) 空港

Ⅱ 1) 寺　2) 色　3) 顔　4) 痛い　5) 生活　6) 薬　7) 意味

問題 12

1) 店員 ／駅員
てんいん／えきいん

2) 天気 ／元気 ／病気
てんき／げんき／びょうき

3) 本屋 ／肉屋 ／花屋
ほんや ／にくや ／はなや

4) 注意する ／注文する
ちゅういする／ちゅうもんする

5) 地図／地下
ちず／ちか

6) 神社 ／神様
じんじゃ ／かみさま

問題 13

1) a. 経験 ／ b. 終わり
けいけん／ おわり

2) a. 貸して／ b. 買う
かして／ かう

3) a. 駅 ／ b. 試験
えき／ しけん

4) a. 家族 ／ b. 医者
かぞく／ いしゃ

5) a. 職業 ／ b. 取って
しょくぎょう／ とって

6) a. 時間 ／ b. 待った
じかん／ まった

7) 答え
こたえ

8) a. 料理 ／ b. 野球
りょうり／ やきゅう

問題 14

1) 私の大学院生の妹は二週間に一度映画を見ると言っていた。

2) 上から二番目の姉のご主人は一年に三回ぐらい海にサーフィンをしに行くそうだ。

3) 一万八千六百四十円で青いすてきなネクタイを売っていたので、母にお金を借りて買ってしまった。でも、まだそのお金を全部返していない。

4) 土曜日の七時半ごろ、駅に電車が止まった時赤いシャツを着た若い女の人がせの高い男の人の横に立っているのを見た。

5) テストを受ける前に、先生に漢字の質問をしたら、親切に答えてくれた。

6) 次の九月四日の火曜日の授業では、世界の有名人について田中さんが作ったビデオを三十分ぐらい見ます。

7) 今、つまと二人の男の子と大きい町に住んでいる。夏になったら家族で日本の南にある山や水がきれいな川にキャンプをしに行きたいと考えているから、インターネットでいい場所を調べてみた。

8) 昼休みに友だちと話している時に外国から日本に来ている魚や牛の肉が多いことを知っておどろいた。

9) 土曜日は車が汚かったので、車を洗ったり、いろいろな用事をしたりした。それから、けいざいの本を読んで、文学の宿題をした。

10) 仕事で重いかばんを持ってたくさん歩いたら、足が痛くなってしまった。それで、病院の後にある小さいこうえんの木の下の古いベンチで少し休んだ。

11) 夕食を食べてから犬と家の近くを走っていたら、雨が雪に変わったので、ジョギングはやめてアパートに帰った。

第1課

問題1

1) a. ほっかいどう　b. うみ　c. かいがい

2) a. しこく　b. くに　c. ちず　d. としょかん

3) a. しゅっしんち　b. おこなわれる　c. ぎょうじ
　d. でる　e. いこう

4) a. おおきな　b. たてもの　c. たいへん　d. めいぶつ
　e. かわり

5) a. おしょうがつ　b. ただしい

6) a. ごふん　b. わたしたち　c. ともだち　d. にぶん
　e. わから

7) a. まいとし　b. にちようび　c. ひ　d. にねんまえ
　e. ことし　f. らいねん

問題2

1) e.／かんこう　2) b.／しゅっしん　3) f.／しぜん
4) a.／ざっし　5) d.／ことば　6) c.／せんもん
7) g.／とし

問題3

a. とうきょうと　b. ほんしゅう　c. しこく
d. (ひろしま)けん　e. きゅうしゅう　f. かんとう
g. きょうとふ　h. かんさい

問題4

1) 楽しむ　2) 残って　3) 選ぶ　4) 決まった
5) 覚える　6) 差がある　7) 目的　8) 島

問題5

1) 名所 famous place　2) 地理 geography　3) 伝えて to pass on; tell
4) 昔話 old tale　5) 絵 picture; painting　6) 階 floor

問題6

1) a.／平和　2) d.／人々　3) b.／都市
4) a.／全体　5) c.／特別

問題7

1) 地理／料理
　ちり／りょうり
2) 見学／意見
　けんがく／いけん
3) 小説／説明
　しょうせつ／せつめい
4) 特別／特に
　とくべつ／とくに
5) 形／人形
　かたち／にんぎょう
6) 美術館／美しい
　びじゅつかん／うつくしい
7) 最近／最も
　さいきん／もっとも
8) 建物／建てた
　たてもの／たてた

問題8

	漢字の部分(ぶぶん)	作った漢字		読み方	短い文(みじか)
1)	(永)	泳	ぐ	およぐ	あした海に泳ぎに行きます。
2)	(巽)	選	ぶ	えらぶ	グループのリーダーに選ばれました。
3)	(酉)	酒		さけ	お酒は飲みすぎない方がいいです。
4)	友(幸)	友	達	ともだち	外国人の友達がたくさんいます。
5)	気(昷)	気	温	きおん	週末は気温が高くなるそうです。
6)	(夬)	決	める	きめる	夏休みに旅行する所を決めました。

問題9

1) 名物　その地方の有名なもののことです。
　名所　有名な場所のことです。

2) 有名な　という意味があると思います。

3) 1)名医　2)名画　3)名人　4)名言

問題10

1) a. ちほう　b. しま　c. し　d. うつくしい
　e. しぜん　f. たのしめ　g. いろいろな　h めいしょ
　i ぎょうじ　j かんこう

2) (自由に書いて下さい。)

第2課

問題1

1) a. おせわ　b. はなし　c. せかい　d. ことば
　e. はなせる　f. いって

2) a. あらわれて　b. たとえば　c. ひょう　d. れい

3) a. じょせい　b. おとこ　c. だんせい　d. おんな

4) a. ろんぶん　b. さいご　c. もっとも　d. もじ

5) a. きょうと　b. こうじょう　c. つごう　d. ばあい
　e. あう　f. ばしょ

6) a. かた　b. ほう

問題2

1) b. ／ふくざつ　2) d. ／ぶぶん　3) c. ／かんたん
4) a. ／けいご　5) e. ／ろんぶん　6) f. ／せつめい

問題3

1) a. ア／ぼく　b. イ／みな　c. エ／おねがい
　d. ウ／こまって

2) a. エ／すぎ　b. イ／かいぎ　c. ウ／だれ
　d. ア／おとして

3) a. イ／忙しい　b. ア／理由　c. ウ／代わり

問題4

1) h., a. ／あいて　2) g., e. ／れんらく
3) f., d. ／かちょう　4) i., j. ／ばめん　5) l., b. ／むり

問題5

1) 短い　short
2) 皆　everyone
3) 困る　to have trouble
4) 必要　necessary
5) 晩　night; evening
6) 男性　male
7) 例えば　for example

問題6

1) a. ／表　2) d. ／実は　3) d. ／代わりに
4) b. ／難しい　5) b. ／感じ　6) a. ／忙しい

問題7

1) 性　8画　2) 合う　6画　3) 晩　12画
4) 比べる　4画　5) 感じ　13画　6) 課　15画

問題8

1)

		特別な読み方	英語の意味
ex.	一人	ひとり	alone
a.	昨日	きのう	yesterday
b.	明日	あした	tomorrow
c.	今日	きょう	today

2)

A	B	C
ex. 一昨日	ことし	the day after tomorrow
ア 一昨年	おととい	this morning
イ 明後日	けさ	this year
ウ 今朝	おととし	the day before yesterday
エ 今年	あさって	the year before last

問題9

1) a. げんご　b. だんじょ　c. ことば　d. あいて
　e. ばあい　f. ちほう　g. たとえば

2) （自由に書いて下さい。）

■ 第3課

問題 1

1) a. あいだ　b. にんげん　c. じかん　d. まちがえて
 e. ひとがた
2) a. ともだち　b. はったつ　c. さいしょ　d. もっとも
 e. はじめて
3) a. きた　b. くび　c. しょうらい　d. しゅと
4) a. ぶんぽう　b. はつおん　c. はったつ　d. ちゅうもん
5) a. とし　b. ごじゅうねん　c. うんてん　d. はこんで
6) a. うまれて　b. こうこうせい　c. せいかつ
 d. つれていく　e. れんらく
7) a. うごかして　b. うんどう　c. ばめん　d. おもしろい

問題 2

1) c. ／りかい　2) a. ／じしょ　3) f. ／しゅじゅつ
4) b. ／こうじょう　5) e. ／しょうらい　6) d. ／にゅうがく

問題 3

1) a. エ／くん　b. ウ／いっしょ　c. ア／かいじょう
 d. イ／てつだって
2) a. エ／うつくしい　b. イ／け　c. ア／まわり
 d. ウ／あつまって
3) a. エ／初め　b. ア／苦手　c. ウ／声　d. イ／大事
4) a. イ／発表　b. ウ／文法　c. ア／直し
 d. エ／助かっ
5) a. ウ／この間　b. エ／本当　c. ア／他　d. イ／理解

問題 4

1) g., c. ／ぎじゅつ　2) j., d. ／ぜんぜん
3) a., h. ／じっさい　4) b., f. ／ごうかく
5) n., p. ／ざんねん　6) q., m. ／あんない
7) r., l. ／しょくじ　8) o., k. ／いっしょ

問題 5

ア

(d)

イ
助
(a)

ウ

(b)

エ
集
(e)

オ

(c)

カ

(f)

1) 集まって　2) 泣いて　3) 助けて
4) 呼び　5) 最高　6) 笑う

問題 6

1) 単語を覚えるのが苦手です。
2) 両親が子供をハイキングに連れて行くようだ。
3) 首が長い動物が集まっています。
4) 友達の大事なピアノを動かすのを手伝いました。

問題 7

1) a. 発音　b. 文法　c. 単語　d. 社会
 「言語」に関係がないのは（ d. ）です。
2) a. 大事　b. 本当　c. 残念　d. 苦手
 「な形容詞 (adjective)」じゃないのは（ b. ）です。
3) a. 記事　b. 学習　c. 問題　d. 食事
 「日本語の勉強」とあまり関係がない (to be related to) のは
 （ d. ）です。
4) a. ほしい　b. あそぶ　c. ねる　d. たのむ
 「動詞 (verb)」じゃないのは（ a. ）です。

問題 8

	A	B	C
同じ意味の漢字を使っている言葉	学習	場所	平和
読み方	がくしゅう	ばしょ	へいわ
英語の意味	to learn; study	place	peace

問題 9

1) a. しょうらい　b. ぎじゅつ　c. はったつ　d. にんげん
 e. べんり　f. しぜん　g. じっさいに　h. どうぶつ
 i. ざんねんな　j. だいじに　k. まもる　l. ひつよう

2) （自由に書いて下さい。）

■ 第4課

問題1

1) a. げんだい　b. かわりに　c. がっこう　d. まなんだ
2) a. ごご　b. うしろ　c. えがお　d. わらい
3) a. えらばれた　b. せんしゅ　c. て　d. じょうずに
4) a. せいしん　b. かみ
5) a. ぶいん　b. ぶ　c. へや　d. どうぐ　e. みち
6) a. きもち　b. きぶん　c. あらわす　d. ひょうげん

問題2

1) e. ／ただしい　2) f. ／こうはい　3) d. ／おとしより
4) b. ／けんこう　5) a. ／はんとし　6) c. ／せき

問題3

1) d., g. ／しあい　2) b., j. ／そうだん
3) e., a. ／せんぱい　4) i., c. ／せいしん
5) q., l. ／しゅるい　6) r., k., p. ／いっぱんてき
7) m., s. ／せいちょう　8) o., n. ／かんけい

問題4

1) 礼 bow　2) 能力 ability　3) 関係 relationship　4) 絶対 absolutely
5) 向かって toward

問題5

漢字	a.	海	外	e.	国	内
英語		abroad; overseas			domestic	
漢字	b.	北		g.	南	
英語		north			south	
漢字	c.	速	い	f.	遅	い
英語		fast			slow	
漢字	d.	負	ける	h.	勝	つ
英語		to lose; be defeated			to win	

問題6

1) 投げる　2) 技(術)　3) 折れて
4) 授(業)　5) 打った

問題7

1) a. ／速い　2) c. ／例えば　3) d. ／番組
4) a. ／現代　5) b. ／絶対　6) d. ／表現

問題8

1) 勝ち／12画　2) 育てて／8画　3) 組／11画
4) 与え／3画　5) 正しい／5画　6) 彼／8画

問題9

1) 大声：おおごえ　驚く：おどろく　絶対に：ぜったいに
大声で名前を呼んだら絶対に驚くと思う。

2) 迷わず：まよわず　お年寄り：おとしより　困る：こまる
困っているお年寄りがいたら迷わず助けます。

3) 礼：れい　相手：あいて　尊敬：そんけい
意味：いみ　含まれる：ふくまれる
礼には相手を尊敬する意味が含まれている。

4) 代表的：だいひょうてき　番組：ばんぐみ
例えば：たとえば
私の国の代表的な番組は、例えば「Hero」です。

問題10

1) a. おたがいに　b. そんけい　c. せいしん　d. りかい
e. へいわ　f. しあい　g. かんけい　h. かつ
i. けんこうな　j. せいちょう

2) (自由に書いて下さい。)

■ 第5課

問題1

1) a. くに　b. こっきょう　c. こくさいてき

2) a. なんべい　b. とうなん　c. みなみ

3) a. でんとう　b. しゅうかん　c. ならって　d. つたえ

4) a. あかるい　b. はつめい　c. ものがたり　d. えいご

問題2

1) b., g. ／ねだん　2) a., f. ／きょうそう

3) j., d. ／しょうひん　4) e., h. ／せんご

5) m., o. ／しょうひ　6) q., l. ／げんざい

7) r., n. ／せいこう　8) p., k. ／しょうかい

問題3

1) 続　⇒ つづ（く）

2) 得　⇒ え（る）

3) 信　⇒ しん（じる）

4) 増　⇒ ふ（える）

5) 客　⇒ きゃく

6) 広　⇒ ひろ（げる）

問題4

1) a. 現代 ／ b. 現在
げんだい／ げんざい

2) a. 回る ／ b. 回転する
まわる／ かいてんする

3) a. 全世界 ／ b. 全国
ぜんせかい／ ぜんこく

4) a. 発表する ／ b. 発明する
はっぴょうする／ はつめいする

5) a. 成功 ／ b. 成長
せいこう／ せいちょう

6) a. 以上 ／ b. 以下
いじょう／ いか

問題5

1) b. ／億　2) c. ／失敗　3) a. ／増えた

4) c. ／数　5) a. ／現在

問題6

1) b. ／りょう　2) c. ／さい　3) a. ／さら

4) a. ／しょうひ　5) c. ／やく　6) c. ／か

問題7

1) 億 → 正しい漢字：億　読み方：おく

2) 流 → 正しい漢字：流　読み方：ながれる

3) 数 → 正しい漢字：数　読み方：かず

4) 得 → 正しい漢字：得　読み方：える

5) 向 → 正しい漢字：向　読み方：むける

6) 続 → 正しい漢字：続　読み方：つづく

問題8

1) 消費：しょうひ　牛肉：ぎゅうにく
最近、牛肉の消費が増えている。

2) 列：れつ　客：きゃく
店の前に客が長い列を作っている。

3) 袋：ふくろ　流れる：ながれる
ゴミの袋が流れてきた。

4) 座る：すわる　友人：ゆうじん
友人とベンチに座って話をした。

5) 混む：こむ　若者：わかもの
バーは若者がたくさんいて、とても混んでいた。

問題9

1) a. でんとうてき　b. おゆ　c. ねだん
d. ひとりぐらし　e. わかもの　f. げんざい
g. しょうひん　h. きょうそう　i. とうなん

2)（自由に書いて下さい。）

■ 第6課

問題1

1) a. じんじゃ　b. かみさま　c. しんわ

2) a. かのじょ　b. かれ　c. おまいり　d. さんか

3) a. しらべて　b. じゅけん　c. うけいれて
　d. ちょうさ

4) a. げんざい　b. ぶっきょう　c. ほとけ
　d. あらわれた

5) a. どようび　b. とち　c. たてて　d. たてもの

問題2

例　国内　こくない
1) (h.)　国民　こくみん
2) (c.)　交換　こうかん
3) (d.)　存在　そんざい
4) (g.)　真っ暗　まっくら
5) (f.)　歴史　れきし
6) (b.)　恋人　こいびと
7) (a.)　世紀　せいき
8) (e.)　不幸　ふこう

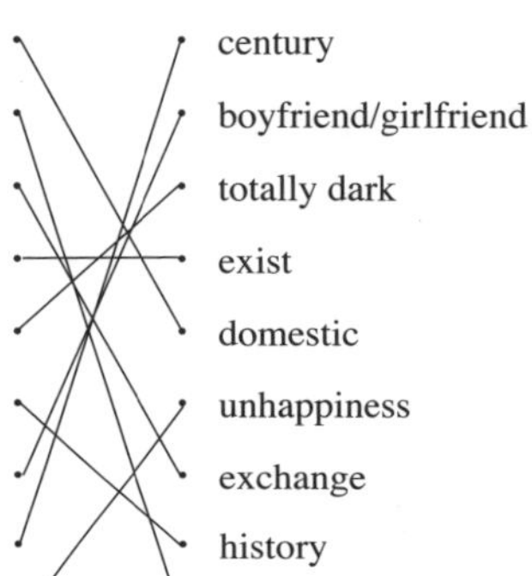

問題3

1) a. エ／おまいり　b. イ／じんじゃ　c. ウ／ふしぎな
　d. ア／いわ

2) a. ウ／こうふくな　b. イ／おこって　c. ア／ころして

3) a. エ／じゅけん　b. ア／いしき　c. ウ／くるしい
　d. イ／わりあい

4) a. ウ／世紀　b. イ／建てられた　c. ア／神話

5) a. ウ／図　b. イ／人口　c. エ／倍　d. ア／急に

6) a. ウ／式　b. エ／賛成　c. イ／彼女　d. ア／反対

7) a. イ／熱心に　b. ウ／石　c. ア／調査

問題4

1) ⓐ しゅうきょう　b. こうふく　c. いちぶ　d. こじん

2) ⓐ わりあい　b. さんせい　c. そんざい　d. いしき

3) a. おこって　b. いのって　ⓒ もどって　d. おいて

4) a. いのる　b. ころす　ⓒ いわう　d. ねがう

5) a. おいて　ⓑ ゆるして　c. もどって　d. まいって

6) a. あらわれた　b. ゆるした　c. いきた　ⓓ いのった

問題5

1) 個(人)／10画　2) 参加／8画5画

3) 置(いて)／13画　4) (国)民／5画

5) (結)果／8画

問題6

1) 人口：じんこう　図：ず　調査：ちょうさ
　ニューヨークの人口を調査して、その結果を図で表した。

2) 表れる：あらわれる　結果：けっか　意見：いけん
　この結果には国民の意見が表れている。

3) 賛成：さんせい　両方：りょうほう　結構：けっこう
　今日の会議では、賛成の意見も反対の意見も結構あった。

4) 神社：じんじゃ　6世紀：ろくせいき　建てる：たてる
　この神社は6世紀に建てられたそうです。

5) 信者：しんじゃ　熱心：ねっしん　教会：きょうかい
　母は熱心なキリスト教の信者だから、毎週教会に行く。

問題7

Ⅱ) 1) a.　2) b.

Ⅳ) 3) b.　4) a.

問題8

1) a. しんとう　b. ぶっきょう　c. しゅうきょう
　d. いしき　e. けっこう　f. しんじゃ
　g. しき　h. きょうかい　i. ふしぎな

2) (自由に書いて下さい。)

■ 第7課

問題1

1) a. よのなか　b. しょうねんしょうじょ
　c. せかい　d. すくない

2) a. こども　b. さまざまな　c. ようす
　d. どうさ　e. つくった　f. さくひん

3) a. でた　b. むけ　c. しゅっぱん　d. けいこう

4) a. つぎ　b. おおきい　c. せんそう　d. だいにじ
　e. たいせん

5) a. ほうそう　b. おくって

6) a. きた　b. みらい　c. か　d. くる

7) a. もと　b. げんき　c. たべもの　d. じんぶつ

問題2

1) 深 ⇒ ふか（い）

2) 悲 ⇒ かな（しい）

3) 払 ⇒ はら（う）

4) 静 ⇒ しずか（な）

5) 閉 ⇒ し（まる）

6) 伝 ⇒ つた（わる）

問題3

1) a., j. ／あいじょう　2) b., e. ／えいきょう

3) i., c. ／てきとう　4) h., d. ／じょうきょう

5) k., p. ／かいだん　6) r., q. ／げいじゅつ

7) m., o. ／かつやく　8) l., n. ／きかい

問題4

1) d. ／まるい　2) h. ／じんるい　3) e. ／はな

4) a. ／なくなる　5) f. ／みらい　6) c. ／なく

7) b. ／けつえき

問題5

1) 戦争／13画6画　2) 命／8画

3) (番)号／5画　4) (経)済／11画

5) (性)格／10画

問題6

1) a. ウ／ふり，b. イ／ごろ，c. ア／こえる

2) a. ウ／どくしゃ，b. ア／よのなか，c. イ／あげて

3) a. ウ／夜中，b. イ／丸い，c. ア／虫

4) a. ア／作品，b. ウ／悲しい，c. イ／様々な

5) a. イ／未来，b. ウ／医学，c. ア／方法

問題7

Ⅱ) 1) a. 閉まる，　b. 閉める

　2) a. 増え，　b. 増やし

　3) a. 伝わっ，　b. 伝え

　4) a. 広げる，　b. 広まっ

　5) a. 決まっ，　b. 決め

　6) a. 入っ，　b. 入れ

問題8

1) a. か　b. さくひん　c. しょうねん　d. しょうじょ
　e. むけ　f. だい　g. おうべい　h. えいきょう

2) (自由に書いて下さい。)

■ 第8課

問題1

1) a. りゅうがくせい　b. ふつう　c. どおり
　d. るす

2) a. かんこう　b. ひげき　c. みて　d. かなしい
　e. きげき

3) a. せんせい　b. はえて　c. いきられる

4) a. まっくらな　b. しゃしん

5) a. たちば　b. りっぱな

問題2

ア

(f)

イ

(b)

ウ

(a)

エ

(c)

オ
逆
(d)

カ

(e)

1)低い　2)取り入れる　3)点
4)村　5)逆　6)日常

問題3

1) h.／さがし　2) c.／あやまっ　3) g.／わっ
4) d.／やぶっ　5) e.／にげ　6) b.／おどっ
7) f.／おいかけ

問題4

1) 自然　突然　全然
　しぜん　とつぜん　ぜんぜん
　使えない漢字は(　c.　)です。

2) 発明　証明　説明
　はつめい　しょうめい　せつめい
　使えない漢字は(　b.　)です。

3) 実験　試験　経験
　じっけん　しけん　けいけん
　使えない漢字は(　a.　)です。

4) 立場　登場　会場
　たちば　とうじょう　かいじょう
　使えない漢字は(　d.　)です。

5) 夜中　途中　世の中
　よなか　とちゅう　よのなか
　使えない漢字は(　b.　)です。

6) 患者　医者　科学者
　かんじゃ　いしゃ　かがくしゃ
　使えない漢字は(　d.　)です。

7) 怖い　甘い　偉い
　こわい　あまい　えらい
　使えない漢字は(　c.　)です。

問題5

1) a. ウ／へいきん　b. イ／ひくい　c. ア／はずかしい

2) a. ア／とちゅう　b. イ／どく　c. ウ／ぬいている

3) a. イ／科学　b. ウ／実験　c. ア／完成

4) a. エ／写真　b. ウ／確か　c. イ／登場
　d. ア／主人公

5) a. ウ／村　b. ア／効果　c. イ／減り

6) a. イ／見直し　b. ア／中心　c. ウ／法

問題6

1) 偉い：えらい　自信：じしん
　自信がないけど、昔の偉い先生の写真です。

2) 逃げる：にげる　近づく：ちかづく
　かわいい犬がいたので、近づいたら逃げてしまった。

3) 講義：こうぎ　謝る：あやまる
　朝の講義に遅れて来た学生が、先生に何度も謝っていた。

4) 探す：さがす　科学：かがく
　今日の科学の実験についてのレポートを書くために、図書館で本を探した。

5) 主人公：しゅじんこう　悲劇：ひげき
　悲劇の主人公が死ぬ場面で泣いてしまった。

問題7

II) 1) しんじゃ　2)どくしゃ　3)わかもの
　4)かがくしゃ　5)さんじゅっぷん　6)わから
　7)ぶぶん　8)にぶんのいち

問題8

1) a. げき　b. おどり　c. とりいれ　d. たしか
　e. とうじょう　f. かんせい　g. みぢかな
　h. みて

2) (自由に書いて下さい。)

■ 第9課

問題1

1) a. しゅじんこう　b. おもな　c. しあわせ　d. こうふく
2) a. こうりつ　b. りっぱな　c. すすむ　d. ていか　e. しんがくりつ　f. さがって
3) a. あし　b. まんぞく
4) a. ころされ　b. じさつ　c. かず　d. すうじ
5) a. きまら　b. けっして　c. かいけつ

問題2

1) a. 義務／ぎむ　b. 講義／こうぎ
2) a. 食堂／しょくどう　b. 食事／しょくじ
3) a. 給料／きゅうりょう　b. 料理／りょうり
4) a. 生徒／せいと　b. 人生／じんせい
5) a. 平等／びょうどう　b. 平和／へいわ
6) a. 地位／ちい　b. 地理／ちり

問題3

1) c., a. ／しゅうしょく　2) d., h. ／かてい
3) e., g. ／きぼう　4) j., i. ／げんいん
5) k., n. ／ひてい　6) o., q. ／はんだん
7) r., l. ／かんきょう　8) m., p. ／きほん

問題4

1) ウ／算／a.　2) ア／落／b.　3) イ／容／c.
4) ウ／等／a.　5) ア／苦／a.　6) イ／字／c.

問題5

1) a. ウ／苦しん　b. ア／進学　c. イ／幸せ
2) a. ア／低下　b. ウ／原因　c. イ／協力
3) a. イ／去年　b. ウ／返事　c. ア／可能性
4) a. イ／他人　b. ウ／洋服　c. ア／喜んで
5) a. ア／制度　b. ウ／決して　c. イ／満足
6) a. ウ／平等　b. イ／地位　c. ア／求めた

問題6

1) (a.)さして　b. のべて　c. すすんで　d. くるしんで
2) a. あげる　b. けいさんする　c. きぼうする　(d.)にあう
3) a. いがい　(b.)かぎり　c. いっぽう　d. しかた
4) a. おもな　b. けっして　(c.)きびしい　d. じゆうな
5) (a.)のべて　b. へらして　c. たよって　d. できて
6) a. もとめられた　b. あげられた　(c.)みとめられた　d. さげられた
7) (a.)ふくめる　b. にあう　c. ようい する　d. うむ
8) a. げんじょう　(b.)じょうしき　c. とうけい　d. しりつ

問題7

1) 生きている花　（ b. ）
2) 生まれた年と月と日　（ a. ）
3) 新しく入った学生(人)　（ d. ）
4) 人生の半分　（ c. ）
5) 生きているか死んでいるか　（ b. ）

問題8

1) a. きょういくせいど　b. ぎむ　c. がくれき　d. しゅうしょく　e. しんがく　f. きびしい　g. せいと　h. ひっしに

2)（自由に書いて下さい。）

第10課

問題1

1) a. はんばいき　b. うられて　c. うりあげ
2) a. れいとう　b. ひやして　c. つめたくて
3) a. やすく　b. あんぜんな　c. あんしん
4) a. このむ　b. わしょく　c. すき　d. たべない
5) a. こども　b. でんし　c. あたためて
　d. あたたかい
6) a. ゆうがた　b. しかた　c. ほうほう

問題2

1) a. ひやして　b. こわして　c. とおって　(d.)ならべて
2) a. うれる　b. ぬすむ　(c.)かえる　d. このむ
3) a. く　(b.)し　c. い　d. せい
4) a. しんらい　b. きんじょ　(c.)どうにゅう　d. じじつ
5) a. げんきん　b. へんか　c. みかた　(d.)たいさく
6) a. ころ　(b.)せい　c. し　d. わり

問題3

1) g., b. ／きせい　2) a., j. ／ふきゅう
3) f., c. ／はんざい　4) e., h. ／ひはん
5) o., l. ／れいとう　6) m., p. ／ちょしゃ
7) n., k. ／とくちょう　8) q., r. ／きかい

問題4

1) (A)＋(ア)
遠い／とおい
2) (B)＋(ア)
独身／どくしん
3) (B)＋(ウ)
情報／じょうほう
4) (C)＋(イ)
将来／しょうらい
5) (A)＋(ア)
危険／きけん
6) (B)＋(ア)
冷たい／つめたい

問題5

1) a. イ／地区　b. ア／風景　c. ウ／訪れる
2) a. ウ／省エネ　b. イ／役に立つ　c. ア／情報
3) a. ア／並べ　b. ウ／食品　c. イ／遠い
4) a. ウ／危険　b. ア／安全　c. イ／安心
5) a. ウ／独身　b. ア／将来　c. イ／温かい
6) a. ア／通り　b. イ／自動　c. ウ／冷たい

問題6

1) 宣伝：せんでん　街：まち
缶コーヒー：かんコーヒー
街で缶コーヒーの宣伝を見た。

2) 盗む：ぬすむ　壊す：こわす
自動販売機：じどうはんばいき
最近、自動販売機を壊してお金を盗むという犯罪が増えているらしい。

3) 電子レンジ：でんしレンジ　深夜：しんや
温める：あたためる
深夜に、電子レンジで残っていた食べ物を温めて食べた。

問題7

1) d.　2) a.　3) b.　4) d.　5) c.

問題8

1) a. しょうひん　b. まち　c. ふきゅう
d.（1995）ねんごろ　e. せいかつようひん
f. しょくりょうひん　g. せい　h. しょうひしゃ
i. しんり　j. りよう

2)（自由に書いて下さい。）

第11課

問題1

1) a. おうべい　b. こめ　c. せいさん　d. うまれて

2) a. こいびと　b. にて　c. にあい
d. れんあい　e. きょうみ　f. あじ

3) a. とおり　b. とめる　c. きんし　d. とおって
e. とおして

4) a. きろく　b. とき　c. たたかった　d. せんそう
e. とうじ　f. できごと　g. きじ

5) a. けんちく　b. たてもの　c. たてられた

問題2

1) c. ／かこ　2) f. ／ゆうびん　3) e. ／ぼうえき
4) a. ／けんちく　5) g. ／せいよう　6) b. ／えど
7) d. ／どくとく

問題3

1) 目指し　2) 交流し　3) 税金
4) 各地　5) 歴史　6) 政府　7) 用い

問題4

1) b. ／ほうりつ　2) c. ／ふくそう　3) c. ／はってん
4) a. ／てんこう　5) a. ／せっきょくてき　6) c. ／とういつ

問題5

1) a. ウ／こうりつ，b. ア／もえる，c. イ／ゆしゅつ

2) a. イ／えんじる，b. ア／どくじ，c. ウ／いたる

3) a. ア／きんだいてき，b. イ／ゆうびん
c. ウ／かくりつ

4) a. ウ／せいふ，b. イ／くわえて，c. ア／ゆにゅう

5) a. ウ／同士，b. イ／非常，c. ア／泊まり

6) a. ア／支払った，b. イ／共に，c. ウ／風

問題6

1) きせつ
2) かこ
3) とまる
4) ふりょう
5) めざす

問題7

例 コンピュータが壊れて非常に困っている。 → b. いつもではないこと＝とても

1) 外国語を勉強する時、ジェスチャーなどの非言語のコミュニケーションも覚えなければいけない。 → c. 言葉ではない

2) 明日は仕事の面接があるので不安だ。 → a. 心配している

3) 先生の研究室に行ったけれど、先生は不在だった。 → e. いない

4) 最近では非婚や晩婚の傾向が強くなっている。 → d. 結婚しない

5) あの人は困っている人を見ても助けないので、不親切だと思う。 → f. やさしくない

6) 国民は政府の新しい教育制度に不満がある。 → g. 文句（もんく）がある

問題8

1) a. れきし　b. たたかい　c. せいよう
d. こうりゅう　e. きんだいか　f. はじまり
g. せいふ　h. せっきょくてき　i. ほうりつ
j. けんちく　k. ふくそう

2)（自由に書いて下さい。）

第12課

問題1

1) a. にゅういん　b. さんかく　c. かど
 d. いりぐち　e. はいって
2) a. どうきゅうせい　b. わし　c. いかした
 d. おりがみ
3) a. ふりょう　b. なかよく　c. かいりょう
4) a. かんこう　b. ひかり
5) a. かいはつ　b. しめて　c. とじて
 d. あけないで
6) a. とおり　b. とおり　c. とおって
 d. かよって　e. とおして
7) a. しゃしん　b. まんなか　c. まっしろな

問題2

1) (c.) まげる：このイスは、大きい木を切って曲げて作ったんだよ。

2) (b.) かわかす：今日は天気がいいので、洗たくした服を外で乾かそうと思う。

3) (d.) やさしい：若くて優しそうな男性が、荷物を持ったおばあさんを助けた。

4) (e.) かざる：木をきれいに飾って、クリスマスツリーができた。

5) (f.) は：強い風で葉がたくさん落ちた。

6) (a.) はね：きれいな色の鳥の羽が落ちていたので、拾った。

問題3

1) e. ／枚　2) d. ／治る　3) a. ／光　4) c. ／技術
5) f. ／個　6) g. ／火事　7) b. ／角

問題4

1) d. ／植物　2) f. ／頭　3) c. ／軽い
4) b. ／仲良くする　5) e. ／閉じる

問題5

1) a. イ／どうきゅうせい　b. ア／げんばく
 c. ウ／じょうたい
2) a. ウ／せいひん　b. イ／かいりょう
 c. ア／やわらかく　d. エ／じょうぶ
3) a. ウ／しょくぶつ　b. イ／ひかり
 c. ア／ふかけつ
4) a. エ／そっ　b. ウ／おっ
 c. ア／いき　d. イ／ふきこん
5) a. イ／やさしい　b. ウ／にゅういんして
 c. ア／かくして

問題6

1) 第(一) ／11画　2) 折(った) ／7画
3) 線／15画，(外)側／11画
4) (三)枚／8画　5) (ひっくり)返(して) ／7画

問題7

1) A: イ)　B: ア)
2) A: ア)　B: イ)
3) A: イ)　B: ア)
4) A: イ)　B: ア)

問題8

1) a. ぎじゅつ　b. せいひん　c. げんりょう　d. まぜる
 e. うすく　f. かわかす　g. かぐ　h. かいはつ
 i. てづくり　j. やさしく　k. やわらかい

2) (自由に書いて下さい。)

■ 第13課

問題1

1) a. あらわれた　b. うつくしい　c. げんしょう　d. びじん
2) a. したしまれて　b. うた　c. かし　d. おや
3) a. いと　b. いしき　c. さんこう　d. かんがえかた　e. ぶんるい　f. わかり　g. ず
4) a. うまれた　b. たんじょうび　c. ちょくせつ　d. なおして
5) a. みえる　b. けしき　c. いろ　d. はっけん
6) a. きみ　b. けいしき　c. かたち　d. くん

問題2

1) a. 妻 ⇒ つま
b. 必要 ⇒ ひつよう
2) a. 池 ⇒ いけ
b. 他 ⇒ ほか
3) a. 待たされた ⇒ ま（たされた）
b. 詩 ⇒ し
4) a. 世界 ⇒ せかい
b. 細かい ⇒ こま（かい）
5) a. 自然 ⇒ しぜん
b. 点 ⇒ てん

問題3

ア）A. 必ず　B. 絶対
イ）A. 春夏秋冬　B. 四季
ウ）A. 示す　B. 指す
エ）A. 主人　B. 夫
オ）A. 通じる　B. 理解される

問題4

1) a. ウ／たんにん　b. ア／はいく　c. イ／さくしゃ　d. エ／おもいだせ
2) a. エ／まご　b. イ／したしむ　c. ウ／かんさつ　d. ア／きそく
3) a. エ／ぶんしょう　b. ア／ようそ　c. イ／こうせい　d. ウ／きおく
4) a. ア／直接　b. イ／印象　c. ウ／想像
5) a. イ／氷　b. ウ／池　c. ア／夢　d. エ／細かい

問題5

1) a. むすめ　(b.) つま　c. あね　d. まご
2) a. したしまない　b. とけない　c. しめさない　(d.) たりない
3) (a.) し　b. うた　c. はいく　d. かし
4) a. たんにん　b. きそく　c. ようそ　(d.) こうつう
5) (a.) かんそう　b. しゅだん　c. きおく　d. いんしょう
6) a. かって　b. かんさつ　(c.) たんじょう　d. ほんらい

問題6

1) 妻：つま　娘：むすめ
新しいカメラを買ったので、まず妻と娘の写真をとってみた。

2) 氷：こおり　張る：はる
近くの池に氷が張ったので、友達と一緒にスケートをしに行った。

3) 溶ける：とける　孫：まご
買ったアイスクリームがすぐに溶けたので、孫が泣いてしまった。

4) 俳句：はいく　浮かぶ：うかぶ
きれいな景色を見ると、いい俳句がすぐに浮かぶ。

5) 昼寝：ひるね　夢：ゆめ
昼寝をした時、最近全然会っていない昔の友達の夢を見た。

問題7

1) b.　2) c.　3) a.　4) b.　5) c.

問題8

1) a. そうぞう　b. けしき　c. しぜん　d. はっけん　e. しき　f. いんしょう　g. かんどう　h. いけ　i. うかんで　j. とぶ　k. すがた　l. あじわい

2)（自由に書いて下さい。）

第14課

問題1

1) a. おこなわれる　b. えいが　c. けいかく
d. じっこう

2) a. ひだりがわ　b. みぎがわ　c. さゆう

3) a. きょうじゅ　b. おしえて　c. えんぜつ
d. せつめい

4) a. しじ　b. らくせん　c. もって　d. おとして

5) a. はは　b. ちち　c. そふ　d. そぼ
e. ひんこん　f. こまって

6) a. まちがって　b. ほうどう　c. いはん　d. みち

問題2

1) 条件／condition　2) 計画／plan
3) 国会／National Diet　4) 時期／period; time
5) 報道／news report　6) 投票／vote

問題3

1) 評(価)／ひょうか　2) (目)標／もくひょう
3) (責)任／せきにん　4) 祖(母)／そぼ
5) 態(度)／たいど

問題4

1)-1. 地／b.／ちいき
1)-2. 地／a.／ちり
2)-1. 候／a.／者／こうほしゃ
2)-2. b.／候／てんこう
3)-1. 総理大／a.／そうりだいじん
3)-2. 大／b.／だいじ
4)-1. 政／a.／せいとう
4)-2. 政／b.／せいふ
5)-1. b.／論／ぎろん
5)-2. a.／論／とうろん
6)-1. b.／見／いけん
6)-2. a.／見／へんけん
7)-1. a.／真／しゃしん
7)-2. 真／b.／しんけん

問題5

1) a. 完成　b. 計画　(c.)約束　d. 当日
2) a. 全員　(b.)関心　c. 具体的　d. 注目
3) a. 時期　b. 条件　c. 報道　(d.)温暖化
4) a. 知り合い　(b.)責任　c. 職業　d. 国外
5) (a.)選挙　b. 実行　c. 評価　d. 目標

問題6

1) a. ウ／ふんいき　b. イ／かんばん　c. ア／しだい
2) a. イ／いんたい　b. ア／はなれる　c. ウ／かぎら
3) a. イ／しりあい　b. ア／いちおう　c. ウ／のぞいて
4) a. ウ／そうりだいじん　b. ア／せいさく
c. イ／はんえい
5) a. ウ／つとめて　b. イ／そふ　c. ア／むかんしん

問題7

1) (駅)員／えきいん　2) (医)者／いしゃ
3) (音楽)家／おんがくか　4) (教)員／きょういん
5) (社)員／しゃいん　6) (記)者／きしゃ
7) (漫画)家／まんがか　8) (画)家／がか
9) (銀行)員／ぎんこういん　10) (店)員／てんいん
11) (患)者／かんじゃ　12) (作)家／さっか

問題8

1) a. せいじ　b. みんしゅしゅぎ　c. せんきょ
d. こっかいぎいん　e. ちじ　f. しちょう
g. りっこうほ　h. こうほしゃ　i. じっこう
j. せいさく　k. えんぜつ　l. せんきょけん
m. むかんしん　n. とうひょう

2) (自由に書いて下さい。)

第15課

問題1

1) a. つきあい　b. きょうつう　c. きふ　d. とおり
2) a. たいへいよう　b. すんで　c. じゅうみん　d. ふとらない
3) a. じゅみょう　b. いのち　c. ながいき　d. せいかつ
4) a. このあいだ　b. なかま　c. しゅうにゅう　d. てにいれる
5) a. はかい　b. やぶれた　c. こわれた
6) a. うえて　b. しょくぶつ　c. ぶっしつ

問題2

1) 緑／green　2) 届いた／reached　3) 希望／hope, wish
4) 周り／surroundings　5) 豊かな／abundant, rich
6) 付き(合い)／association, socialization
7) 貧しかった／was poor

問題3

1) g., e.／じゅうぶん　2) a., f.／しげん
3) d., c.／じゅしょう　4) b., i.／ざいさん
5) p., k.／こうどう　6) n., l.／のうか
7) o., r.／えいよう　8) m., q.／ぶんや

問題4

1) a.(老)後／ろうご　b.(戦)後／せんご
2) a.(募)金／ぼきん　b.(貯)金／ちょきん
3) a. 予(測)／よそく　b. 予(定)／よてい
4) a. 生(産)／せいさん　b.(衛)生／えいせい
5) a.(禁)止／きんし　b.(防)止／ぼうし
6) a.(人)種／じんしゅ　b. 種(類)／しゅるい

問題5

1) a. イ／みどり　b. ア／ゆたか　c. ウ／めぐまれた
2) a. イ／したがって　b. ウ／ろうどう　c. ア／みたす
3) a. ア／うら　b. ウ／じゅうみん　c. イ／おそれて
4) a. イ／森林　b. ウ／捨てる　c. ア／悩み
5) a. ウ／再　b. ア／疑問　c. イ／返って
6) a. イ／太らない　b. ア／無料　c. ウ／仲間

問題6

1) a. ゆたかな　(b.)へいきな　c. のびる　d. なやむ
2) a. じゅうみん　b. ぼきん　c. みどり　(d.)おもて
3) a. ぼうしする　(b.)とりもどす　c. ひろめる　d. かえる
4) a. てにいれ　b. めぐまれ　(c.)みたされ　d. おそれ
5) (a.)しょう　b. さい　c. いらい　d. し

問題7

Ⅰ)　A: ない　B: まだ　C: もう一度
(a., b., d.)　(c.)　(e.)

Ⅱ) 1) a.　2) a.　3) c.
4) a.　5) b.　6) c.

問題8

1) a. ふあん　b. こうれいしゃ　c. しんりん
d. はかい　e. ゆたか　f. しげん
g. ぎもん　h. おそれ　i. かいぜん
j. めぐまれた　k. きぼう

2) (自由に書いて下さい。)

■ 漢字パズル 1

漢字の組(く)み合(あ)わせができない漢字は、＿術＿です。

■ クロスワードパズル

1 夕	2 方	法	3 効	4 完
5 用	6 若	7 結	果	8 成
9 意	者	10 仏	11 個	功
12 見	13 学	習	14 人	口
15 出	16 身	近	物	17 村

■ 漢字パズル 2

【問題 1】

ステップ1⇨ 食事　国際　平和　実際　現在　和食　国内

ステップ2⇨ ~~食~~事　~~国際~~　平~~和~~　実~~際~~　現在　~~和食~~　~~国~~内

→残る漢字：1) 事　2) 平　3) 在　4) 現
5) 内　6) 実

ステップ3⇨ [案]内　平[等]　[存]在　現[状]

ステップ4⇨ 事実（じじつ）

【問題 2】

ステップ1⇨ 物語　現代　発表　単語　表現　恋人　恋愛

ステップ2⇨ 物~~語~~　~~現~~代　発~~表~~　単~~語~~　~~表現~~　~~恋~~人　~~恋~~愛

→残る漢字：1) 物　2) 代　3) 発　4) 単
5) 人　6) 愛

ステップ3⇨ [時]代　愛[情]　[簡]単　発[明]

ステップ4⇨ 人物（じんぶつ）

■ 漢字しりとり

レベル1：世紀／気持ち／地理／理解／以下／会場／打つ／続く／首／人々／土地

レベル2：子供／文字／時代／石／島／周り／理由／動く／苦しい／岩／若者／能力／暮らす

■ 漢字くずし文字

【問題 1】

A. 明日 — 明日
B. 日本 — 日本
C. 東京 — 東京
D. 元気 — 元気
E. 天気 — 天気

【問題 2】

(1) 私の名前は田中です。

(2) 水を持って来てください。

(3) 昨日、本屋で新しい本を買いました。